*Roman Fantastique*

# 幻想と怪奇



## 14

## ロンドン怪奇小説傑作選

新紀元社

リージェンツ・パーク
カムデン
大英博物館
メアリルボーン
ソーホー
メイフェア
ハイドパーク
シティ・オブ・
ウェストミンスター
セントジェイムズ
パーク
バッキンガム宮殿
ベルグレイヴィア
ウェストミンスター宮殿
（国会議事堂）
ウェストミンスター
ブロンプトン
16
17
18
19
20
21
23
24
25
27
28
29
30
32
33
34

# シティ・オブ・ロンドン

地図イラスト：福地貴子

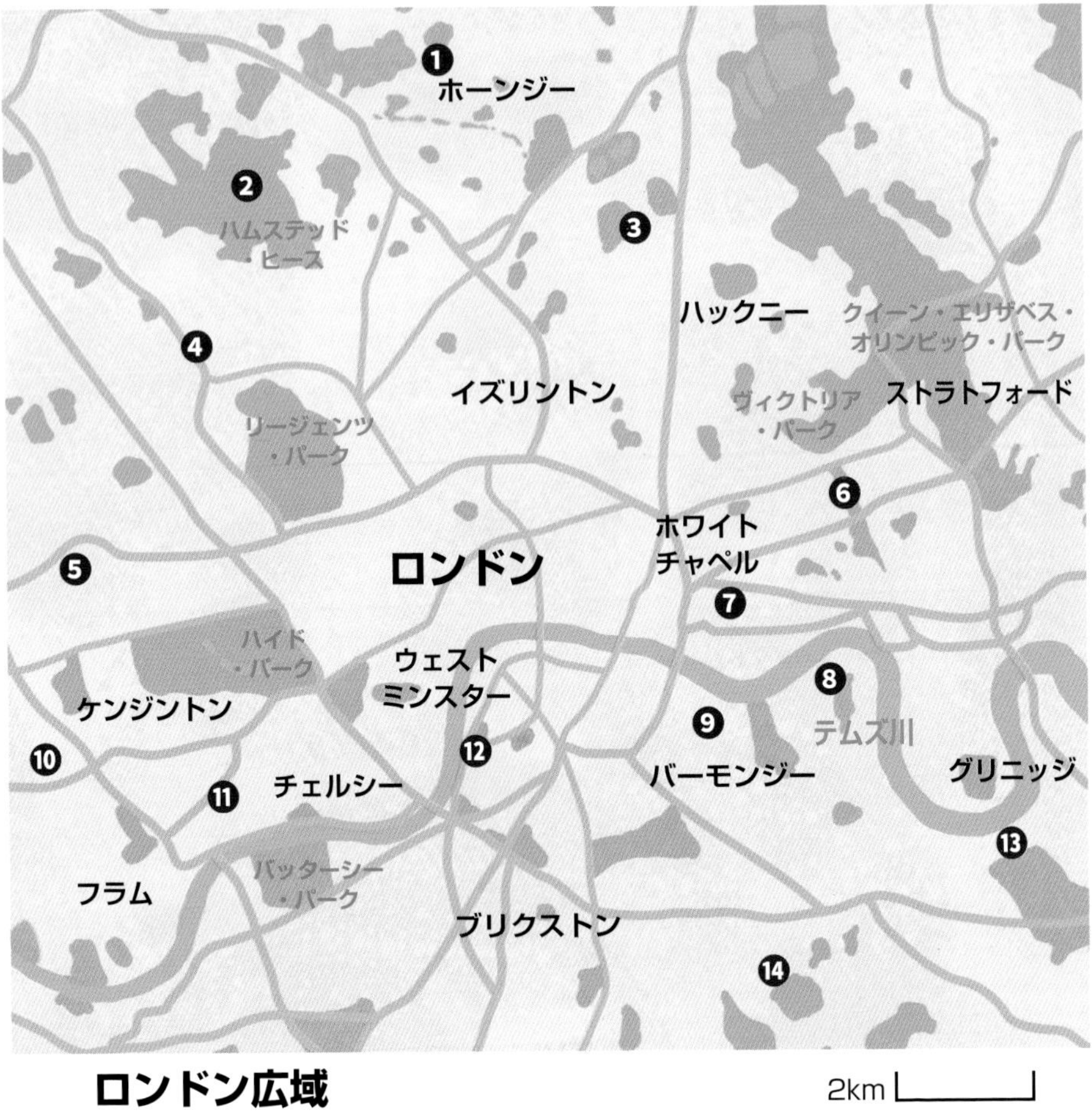


ロンドン広域

# ロンドン怪奇小説地図

『幻想と怪奇』編集室

長い歴史の中、さまざまな物語の舞台となってきたロンドン。名所旧跡はもちろんですが、日本語の翻訳で読んでいる私たちには、街区や通りの名にもなんとなく馴染みがあるものです。が、さすがに「どのあたり?」「そうそう、ここ!」というところにまでは、なかなかいかないものです。

そこで、怪奇幻想の名作の舞台となった各所を、地図の上に示してみました。ドラキュラはどのあたりを跳梁したか。ハイド氏はどこに潜んでいたのか。ニコラス・ホークスモアが設計した「魔の聖堂」はどこにあるか……など、紙上のロンドン散策をお楽しみください。もちろん、本書の収録作品の舞台がどこかも、御覧いただけます。(M)

## ロンドン広域

①クラウチ・エンド（Crouch End）■スティーヴン・キング「**クラウチ・エンド**」
②ハムステッド・ヒース（Hampstead Heath）■ブラム・ストーカー『**吸血鬼ドラキュラ**』吸血鬼事件発生
③ストーク・ニューイントン（Stoke Newington）■E.A.ポー「**ウィリアム・ウィルスン**」■アーサー・マッケン「**N**」
④スイス・コテージ（Swiss Cottage）■ミュリエル・スパーク「**名高き詩人の家**」＊1
⑤ポートベロー・ロード（Portobello Road）■ミュリエル・スパーク「**ポートベロー・ロード**」
⑥マイル・エンド（Mile End）■ストーカー『**吸血鬼ドラキュラ**』ドラキュラの拠点の一
⑦聖ジョージ東教会（St George-in-the-East Church）■ピーター・アクロイド『**魔の聖堂**』
⑧聖アンのライムハウス教会（St Anne's Church, Limehouse）■アクロイド『**魔の聖堂**』
⑨バーモンジー（Bermondsey）■ストーカー『**吸血鬼ドラキュラ**』ドラキュラの拠点の一
⑩ウェスト・ケンジントン（West Kensington）■H.G.ウェルズ「**白い塀の緑の扉**」＊1
⑪チェイン・ウォーク472（Cheyne Walk 472）■W.H.ホジスン『**幽霊狩人カーナッキ**』カーナッキの住居
⑫ヴォクソール・ウォーク（Vauxhall Walk）■シャーロット・リデル「**ヴォクソール・ウォークの古い家**」＊1
⑬聖アルフェッジ教会（St.Alfege Church）■アクロイド『**魔の聖堂**』
⑭ナンヘッド墓地（Nunhead Cemetery）■井上雅彦「**緑の聖地**」＊1

## シティ・オブ・ロンドン

### ◉大英博物館周辺

⑮グレイズイン・ロード（Grays Inn Rd）■リチャード・ミドルトン「**棺桶屋**」
⑯大英博物館（The British Museum）■M.R.ジェイムズ「**呪いをかける**」
⑰ベッドフォード・スクエア（Bedford Square）■E.F.ベンスン「**チッペンデールの鏡**」＊3
⑱グレート・ラッセル・ストリート（Great Russell St）■アーサー・マッケン「**赤い手**」
⑲ブルームズベリ・聖ジョージ教会（St George's Church, Bloomsbury）■アクロイド『**魔の聖堂**』
⑳博物館通り（Museum St）■H.ラッセル・ウェイクフィールド「**“彼のもの来たりてのち去るべし”**」＊5
㉑セヴン・ダイアルズ（Seven Dials）■H.G.ウェルズ「**水晶の卵**」

### ◉ベイカー街周辺

㉒エッジウェア・ロード（Edgware Rd）■グレアム・グリーン「**館内は無人**」＊1
㉓ベイカー・ストリート221B（221B Baker Street）■A.コナン・ドイル『**緋色の研究**』他 シャーロック・ホームズの住居
㉔ベイカー・ストリート地下鉄駅（Baker Street Station）■シンシア・アスキス「**逃げる女**」
㉕グレート・ポートランド通り（Great Portland St）■ラッセル・ウェイクフィールド「**中古車**」＊3

### ◉ハイド・パーク～ソーホー

㉖ハイドパーク・プレイス（Hyde Park Pl）■ロバート・ヒチェンズ「**魅入られたギルディア教授**」
㉗グローヴナー・スクエア（Grosvenor Square）■オスカー・ワイルド『**ドリアン・グレイの肖像**』
㉘王立芸術院（Royal Academy of Arts）■レティス・ガルブレイス「**失踪したモデル**」＊1
㉙ピカデリー・サーカス（Piccadilly Circus）■ストーカー『**吸血鬼ドラキュラ**』ドラキュラの拠点の一
■アーサー・マッケン「**失踪クラブ**」＊2
㉚レスター・スクエア（Leicester Square）■R.L.スティーヴンスン『**ジキル博士とハイド氏**』
㉛キングスカレッジ・ロンドン（King's College London）■織守きょうや「**同居人**」＊1

### ◉バッキンガム宮殿周辺

㉜ブロンプトン・ロード（Brompton Rd）■H.ラッセル・ウェイクフィールド「**アッシュ氏の画室**」＊1
㉝スローン・スクエア（Sloane Square）■トマス・バーク「**街外れの奇跡**」＊1
㉞ウェストミンスター宮殿（Palace of Westminster）■ロバート・エイクマン「**哀れなる友**」＊1

### ◉セントポール大聖堂～イースト・エンド

㉟クイーン・ストリート7番地（No.7, Queen Victoria St）■マージェリー・ローレンス「**青銅の扉事件**」＊4他 ペノイヤーの住居
㊱聖メアリー・ウールノス教会（St Mary Woolnoth Church）■アクロイド『**魔の聖堂**』
㊲リバプール・ストリート駅（Liverpool Street Station）■J.D.ベレスフォード「**霧の無人駅**」＊1
㊳キリスト教会（Christ Church Spitalfields）■アクロイド『**魔の聖堂**』
㊴ホワイトチャペル（Whitechapel）■ベロック・ローンズ「**下宿人**」＊2
㊵ロンドン塔（Tower of London）■夏目漱石「**倫敦塔**」

＊1：本書所収 ＊2：『幻想と怪奇1』所収 ＊3『幻想と怪奇10』所収 ＊4：『幻想と怪奇12』所収
＊5：『新編 怪奇幻想の文学4』所収

# 幻想と怪奇14
# ロンドン怪奇小説傑作選

表紙：ひらいたかこ（Pen Studio）

装丁：YOUCHAN（トゴルアートワークス）

『幻想と怪奇』題字：原田治

ロンドン幽霊物語：プロンプトン・ロード

# アッシュ氏の画室《アトリエ》

Mr. Ash's Studio

H・R・ウェイクフィールド　H. R. Wakefield

渦巻栗 訳

地下鉄ナイツブリッジ駅（1934年）

【場所】ブロンプトン・ロードは、北にハイド・パークとケンジントン・ガーデンズ、東にはバッキンガム宮殿を望む通りで、ヴィクトリア&アルバート博物館やロンドン自然史博物館がある。この通りは高級住宅街として知られ、ホロックス氏が一時的な仕事場を求めて物件を見にいったナイツブリッジ駅からの並びは、ことに閑静な一角とのこと。小説家が執筆に専念するには最適、という気もするが、それは借りた物件にもよる、というところ。怪奇小説家として著名なホロックス氏には、最適に過ぎたのかもしれない。それがどういうことかは、本編をお読みいただけますよう。

【著者】ハーバート・ラッセル・ウェイクフィールド（一八八八―一九六四）は、編集者にして小説家。ゴースト・ストーリーの名手として名高く、M・R・ジェイムズの後継者と評された。本作は、一九三二年に刊行された作品集 Ghost Stories に収録された、彼の代表作の一つである。

なお『幻想と怪奇』ではこれまで、第二巻『人狼伝説』に「ある探検家の死」、第十巻『イギリス怪奇紳士録』に「中古車」と、ウェイクフィールドの作品を紹介。本作が三編目になる。

道路破壊軍団が呪わしい圧縮空気ドリルを手にもどってきたので、ホロックス氏の半白の髪は決然と逆立った。誓ってもいいが、自分は警笛や歯車のやかましい管弦楽団にも、陳腐な舞踏曲の不協和音にも耐えられる。真下のアパートで悪童が打ち鳴らすピアノにもがまんできる。だが、イースト・ストリートから、あたりを震わせて響きわたる、あの小刻みな打撃音が聞こえてきた途端、なにか手を打たなければ長篇小説を完成させられないと悟った。「別のアパートを探す間、仕事場を借りたらどうだ？」クラブで、ある友人が言った。彼は雑誌の〈芸術通〉を取りあげた。「ほら、こんなのがある……『地下鉄ナイツブリッジ駅から徒歩十分。広々とした離れの画室《アトリエ》。閑静。分割払い可』。ちょっと見てみてもいいんじゃないか？　これがいまいちでも、空いているところはいくらでもあるだろう」

　ときどき、年に二回ほど、ホロックス氏は、断固たる決意を胸にして行動することがあった。十分後には、不動産屋に向かっていた。彼は、小柄だがたくましいからだつきで、我が強く、年は四十六歳だ。頭は縦長で、てっぺんはいくぶん平ら、側頭部の髪は前へなでつけてあり、どこか古めかしさが漂う。目はとても敏《さと》くて黒く、口は小さくてもよく動き、あごは先細だが際立っている。観察眼が鋭い者には、思いのほか相反する印象を与えるだろう。機敏だが思慮深く、癇癪《かんしゃく》持ちだが情け深い。建前では、粗《あら》を探したり、興をそいだり、上品ぶったりする輩《やから》を際限なく嫌っていたが——実際にこうした人間と接するときは、礼儀正しく、相手を思いやり、常識を持って、話を引き出す側にまわった。真の小説家たるものは、臨機応変でなくてはならない。

「ルーパーズ・コートでだれかに聞けば、案内してくれますよ」不動産屋はそう言って鍵をわたした。「アッシュ氏のアトリエと言えば通じます」

「どうも」ホロックス氏はそう答えると、急ぎ足でその場を辞した。油断のない目を見開いていたおかげで、ついにルーパーズ・コートを見つけた。ブロンプトン・ロードのはずれにある、迫持《せりもち》がついた狭い通路からはじまっていて、その先には、彼が若かりしころに「ミューズ」と呼ばれていた、厩《うまや》の跡地が広がっている。いまでは車庫が並んでいて、小さな住宅もちらほら建っている——馭者の住居を改装した家だ。お抱え運転手がたくさんいて、洗車などの職務に励んでいる。ホロックス氏が案内人を探してあたりを見まわすと、ある家の玄関に立っている長身の若い男が目に入った。そこはこぢんまりとした心惹かれる黄色い家で、窓には派手な青い植木箱を置いている。ホロックス氏は彼のほうへ歩いていって、尋ねてみた。

「いいですよ」彼は快活な口調で答えた。「いっしょに参りましょう」彼に案内された入口は、柵で囲われた狭い芝地をまわって右側にあった。突き当りには、思いのほか高さのある小屋が建っており、そのトタン屋根を覆うようにして、一本きりのプラタナスが無数の枝を垂らしている。

「あれがアトリエです」長身の若者が言った。「向こうから入れます」

「どうもありがとう」ホロックス氏は言った。「よさそうだね。静かだし」

若者はなにか考えこんでいる様子だ。「画家ですか？」しばらくしてそう訊いた。

「いや」ホロックス氏は答えた。「執筆しようと思っているんだ。私はサミュエル・ホロックスという者だが、きみはたぶん聞いたこともないだろう」

「とんでもない。実をいえば、あなたの超自然の物語は大好きなんですよ。ひとつお尋ねしたいのですが、どういったいきさつでこのアトリエを紹介されたんですか？」

「なに、広告で見かけただけさ」

若者は、なおしばらくもの思いにふけっていた。それから心を決めたらしい。「なるほど」と言った。「あそこが目的にかなうといいのですが。ぼくはランデンといいまして、あの小さな黄色い家に住んでいます。ぼくでお役に立てることがあったら、おっしゃってくださいね」

ホロックス氏は礼を言って、彼と別れた。

「とても礼儀正しい若者だ」ホロックス氏はそう考えながら、歩を進めた。「頭の回転も速そうだが、いったいなんの役に立てると思っていたんだろう」おや、これが扉か。彼は鍵を錠に差した。いくらか力を入れないと開かなかったのは、扉の下と側面が湿って固まっていたためだろう、と思った。なかの部屋は、外見から想像できないほど広い。それどころか、部屋はふたつあるらしい。というのも、突き当りには扉がもうひとつあるからだ。室内を照らす光は、三つの高窓から差しこんでいる。思いのほかむっとするにおいがして、膠《にかわ》塗料をつけた壁はところどころ湿っている。おや、画架には絵がのったままだ。いくぶんがたついている椅子も二脚ある。もうひとつの扉の向こうも見てみよう。たしかに部屋がもうひとつある。かなり狭くて、がらくただらけだ。梱包用の木箱がいくつか、オイルストーブが一台、やかんがひとつ、などなど。それにしても妙なにおいだ！　あの小さな木箱の赤いしみはなんだろう？　彼はしゃがんでみた。あろうことか、それは生きていた。蛾の群れだ。いよいよ奇妙ではないか！　色は美しい。あそこでなにか食べているに違いない。彼は手を伸ばして追いやろうとしたが、蛾はいきなり飛びたって、顔につっこんできた。ちびの虫けらめ！　蛾を払いのけながら慌てて引き下がり、外に出ると扉を閉めた。ちっこい害虫どもめ！　それはともかく、このアトリエについてはどうだ？　すっかり気に入ったわけではないが、静かなのはまちがいない。ホロックス氏は、店員にとって夢の客だった。というのも、最初に見せられたものを買って、いそいそと店を出ていくからだ。彼がいちばん避けたかったのは、店を何軒もまわったり、不動産屋や鍵のことでもめたり、道順などを訊いたりすることだった。彼は作業する場所がほしかった。それもいますぐほしかった。ここはたしかにぴったりだ。冬はだめだとしても、来たる夏には――どうして冬はだめなんだ？　ホロックス氏は、この条件について考えるともなく考えてみた。おそらく、湿気がひどいからだろう。それに――なんというか――思っていたより陰鬱だ。これはもちろん、アトリエがよそよそしく、静まりかえっていて、孤立しているにもかかわらず、ほんの百ヤード向こうでは、だれもが忙殺されていて、雑多な騒音が響きわたっているせいだ。きっとそんなところだろう。そうだ、もちろんそうだとも。机を運びこんで、湿気対策にストーブも持ってこよう。あとは、よそよそしさと静寂を目いっぱい利用すればいい。これで決まりだ。彼はぶらぶら歩いて、画架に近づいた。女の肖像画だ。かわいらしい若い女で――美しいといってもいいが、表情にはどこか――謎めいたところがある。アッシュとかいう男は何者だったのだろう。おや、画架のうしろの床にパレットと絵筆が置いてある。雑多な色が妙に混ざりあったパレットだ。なんだか無様《ぶざま》だが、画家の作業について知っていることなどたいしてない。もっとも、知ったかぶりをしたことは一度もない。足音がやたらと大きく響くのは、床が板張りだからか。それほど静かだということだろう。辞去する前に、扉のすき間から小部屋を覗いてみた。やはり連中はもとの場所にもどっている。なにか模様をなしている――すばらしい色合いで、暗い紅玉《ルビー》のようだ。ちびの虫けらどもににらまれている気がする。思わず笑い声をあげた。こんなによく響くのか。昼食をとったほうがよさそうだ。午後になったら、アトリエを一か月借りるとしよう。予定が決まると、心底ほっとした。外に出ると、手で押さえていた扉が勢いよくぶつかってきた。まるで勝手に動いたようだった。ぴしゃりと閉じて、締め出されてしまった。彼は少しうろたえた。この場所はもてなし好きではないらしいな、と思った。

路地を引き返すと、長身の若者はまだ黄色い家の外に立っていた。「いかがでした？」と訊いてきた。

「借りることにしたよ」ホロックス氏は言った。「まあ、気分が晴れる場所ではないが、静かだから決まりだね」

若者はうなずいた。「長く借りるおつもりですか？」

「いや、ひと月だけだ」

「なるほど。執筆が進むことを祈っていますよ――あなたの幽霊譚がじきに読めるのを楽しみにしています」

「幽霊譚は筋書きを考えるのが難しくてね」ホロックス氏は答えた。「まあ、最善を尽くすよ。それじゃまた」

三日後、彼はアトリエを再訪した。いまでは机がひとつ、座り心地のよい椅子が二脚、いつもの携帯式タイプライターが置いてある。朗々たる五月の朝だからか、前よりはもの柔らかに見えるが、愛想がいいとまではいかないな、と彼は思った。とはいえ、いまは仕事だ。長篇はだいたい三分の一まで書きあげたが、いらだたしいことに、ここからどうやって話を膨らませるかが思いつかない。これとは別に代理人と約束した件があり、ある雑誌のクリスマス号向けに、幽霊譚を大急ぎで執筆しなくてはならない。そこは原稿料をたっぷり弾んでくれるのだ。だが、いまのところはなんの着想も浮かんでいなかった。ひとまず、長篇に集中しよう。彼は机に向かって、熟考しはじめた。自分の弱みは承知している。軽薄になりがちなのだ。世間とそこに住まう者たちを見たり、本で読んだりするほど、まじめに取りあげるのが難しくなっていった。人間たちの話に関していうと、笑うべきでないところで笑いたくなる。小説家としては致命的な欠点だ！　登場人物たちは、重大なところで場違いな茶目っ気を見せ、創造主が自分たちを操ろうとするのを嘲笑《あざわら》う。これはおそらく、創造主が宇宙的な観点から人間をほめたたえることができなかったからだろう。そんなわけで、アッシュ氏のアトリエの雰囲気がこの軽はずみな筆を見事に矯正してくれたのはうれしかった。昼食時までに、まるまる一章を書きあげた。とても重大な章で、よく書けたのが自分でもわかった。道化じみた調子はすっかり消えている。腕は痛んでいるが、魂は満ち足りており、彼は一時半過ぎに腰をあげてあくびをし、からだを伸ばした。ふと気がつくと、画架の絵を眺めていた。こうして明るい光のもとで見てみると、とても強烈な作品のようだ。思いなしか、前に目にしたときよりも手が加わっているように見える。たしかに、この女の顔は謎だ。絵に近づいて、まずは目を、それから口と頰を手で隠し、違和感がどこに潜んでいるのかを突き止めようとした。その結果、これは遍在するものであり、源をたどることはできないと判断した。それはそうと、あの小さな赤い悪魔どもがなにをしているか見に行ってみよう。連中は木箱に群がって、同じ模様をなしており、身動きもせずに没頭している。おかしな模様だ。人間の顔にそっくりではないか。学童だったころに「虫取り」をやった思い出が、おぼろげによみがえってきた。断言してもいいが、あの蛾は、殺虫瓶に入れたことがある虫とは似ても似つかない。頭には奇妙な斑点がついている。彼がしゃがんだ途端、群れはいっせいに飛びたって、顔につっこんできた。彼は反撃に出たが、どうもおかしい。一匹たりと触れないとは！　このちびどもは逃げる達人らしい。その上、鼻が曲がりそうなにおいを放っている。胸が悪くなる腐臭だ。これからは放っておくとしよう。

　昼下がりはキュー植物園で過ごした。彼の見解によると、よく晴れた春の日のここは、世界で最も麗しい場所だった。芝生を散策し、鳥にパンくずをやりながら、かの忌々しい幽霊譚に使えそうな題材を探した。かつて、とある評者から、この手の小説にうってつけの「恐ろしいほど酷《むご》い想像力」を持っていると言われたことがあった。いまはそれが恐ろしいほど酷く欠けている。とはいえ、あのアトリエの雰囲気が活を入れてくれるはずだ。やがて、ひと休みしたくなってきたので、ツツジのそばの椅子に座った。まどろんでいると、白昼夢を見はじめた。一連の心像が脳内をすばしこく巡回した。画架に乗った若い女の頭――木箱の黒ずんだしみ。気がつくと、アトリエを隅から隅まで調べていた。光景をありありと思い描く力を身につけていたおかげだ。若い女の顔をじっくりと精査した。そこでぎくりとして、われに返った。というのも、顔に加筆されていて、左の鼻孔から上唇までの線がかすかに強調されているように見えたのだ。思いちがいにしてはおもしろい。小説のネタになるかもしれない。すべての出来事が、語り手の潜在意識下で起きる。ひどく難しい話だ。それはさておき、そろそろ帰宅しなければならない。道路を破壊していた連中も、家に着くころには仕事を終えているだろう。

　それからは、週に四日、午前中のうちにアトリエを訪れた。昼過ぎに行くこともあった。そこに近づくと必ず、奇妙に入り混じった感情を覚えた。これほど想像力をかき立てる場所はいまだかつてなかったが、どうしてもくつろげないのだ。扉の錠を開けた途端、そこはかとない心のざわめきを感じた。実のところ、それはルーパーズ・コートに入ったのと同時に湧きあがったのだが、なかに入って画架の若い女と対面するまで強まる一方だった。執筆している間も、しょっちゅう手を止めて、彼女のほうを見た。アトリエを訪れるたびに、彼女はどことなく、かすかに変貌し、完成に近づき、「具現化」していくかに思えたが、それとともにますます見極めがたく、分析しえない存在になっていくようだった。もしかすると、これが絵画を「鑑賞」することなのではないか。詩や楽曲のように、絵が内なる真意をさらけ出す相手は、画家が想いを刻みこんだのと同様の熱意で、それを解き明かそうとする者だけなのだ。それに、彼女はとても役に立つ。というのも、どうやら小説で焦点となる女性と一体化しているようなのだ――「ヒロイン」という言葉で、あの陰鬱な気性の吸血鬼を表すのはいささか皮肉がすぎるだろう。執筆がすばらしくはかどった上に、見通しも明るいとは！　今度ばかりは、版元が宣伝文句として哀れなほどくりかえし使っていた、「サミュエル・ホロックス、最新作は最高傑作」も妥当に思えた。冷酷といってもいいくらい、軽薄なところがないのだ。運命的な山場へ進んでいくにつれて、影が深まり、濃くなってゆく。こうなると、最初の三分の一も大幅に改稿しなくてはならない。骨が折れるが、避けては通れない。

小部屋をあとにして、蛾も放っておくことにした。連中のことなどどうでもよい、と思った。あの虫は、どうもこの場所に似つかわしくない。推測だが、アッシュ氏は、何者であれ、連中にいたく興味を持っていたのではないか。というのも、彼の、いや彼のものと思しきスケッチブックが窓台にのっているのを見つけたのだ。ここには、若い女の頭の習作が十数枚あり、どれも蛾に縁取られて華やかに飾られている。そのうちの一枚からは、思いのほかいかがわしい印象を受けた。若い女は頭をぐっとのけぞらせている。その顔に塗りたくられた暗い赤色は、どことなく、だが見まちがえようもなく、蛾の姿をかたどっている。画家がなにを思ってえんぴつを手にし、これほど陰鬱な構想を描いたのか、ホロックス氏には見当もつかなかった。だが、心を虜にされたのはたしかだったし、恥じ入りながら目を走らせることも何度かあった。とはいえ、他人のものでなかったら、ほぼまちがいなく、細かくなるまで引き裂いていただろう。

週に二十時間ほどアトリエで過ごしたが、もっと長くいたといってもいいかもしれない。なぜなら最近は白昼夢をしきりに見るからで、光景を思い描く異常な力もそれに拍車をかけていた。この癖はありがたくないどころか、ひどく腹立たしかった。というのも、潜在意識は、こうした白昼夢の温床らしく、断固たる態度を取って、住人がいない間にアトリエでなにが起きているのか、是が非でも関心を向けるべきだと主張しているようなのだ。当然ながら、なにも起きていないはずだが、それでもなお、散歩をしたり、本を読もうとしたりしているときに、ふと気がつくと、いわばアトリエにいて室内を改めている。視界はかすんでいて、部屋はずっと縮んでいるように見えたが、すぐにそれと判別できた。私物の机や椅子は見当たらないが、画架には若い女の頭の絵があり、窓や、小部屋に通じる扉がある。また、彼も認めざるをえなかったのだが、それ以外にもなにかが、いや正確にいうなら何者かがよく出てきた。この男は――そう、たしかに男だ――歩きまわっていた。背が高く、妙な歩き方をしているのを見て、片脚が不自由らしい。だが、どんなに集中しても、この人物にはいまひとつ焦点が合わなかった。そうしていると、汗が出てきて、鼓動が速まることもよくあったが、この人物の顔はどうしてもはっきり見えなかった。長身で浅黒いのはたしかだ。いったい何者だろう?　こうしてやきもきしていると、冷静になったり、自分をばか者だと叱りつけたりする間もなく、狂おしいほど激しい衝動に駆られて、ただちにルーパーズ・コートへ向かい、だれかがアトリエをうろついているのかどうかたしかめたくなった。一度ならず、ありったけの精神力をかき集めて、この強烈な渇望に抗《あらが》うはめになった。自分をなだめるべく、薄汚い小屋のことで頭がいっぱいなのは常軌を逸しているが、これは過労の症状なのだと言い聞かせた。そこまでいかずとも、小説にのめりこみすぎているのだろう。とはいえ、よろこばしいことに、こうした心もとないせせらぎが完璧に合わさって、ひとつの揺るぎない流れとなっていた。それについては薄汚い小屋に感謝せねばなるまい。執筆も終わりが見えてきた。

　彼がランデンに会ったのは、アトリエを午後遅くに出たときのことだった。うちでシェリーでも一杯どうですかと言われたので、立ち寄ることにした。小さな黄色い家は、外見に劣らず、なかも魅力たっぷりで、さりげなく趣《おもむき》のある家具調度がしつらえてある。

「では、あそこは作業場にぴったりだったわけですか」家の主は、執筆がはかどっていると聞いてそう尋ねた。

「まあ、ぴったりの意味にもよるがね」ホロックス氏は答えた。「たしかにあそこでは四万語も書いたし、ゴルフ好きが言うように『なかったことにはしたくない』だが、ぴったりというのは――いや、恩を忘れるわけにはいかないが――ただ、その言葉はふさわしくないと思うんだ」

ランデンは束の間黙っていた。「たしかに」やがてそう言った。「おっしゃりたいことはわかります」

「なかに入ったことがあるのか」

「ええ、まあ」ランデンは言った。

「あそこには独特の雰囲気がある。個性といってもいいかもしれない。世の中にはそういう場所もあるようだね」

「その手の知覚力をお持ちなんですか？　つまり、本当に心霊体験をしたことがあると？」

「実をいうと、あるんだ」ホロックス氏は答えた。「何度もね。ただ、他人にはわかってもらえないから、ずっと話さなかった」

「ぼくも同じです」ランデンが言った。「黙っておくのが得策だとわかってきました。口を開いたら最後、自慢好きのうそつき呼ばわりされますから。そうした体験を創作というかたちで頭の外に出せたら、さぞすっきりするんでしょうね。いまも話を書いているんですか？」

　ホロックス氏は肩をすくめた。「どうかな」と言った。「まあ、気のせいかもしれないが、私のくたびれて老いぼれた頭のなかで、かたちになりかけているのがひとつある。だが、せかしたり、引っ張りあげて見てみたりするのは禁物だ。せっかちな釣り人になってはならない。なにかをとらえたら、たしかな『引き』が来て、機が熟したとわかるはずだ」

「考えさせられるたとえですね」ランデンが言った。「ぼく自身は小説を書けませんし――『物語が思いつかない』のです――一介の建築家ですが、おっしゃったことはどうにか理解できます。そういえば、あなたが書いた『日が落ちるころあいに』が忘れられないんですよ。心霊現象に関して放射理論を提唱されていましたが、とても説得力がありました」

「あれは、生霊がいるという揺るがぬ証拠から発想したんだ」ホロックス氏は答えた。いささか満足げだ。

「なるほど」ランデンが言った。「ところで、夜はあのアトリエで作業していませんよね？」

「いまのところはね」

「そうですか。夜はやめておいたほうがいいですよ。暗くなると、このあたりには物騒な連中が出没しますからね。明かりを目にしたら、あいさつもしないで入ってくるかもしれません」

「当然だが、鍵はかけるよ」ホロックス氏は言った。

「ええ、そうされるとは思いましたが、ぼくだったら危険は冒しません」

　ついにホロックス氏が「完」の字をタイプする日がやってきた。その下には五月二十九日と記した。考えてみると、ここまでの九万語は人生で最良の作品だ。よく書けているが、雰囲気も文体もいつもとはまったく異なり、自作とは思えないほどだった。これはどうやら、と心中で謙遜してつぶやいた。少しばかり霊感を受けたらしい。翌日は版元に原稿をわたしたら、コーンウォールに直行して長い休養をとる。それから、まあまあ静かなアパートを探そう。だから、アトリエとはおさらばだ。別れを告げたくないのだろうか？　またしても、その質問にははっきり答えられなかった。アトリエは想像力をこの上なくかき立てて、活を入れてくれたが、少し恐ろしかった。そう、こういってもよければ、アトリエには神経を逆なでするところがあったし、あのばかげているが耐えがたい白昼夢を見るようになったのも、まちがいなくあそこのせいだ。最後にぶらぶらと一周してみよう。あの若い女を最後にひと目見たい。実に心騒がせられる錯覚だ。誓ってもいいが、彼女の顔に浮かぶ表情は劇的に変わっている。相変わらず優雅で美しく、いつも通りに気が張り詰めているように見えるが、いまでは嘲笑うがごとき冷たく無慈悲な空気をまとっている。麗《うるわ》しくも危険な吸血鬼であり、悪魔だ。突然、彼女の顔に拳をたたきこみたくなった。そこで自分を笑い飛ばし、声に出してこう言った。「やれやれ。わが最愛の邪悪な娘さんよ、もう二度と会うことはないだろう。アッシュさんにどうかよろしくと――」不意に口をつぐんだ。明るくおどけた調子でしゃべったのだが、そのこだまは暗く沈んでいながらも、どこか嘲《あざけ》っているように響いた。いきなり不安と憂鬱が押し寄せてきて、思わずカンバスを裏返した。裏面を見るともなく見ると、なんらかの象形文字がていねいに書きこまれているが、判読できなかった。さて、今度はちびの赤い悪魔に最後のあいさつをしよう。おお、やはりいる。赤く輝き、身動きもせず、汚らわしいそのさまは、百の目を持つ血痕のようだ。床板の端切れを拾って、押しつぶしてやるか。小さな悪魔たちは、その考えを読んだらしい。いきなり飛びかかってきて、彼は部屋から追い出された。なんというにおいだ！　やれやれ、もう終わりにしよう。扉を開けて出る際に、これで最後とうしろを見ると、扉が勢いよくぶつかってきた――ばたん！――そして閉まった。昼食をとろうとクラブへぶらぶら歩いていく道すがら、かの忌々しい幽霊譚を書かねばならない件について考えた。そろそろ取りかからないとまずい。漠然とした印象だが、あのアトリエでなければ、今回の幽霊譚を着想し、書きあげることはできないのではないか。もしかすると手放すのが早すぎたのかもしれない。なんと呪わしいことか！　繊細で全精力を要する作品を完成させたと思ったら、もう一作書かねばならないのだ。ひとまず一日だけ休みにしよう、といらいらしながら自分に言い聞かせた。想像力が休ませてくれないとしたら、酒で黙らせればいい。午前中に公定歩合が引き下げられたので、仕事でつきあいがあるクラブの友人たちは、ずっと当座貸越のことで頭を悩ませていたから、アルコールで盛大に祝いたい気分になっていた。ホロックス氏はあまり酒を飲まないが、いまだけは友人たちの上機嫌な様子が好もしく感じられて、ひと心地がついた。こうして、たっぷりとした昼食を楽しみ、シェリー酒にドイツの白ワイン、ダブルのポートワインを飲むと、あとはチェス室のお気に入りの椅子でまどろみ、体力を養うだけだった。夢も見ずに熟睡していただけに、目を覚まして、眼前にあるのがセント・ジェイムズ・パークの木々ではなく、あのアトリエの全景だと気がつくと、いっそう腹が立った。しかも、そこには――いや、見てはならない！　跳ね起きてカウンターに行った。アルコールが心地よい蜃気楼を見せてくれるとは微塵も思わないが、神経がぴりぴりしている以上、なにか手を打たねばならない。そこで慎重に手を打った。結果は予想だにせぬ奇怪なものだった。気分が高揚して、心が決まったのだ。今夜のうちにアトリエを再訪して、呪わしい短篇をその場でひねり出そう。できるはずだと思った。夕食もたっぷり食べよう。のんきでいながらも、頭ははっきりしていられる程度に食べれば、あの話をわがものにできる。ばかげているかもしれないが、こうした理屈に合わない確信が湧いてきたことは前にもあったし、それはいつも正しかった。だから、行ってみよう。

決意を固め、明るい希望を抱いたまま、十時半にタクシーを呼び止めると、二十分後にはルーパーズ・コートにいた。思いのほかどきどきしていて、冒険しているような気分だ。だが、さきの見通しは、いざ路地に来てみると、クラブの喫煙室で考えていたよりも厳しいとわかってきた。荒れ模様の夜で、風は西に向きを変え、刻々と強まっている。天気が急変して、雲がとても低く垂れこめているため、ひどく暗い。ルーパーズ・コートはひと気がなく、よそよそしく感じられた。ランデンは家にいるらしく、居間に明かりがともっている。それを見ると、ホロックス氏は、暗くなったらアトリエに行かないほうがいいと言われたのを思い出した。まあ、自分の面倒は自分で見られるはずだ。角を曲がると、ポケットから懐中電灯を取り出した。あの木のせいで、やたらと暗い。それに風ときたら！　おかしな音は、枝が屋根に当たっているのか。こっそり歩く足音のようだ。ああ、鍵穴はここか。扉は例によって固まっている。肩を押し当てると、扉がいきなり動いたので、前につんのめって懐中電灯を落としてしまった。扉は勢いよく閉まった。さて、呪わしい懐中電灯はどこだ？　両手で床を探った。ああ、ここか。かちり。かちり。ちくしょうめ、今度は故障ときた！　まあ、かすかな明かりはある。しばらく待つと、目が慣れてきた。ここに来るなんてばかだった。こんな恐ろしい場所でなにをしようというのか？　枝が屋根をむち打っている。たしかに、思っていたよりも恐ろしい場所だ。あの蛾はなにをしているのだろうか？　おそらく、ただ模様をつくって、聞き耳を立てているだけだろう。小さないやらしい目をじっと凝らしているに違いない。彼は用心しながら前に進んだ。いまはどうにか前が見える。ここには危険をはらんだ気配が漂っているようで、くじけそうになる。いや、そんなのはばかげているし、誇張しすぎだ。そもそも、この雰囲気に身を浸したいから来たのではないか。おや！　いったいなんだ？　まるで部屋が縮んだように見える。壁がのしかかってきているようだ。ああ、例の画架がある！　だが、若い女の顔は向こうに向けたはずだ！　いったいだれが——おや、蛾が張りついている！　彼は身動きもできず立ち尽くした。心臓が激しく脈打っている。彼女は頭をのけぞらせている上に、連中はもぞもぞと蠢いているではないか——！　しかも、壁が迫ってきていないか。あの小さな戸口からこちらを見ているのはだれだ？　束の間、もう動けない気がした。それから無理やりからだの自由を取りもどし、扉へ走り出した。懐中電灯を落としてしまい、震える手で壁を探りながら進んだ。扉はどこだ！　これか？　違う！　いや！　こっちだ！　扉を開け放つと、無数の小さな翅《はね》が目のまわりに群がってきたように思えた。小道をひた走った。うしろで扉がばたんと閉まった。角まで来たところで、だれかが近づいてきた。彼が後ずさると、声が聞こえた。「大丈夫です。ランデンですよ。もう安心です。さあ、こちらへ——」

「どうしてわかったんだ？」ホロックス氏は狂乱の態で声をあげた。

「叫んでいるのが聞こえたんです」彼は静かに答えた。「あとは推して知るべし、でした」

　ホロックス氏は、彼のそばで息を切らしながら歩を進め、家に着くと居間に通された。テーブルには酒瓶台があり、グラスもいくつか置いてある。「お座りください」ランデンが言った。「気を楽にしてください。その間に飲み物をつくってきます」

「親切にどうもありがとう」ホロックス氏は言った。

「頭がおかしくなったのかもしれんが、予想外のショックを受けたんだ。いまになってきみの言うとおりにすべきだったとわかったが、私は理解していなくて――」

「もっとはっきりお伝えすべきでした」ランデンは答えて、グラスをわたした。「ただ、執筆にぴったりだとおっしゃっていたので、悪い先入観を持ってほしくなかったのです。そうはいっても、その、お察しでしょうが、いってみれば、あそこは飽和しきっています。こうした問題なら、ぼくよりずっと深く研究されているでしょうが、前にもおっしゃっていたように、いまだに納得のいく説明はついていないのです」

「まったくもってその通りだよ」ホロックス氏はそう答えて、まだおぼつかない手つきでグラスを掲げた。「いろいろと解釈しようと試みてきたが、どれも憶測にすぎない。どんな理論を発展させても、すべては解き明かせないんだ。いや、恐ろしかった。実に恐ろしかった！」

「ぼくが知る範囲ではありますが、あのアトリエにどんないわくがあるかをお話ししましょう」ランデンはそう言って腰をおろし、たばこに火をつけた。「あれを建てたのはラファエル・アッシュというひとで、四年前のことでした。彼の父親はスコットランド高地人で、テヘランで商《あきな》いをしていました。そこで身分の高いペルシア人の女と結婚したのです。夫妻の息子はペルシアで育てられたのち、オックスフォード大学に送られました。ぼくの友人がニュー・カレッジで彼といっしょでしてね。謎に包まれた人物だったそうです。うわべは平静そのもので無表情でしたが、大学生活とは距離を置いていて、ひとを寄せつけないところがありました。なぜかひどく嫌われていましたが、ぼくが思うに、ありあまる余暇の過ごし方について、疑いを持たれていたことと関係していたようです。彼の部屋の並びに下宿していた者は、ときどき、怪しげなものを見聞きしていました。そんなわけで、ある夜、行動力に富む体育会系の男四人が、酔った勢いで彼の部屋に押し入りました。みんな思いのほか震えあがっていましたが、なにが起きたのかは言おうとしませんでした。偶然にも、全員が一年かそこらで死んでしまいました。アッシュは大学当局に目をつけられ、二学期ほどで退学処分になりました。理由を知っているのは当事者だけです。それからすぐ、彼はこのアトリエを建てて、絵を描きはじめました。そして恋をした。ここでいっておくと、彼は巨額の遺産を相続していました。相手のご婦人は、彼の気持ちをしばしもてあそんでいたようなので、お金を湯水のように使わせたのはまちがいないでしょう。ところが、彼女をめとりたい者はほかにもいて、その男は同じくらい裕福なだけでなく、はるかに社交的だったのです。ぼくはこの婦人と面識がありましてね。彼女のすばらしく巧みな似顔絵はご覧になったかと思いますが、どんな肖像画でもすべては描ききれませんでしたよ。絶世の美女にして熟練の女優、そして恋多き無情な悪党。そんなわけで、彼女はもう一方の男と結婚し、彼の地所があるサリーで暮らすことになったのです。数週間後、彼女は死に見舞われました。ある日の昼下がりに、猟場の番人が目撃したところでは、屋敷の近くの林を走っていたそうです。彼が検死審問で述べた話によると、両手でなにかを打ち払っていたとか。蜂の群れに襲われて、追いかけられていたように思えたらしいです。ところが、彼が追いつく間もなく、彼女は石切り場の縁から転落しました。彼がそばにたどり着いたときには死にかけていましたが、それでも両手をふりまわしていて、なにかを顔から追い払おうとしているようでした。そのすぐあと、アッシュはアトリエの小部屋で死にました。銃が使われたのです」

「なんてことだ！」ホロックス氏は声をあげた。「自殺だったのか？」

「評決ではそうなりました」ランデンはためらいがちに答えた。「証言はいささか食い違っていましたがね。ある証人によれば、事件が起きた昼下がりに、アトリエから何人かの声が聞こえたそうですし、医学面での証拠にもはっきりしない点がありました。それでも、検死官は納得したのでした。さて、アッシュ氏とそのアトリエについて知っているのは、これですべてです――いや、ほとんどすべて、かな。ここに住むようになって気がついたのですが、路地の常連の間で、あそこはうわさになっていました。ぼくは理由が知りたくて、ある冬の日の宵に、鍵を借りて行ってみたんです。それからは知りたいなんて思わなくなりました。実はひとりだけ、あなた以外にも、アッシュ氏が死んだのちに、あそこを短期間借りていた方がいました。でも、数日で出ていきましたよ。私見ですが、じきに取り壊されるでしょうね。さて、もう少し飲んだほうがいいですよ。ぼくもお供しますから」

「それならほんの少しだけいただくよ。あと一点訊きたいのだが、あの蛾は――」

「あれに似た虫は、ロンドン自然史博物館に行っても見つかりませんよ」ランデンが答えた。「世界中を探してもだめでしょうね。とある高名な東洋学者にあの蛾の特徴を説明したところ、面識がある人間でそんな昆虫を見かけた者はいないが、そうした生物がそれとなく話に出てきたことはあると言っていました。ただ、その話題にはだれも触れたがらないとか。彼の推測によると、あの蛾は『魔神のしもべ』として知られているようです——いや、大雑把な訳ですがね。彼個人はそんなものがいるとは思っていなかったので、ぼくがどうやって知るにいたったのか、首をかしげていました。ここでお伝えしておくと、あなた以外にもひとりだけ、蛾を見た者を知っています」

「蛾を見た者？」ホロックス氏はびっくりして、言われたことをくりかえした。

「ええ。何度か実験してみたんです。ある意味で、あなたとぼくは恵まれていますよ」

「そのもうひとりは？」ホロックス氏は、間をおいてから尋ねた。

「彼女は死にました」ランデンは静かに言った。

ホロックス氏はしばし無言だった。やがてこう言った。

「アッシュは色黒で、足が少し不自由な男だったかね？」

「その通りです」ランデンが答えた。

ロンドン幽霊物語：王立芸術院

# 失踪したモデル

The Missing Model

レティス・ガルブレイス　Lettice Galbraith

夏来健次 訳

王立芸術院

【場所】王立芸術院（ロイヤル・アカデミー・オブ・アーツ）は美術家団体で、美術館と美術学校「ロイヤル・アカデミー・スクール」を併設している。所在するピカデリーの豪壮な建物は、もとはバーリントン伯爵家の私邸であったため、今も「バーリントン・ハウス」と呼ばれており、芸術院はその北側の主な部分を占めている。中庭と芸術院のコレクションは一般公開されている。

【著者】レティス・ガルブレイス（一八五九―一九三二）、本名リジー・スーザン・ギブスンはヨークシャーに生まれ、一八八五年から大衆小説を雑誌などに寄稿しはじめた。長短合わせて二十二編の小説があり、その中には怪奇幻想色の濃いものも含まれる。一九一一年に牧師である兄アルフレッド・ギブスンがケントの教会に赴任し、以後は彼を手伝って地域の活動に専念した。（＊）

　本作は一八九三年に上梓された短編集 *New Ghost Stories* の収録作の一つで、探偵小説味のある好編。なお、この短編集は一九九九年に *The Blue Room and Other Ghost Stories* として増補、復刊され、再評価の機となった。

＊ *The Blue Room and Other Ghost Stories* (Wimbourne Books 2023) の編者アラステア・ガンの解説を参考にした。

「結婚に埋《うず》もれることは並《な》べて災厄でしかない、そうぼくは思う」

ゴードン・メインは洗っていた何本もの絵筆をわきへ投げやり、アトリエのなかをいらいらと歩きまわりはじめた。

「なんで彼女が結婚なんてものをしたがるのか？」と自問した。「そもそも、絵のモデルが結婚してどうする？　彼女は美術界の財産であって、一人の男が独占していい女性じゃない。ましてや、商店の売り場監督を仕事にしているようなペリシテ人（芸術を理解しない者の例え）で、しかもいちばん古い付き合いの画家のためにモデルを務めることすら許さないようなやつと結婚するなど、以《もっ》てのほかだ。きみはそうやって横になってニヤついていられてけっこうなことだよ、フォーシット。だがぼくにとっては、これは笑いごとじゃない。今頭のなかにひとつの絵のアイデアがあって、傑作を描ける予感がしているんだ——名声を高め、オリュンポス山の神々（ゼウス始めギリシア神話の十二神）のなかにさえ列せられるかもしれない。これほどの崇高なアイデアは、当然ながら大切にしなければならない。

それなのに今、この肝心なときに、ぼくにとってのただ独りのモデルが、夢想の生ける具現とすら呼べる女性が、商店の売り場監督と結婚したと知らせる手紙を平然と送ってよこしたのだ——よりによって売り場監督とはな——しかも、モデルになる契約はもうできないという。なんという理不尽！　なんという非道！　ひとつの欠点もないあの姿態に、理想的に長くのびた四肢に、あの麗しい物腰に、大自然の神は如何《いか》にして終わりを迎えさせるというのか？　もしもそれらの美のいずれかがウェストボーン・グローヴ（ノッティング・ヒルの商業街）の服地屋の嫌悪すべき流行のなかに埋没し、別のいずれかがベイズウォーター（ノッティング・ヒルにつながる商業街）の貧民街で永久に乳母車を押しつづける境遇に堕すとしたら？　心身ともに健全な一人の女性が、そんな目的のために使い捨てられていいわけがない。それはまさに冒瀆であり——」

「あの聖なる姿態を腕に抱く男が、貧しい農夫だったらいいのか？」と横槍を入れた弁護士フォーシットは、長椅子のクッションに埋もれて安逸に横たわり、小さな紫煙の輪を室内の暖かな空気のなかに立ち昇らせながら、友人の熱烈な演説を穏やかな笑いとともにあしらった。「どちらでも同じじゃないか。わたしとて同情はするがね。まあ煙草でも一本やったらどうだ？」

「あの聖なる姿態を絵に描けさえすれば、それを抱く男がだれだろうとどうでもいい」メインはさしだされた紙巻き煙草容《い》れを無視して、そう言い返した。「あれほどのモデルが結婚などというものによって無駄に失せてしまうこと、それこそが冒瀆だと言ってるんだ。彼女に匹敵するモデルにはもう出会えないだろう。ぼくの絵はおしまいだ！」

「莫迦《ばか》を言うな！」フォーシットが強く窘《たしな》めた。「モデルならロンドンじゅうに溢れてるじゃないか。広い海にはどこにでもいい魚がいるものさ。そういえば、デ・クロワサックが来週ローマへ発つそうだ。彼はいいモデルを一人かかえてる。髪は濃褐色で、均整のとれた体をしている女性だ――不格好なところがまったくない。そのモデルに手紙をだしておくよう、わたしからデ・クロワサックに頼んでやろう。彼が不在のあいだきみのモデルになるよう、交渉すればいいじゃないか。彼は十月まで帰らないそうだから」

アトリエには一月の晩《おそ》い午後の薄闇が満ちている。屋外では沈む夕陽が深紅の輝きをつのりゆく霧に投げかけ、セント・ジョンズ・ウッド・ロード（ベイカー・ストリートにつながる通り。高級住宅街）沿いの平凡な民家の列を魅惑的な神秘の宮殿群へと変化させていく。大きな暖炉のなかの薪《まき》載せ台をささえる二本の柱のあいだで焔《ほのお》が燃え、その火明かりが未完成の素描や壁の石膏像に投げかけられ、あるいはふたつ三つある大型の画架《イーゼル》を照らしだし、さらにはカーテンのあちらこちらを明るませ、室内のいたるところにある刺繍飾りを映えさせている。ゴードン・メインがこのアトリエで仕事をするようになったのはつい最近のことだ。しばらく使われていなかったのを、比較的安い料金で賃借することができた。

「それにしても奇妙なのは」と、フォーシットがさも不審そうに言った。「わたしが以前ここに来たとき、デヴェリルが髪を掻き毟《むし》っていたが、彼のモデルが行方不明になった件だ。『虚栄』と題した彼の絵を憶えているだろう？　思いだせない？　ああそうか、あの絵が展覧会に出されたのは、きみがパリに行っていた一八八七年のことだったな。とにかくそれはあの年に描かれた絵で、モデルは美しい容貌に加えて完璧な優雅さを具《そな》えた女性だった。デヴェリルが見つけた女性で、彼とフリント以外にはだれのモデルも務めていない。知ってのとおりフリントは彼の親友だからね。ところがその女性がある日から急に姿を現わさなくなった。そのモデルがデヴェリルのための務めを果たさなかったのは初めてだったので、家でなにかしら予想外の事態が持ちあがったんじゃないかと彼は思い、少し愚痴を言っただけで、そのときはそれ以上考えなかったが、同じ日の夜晩く、モデルの父親がやってきて、うちの娘はいつごろアトリエを出たでしようかと尋ねた。そして前の日の夜から家に帰っていないことがわかった。それからあちらこちらを探しまわり、警察に捜索を依頼したり、新聞に尋ね人広告を何週にもわたって出したり、運河の浚渫《しゅんせつ》までやったりもしたが、いっこうに成果が得られなかった。まるで地上から完全に姿を消してしまったかのようで、そのときからこんにちにいたるまで一片の噂とて聞かれなくなってしまった」

「だれかと駆け落ちでもしたんじゃないか」メインが決めつけるように言った。

「ところがそうしたことはないらしい。そのモデルの名前が男と噂に昇ったためしは一度もないという。そういうたぐいの若い娘じゃないそうだ。住んでいた部屋を探しても、男からの手紙のひとつも見つからず、恋愛沙汰の形跡などまったくなかった。しかも衣類を持ちだしたようすもなく、出奔の痕跡が見あたらなかった。デヴェリルは絶望的なほどに残念がった。植民地オーストラリア（一八二八年英国領となり、一九〇一年独立）で財をなした富豪マカンディッシュ卿の依頼で描いた『オイノーネー』（ギリシア神話中の美女。元夫である英雄パリスを死なせた罪を悔い自殺した）と題する絵のモデルを務めていたさなかで、まだ完成していなかったのだから無理もない。デヴェリルがどれほど必死に捜索したかは、言葉に尽くせないほどだ。結局はその絵を完成させるのを断念し、聖書を題材にした絵を描く道にすがった。彼も一風変わった男だからな」フォーシットは話をひと区切りさせ、新たな煙草に火を点けた。「聖母像や使徒群像を描くために、舞台とするにふさわしいアラブの薄汚れた村に三年もこもった画家が、彼のほかにいるだろうか？」

「彼が出ていってくれて、ぼくには幸運だったがね」メインが言った。「そうでなければ、これほどいいアトリエは手に入らなかっただろうよ。さて、ロックハート夫人のところで七時に晩餐をご馳走になる約束を守るとしたら、そろそろ着替えないといけないな。あの戸棚にシエリー酒がいくらかあるし、アンゴスチュラ・ビターズ（ラムベースの薬用酒）のボトルも一本あったはずだ。グラスはここにあるし。よければ飲みながら待っていてくれ。ぼくは着替えたらすぐ戻るから」

　ロックハート夫人はささやかながらも美味な晩餐でもてなしてくれることで知られていた。料理はいつも午後八時までには完璧に並べられ、招待客とメニューは細心の入念さで選定される。ゴードン・メインはよい酒とよい会話のおかげで憂《う》さを忘れることができ、モデルを巡る悩みを思いだしたのは友と別れるときになってようやくのことだった。フォーシットはクラブへ向かい、メインはセント・ジョンズ・ウッド・ロードのアトリエへと戻った。

「新しいモデルの住所を聞き忘れないようにしたまえよ」二輪馬車に乗りしなのフォーシットにそう忠告されたとき、メインは承知のうなずきを返した。美術界ではゴードン・メインの名は有望という形容とともに語られている。たしかに何年も有望と言われつづけてはいるが、そのじつ格別な高評価は得られていない。作品が悪いわけではなく、よい絵を描いてはいるが、画商たちが高く買ってくれることはめったにない。彼の絵『ペラギア』（四世紀トルコで貞操を守るため自決した少女。殉教者・聖人）が初めて王立芸術院《ロイヤル・アカデミー・オヴ・アーツ》の壁に飾られたとき以後は、目覚ましい出来の作品を描けておらず、『ペラギア』を有望な新人画家の登場と評価した批評家たちは落胆を表明して、彼にその事実を知らしめたのだった。

　肖像画など営利目的の絵画は画家を経済的に潤わせこそすれ、名声にはつながらない。そこでメインは夏季展覧会への出品をめざし、美術好きの俗物紳士たちが郊外邸宅の食堂に飾るために買う、緑色や灰色の綺麗な風景のなかで礼装を纏《まと》った淑女たちを描いたりしたような絵ではなくて、もっと重厚な作品を創りあげねばならないと考えた。霊感が湧くのを長いこと待ち、ついにそれが到来した。ロックハート夫人の晩餐に招かれた宵の翌日の午後、木炭の破片を使って、一人の女性がカーテンの具わる戸口に立つ姿を手早く素描した――全身の四分の三を等身大の大きさで。女性の左手は重々しいカーテンを引き開け、右手は自身の顔にかかるヴェールをあげている構図にした。

　タイトルは『報いを受けし者』とし、女性が秘める物語を表情によって鑑賞者に伝えねばならないと考えた。あとはこの構図にふさわしいモデルさえ見つかれば、きっと巧く描ける気がする。自分の最近の作品に欠けていた熱気を、このテーマでなら表現できると感じられた。そんな思いに耽りながら素描に深く見入っていたとき、アトリエの玄関ドアがノックされた――低く控えめな音だったため、二度めのノックでやっとメインの注意を惹いた。しぶしぶ立ちあがり、返事をするため玄関へ向かった。屋外はすでに暗く、アトリエの照明のまばゆさに慣れすぎていた目は、玄関口に立つ女性の輪郭をすぐには捉えられなかった。女性は明るいアトリエのなかへ物憂げに目を向けたまま、ものも言わず立ちつくしている。

「なにかご用でしょうか?」メインは丁寧に尋ねた。

「よければ、どうぞなかへ」

　ドアを大きく開けてやった。入ってきた女性は、年若いのが見てとれた。身の丈は並みより高く、歩き方はしなやかで、完璧な姿態には健全さと自然な優雅さが溢れている。

あらためて見入ると、否みがたい美貌であることもわかった。流行に即しているわけではないが品のよい服装をしており、体にぴったりする質のほっそりした衣裳が襞《ひだ》をなすさまには古めかしい趣《おもむき》がある。部屋の真ん中まで進み入った女性が顔からヴェールを払いあげると、その仕草に画家の唇がおのずと驚きの形を描いた。まさに素描のなかの女性像にさせていた仕草だったがゆえだ。瑕疵《かし》ひとつない顔立ちをメインは食い入るように見つめ、その繊細な肌の色と、帽子の下にかいま見える髪の濃い胡桃《くるみ》色と、華やいだ目が湛える表情に魅入られた。そのあまりの美しさに感嘆するあまり、束の間黙然と目を瞠《みは》っていた。女性がいつまでも用向きを口にしようとしないのを見てとると、メインはようやく状況の気まずさを察した。

「なにかご用がおありですか？」と問いかけた。「どんなことでしょう？」

女性は未完成の素描に視線をさだめると、返答を口にした――

「モデルをお求めでは？」

この女性こそフォーシットが言っていたデ・クロワサックのおかかえモデルなのだと気づき、その美質を賞賛していた友人の言葉が裏づけられたのを感じた。そこですぐに自分の要望や仕事の時間などについて説明した。女性は静かに聞き入り、メインが簡単な質問をすればそれに答えもしたが、自分から進んでなにか意見を言ったりすることはなかった。交渉が終わると、飲み物でもどうかという誘いにも女性は遠慮し、すぐに玄関へと向かった。メインは外へ送りだす際に、そういえばお名前とご住所を聞いていませんでしたがと水を向けた。女性は美しい双眸《そうぼう》をゆっくりと彼の顔へ向けた。

「十時にこちらに参りますので」と答えたきり、彼のわきを擦り抜けて夜闇のなかへ出ていった。

その夜晩く、アトリエに電報が届いた。フォーシットからで、彼の長兄がギリシアの英国大使館で急死したとの報が入ったため、これからアテネに旅立つところだと知らせていた。

メインは新しい絵の制作に心身ともに没頭しはじめた。かの女性はたしかに理想的なモデルであることが実証された。ポーズだけでなく顔の表情によっても作品の精神を把握し、しかも微動だにせずにいる忍耐力には驚くべきものがあった。どれだけ長時間だろうと、かすかな疲れさえ見せず立ちつづけることができた。制作が軌道に乗ってくるにつれ、メインはますます魅了されていった。自分の芸術的感性が驚くべき高みにまで引きあげられていくのを感じた。描いている絵が昼日中《ひるひなか》に脳裏から失せることは一度としてなく、夜は夜で長い夢に見つづけた。モデルの女性に具わる尋常ならざる美が、さながら磁力のごとき影響をメインに及ぼしていた。

　アトリエでこのモデルとともにすごす時間は、未知なる新たな世界へと誘《いざな》われるひとときのようだった。なぜかはわからないが、これまでは見も知らなかった強い歓喜を、彼女とともにいることによって見いだせるのだった。その美しい顔立ちに自分以外の者の視線が注がれるのを厭《いと》い、彼女にポーズをとらせているあいだは何人《なんぴと》の訪問も拒んだ。描いているときはメイン自身沈黙をつらぬいた。彼女のほうもなにか指示されたとき以外は口を開かなかった。その身辺にはいつも神秘的な雰囲気がまとわりついていた。見知らぬ者と顔を合わせることを極度に嫌う意志を示し、モデルの契約期間の早いうちに二度だけメインが友人たちの訪問を受け入れたときには、彼女はどこへともなく姿を消し、客が帰ったあとにようやく戻ってきた。

　モデルを務めて数週間が経ったころになって、女性は自分の名前と住所を初めて明らかにしたが、それさえ緊急にどうしても必要なときでなければ連絡しないでほしいとの条件付きだった。彼女の強い影響力に支配されていた年若いメインは、もともとどんな要求にも応じるつもりでいたので、その条件も即座に呑んだ。愛の言葉ひとつ交わすこともないまま、自分のモデルにすでに深い思慕を懐《いだ》いており、表に出さないその感情を彼女も理解してくれているものと信じていた。

　四月の終わりごろ、フォーシットがロンドンに帰ってきた。家族の悲報のため海外滞在が二月までつづき、そのあとようやく帆船での長旅で帰途についたのだった。帰国したフォーシットがまず訪れた先のなかに、セント・ジョンズ・ウッド・ロードのアトリエも含まれていた。メインは絵の制作を休んでいる日だったが、アトリエにはとどまっていた。二人は手紙のやりとりをしていなかったので、制作の進捗についてフォーシットは関心を持って尋ねた。

「どうやってモデルを調達したんだ？」長椅子に腰をおろしていつもの紙巻き煙草に火を点けたところで、フォーシットはそう問い糺《ただ》した。「例のモデルについてデ・クロワサックに手紙を書こうと思っていたんだが、ローマでの彼の住所を知らないことに気づき、しかも兄ボブが哀れにも急死した報《しら》せが飛びこんできたものだから、イギリスを発つ前になにもかも頭から抜け落ちてしまってね」

　メインはきょとんとした顔で見返した。

「でも、きみのおかげでモデルには連絡がついていたがね」と彼は言った。「彼女は翌日すぐ来てくれたよ」

「彼女とは――だれのことだ？」

「もちろん、あのモデルだよ。きみの厚意には感謝のしようもないくらいだ。彼女は霊感をもたらしてくれた。こんどの絵は自分の制作歴のなかでも最高の出来になると、自信を持って言えるね。隣の部屋に並べてかけてあるなかの、いちばん端の目立つ絵がそれだ。まずはこれを見てくれ」とメインは言って、奥の壁にかかる白黒の素描を指さした。「これでおよそのところはわかるだろう」

　フォーシットは立ちあがり、素描に近づいていった。それに目を据えたとたん、表情が変わった。

「なんと！」と声をあげた。「だれをモデルにしてこれを描いた？」

「きみが手配してくれた、デ・クロワサックのおかかえモデルさ。世界でも二人といない完璧な女性だ」

「なにを言ってるんだ？」フォーシットは声を荒らげた。「これはデ・クロワサックのモデルじゃないし、そもそもわたしはだれも手配していない。しかしこれは――いったいどういうことだ！　メイン、きみはまさか、頭がどうかしたふりをしてるわけじゃあるまいね。どこでこのモデルを見つけた？　なぜ彼女がここに来た？　答えてくれ」いつもは冷静な友人の予期せざる興奮の口調に、画家は驚きに口も開かず立ちつくした。「いったい如何《いか》なる予想外の事情によって、きみはヴァイオレット・ルーカスと出会ったんだ？」

「きみは彼女の名前を知っているのか？」とメイン。

「知っているとも」フォーシットは苛立ち気味に鸚鵡《おうむ》返しに答えた。「ロンドンじゅうの新聞の尋ね人広告に、いたるところの警察署のポスターに、彼女の名前が出ていたんだからな。きみの絵のモデルを務めた女性こそ、だれあろう、デヴェリル専属の三年前に失踪したモデルだ」

　王立芸術院でのこのたびの内覧は、いつも以上にかなりの混雑を見せていた。あらゆる種類の名士や貴人が各展示室に群れている。見目麗しい若き公爵夫人が芸術院会長じきじきの案内により院内を観覧してまわるあいだ、女性記者たちが公爵夫人の纏う衣裳についての取材文をせわしなく書き留めつづけた。先導的な科学者と著名な風刺劇作者が腕を組みあっていたりする。王立芸術院の正会員及び準会員、美術界や演劇界の有名人たち、小説家、評論家、大手の画商、そのほか見た目に優れているだけの者たちや、あるいは最近流行《はや》りの悪名自慢すらできないような小物たちまでいる。

「じつにすばらしい作品です。『ペラギア』を世に問われて以来の長年のすえに、ついに最高傑作を描かれましたな」自身の絵から少し距離を置いたところでフォーシットと会話を交わしているメインに向かって、大手画商ビッグノルドが賞賛のうなずきを送りながらそう話しかけた。「ちょうどマカンディッシュ卿（あとでご紹介しましょう）にこのように申しあげたところなんですよ――『今年最高の絵画をご覧になりたければ、まさにこれこそがそうでしょう。ゴードン・メイン画伯は日の出の勢いです。あなたがお買い上げにならないなら、わたしが所望したいところです』とね。もし卿にお売りになるなら、六百ポンドより一ペンスも負けてはなりませんぞ。わたしなら五百ポンドでいつでもすぐ買い上げさせていただきます。それだけのすばらしい作品ですからな」

「まったくです」そう同意したのはやはりかねてからのメインの知己で、著名美術雑誌専属の評論家ヴァーノンだった。「この作品に挑戦されるまでには多くの犠牲を払われたでしょうが、しかし今この境地に達したからには、ご自身の世界を伐《き》り拓《ひら》くことが可能になったと思います。わたしはおよそ四年にわたって画伯の作品群を刃《やいば》で切り苛《さいな》んできましたが、その甲斐あって、ついに正当に評価すべき絵画を創りあげられましたね」

「マカンディッシュ卿がこちらに来られます」ビッグノルドが知らせた。「メイン画伯、ご面識はまだでしたな？」

　画商は近づいてきた人物にふた言三言状況説明をしたあと、メインと引きあわせた。富豪マカンディッシュ卿は大柄な男で、おそらく五十代に近く、広い肩を具え、肌艶《はだつや》のよいどこか好色そうな顔立ちをしていた。

　富豪は紹介されたメインと少し磊落《らいらく》に相対したあと、肝心の絵画へ目を移した。ビッグノルドと評論家ヴァーノンとメイン自身もそちらへ視線を向けたが、フォーシットだけはオーストラリア人富豪の表情に関心を惹かれたようすで、その顔から目を離さずにいた。

「いつこの絵を描かれました、メイン画伯？」マカンディッシュ卿は妙に気安い口調で問いかけた。

「今から三週間前に描き終えました」

「これは――モデルを使って描かれたのですか？」

「そうです。実物に忠実な肖像になったと思います」

マカンディッシュ卿は絵に目を奪われているようすだ。明らかになにか強い印象を受けている。卿がさらに言葉を継いだとき、わざとさりげないふうを装っていることに、その場にいた者たちの少なくとも一人は気づいていた。

「わたしが所有している絵のひとつと、とてもよく似ているところがあるのですよ。といっても、その絵のモデルはすでに亡くなっていると聞いていますが」

「もしかして――」そう口を出したフォーシットは、自分がなぜそんなことを言いだしたのか、この世に別れを告げるときまでわからないままでいるにちがいなかった。「――ヴァイオレット・ルーカス嬢は亡くなってはいないんじゃないでしょうか。ひょっとすると、遠からず――」

「『報いを受けし者』」とつぶやく女の声が、フォーシットのすぐそばからはっきりと聞こえた。「一一一」

そう言った女性が足早に通りすぎていった直後、フォーシットがマカンディッシュ卿のほうへ振り向くと、オーストラリア人富豪の顔から血の気がすっかり失せているのが見てとれた。口をあんぐりと開け、目は眼前を見すえたきりだ。そこでは黒衣を纏った一人の優雅な長身の女性が壁ぎわに立っていた。女性が右手でヴェールを払いあげると、現われた美しい貌《かんばせ》は、メインに雇われた不思議なモデルのものにほかならず――しかもその正体こそ――失踪して久しいヴァイオレット・ルーカスだった！

フォーシットは束の間息さえ止めていた。それからメインのほうを見やり、友人が顔に歓喜の笑みを浮かべていると知り、自分が夢を見ているわけではないと覚った。マカンディッシュ卿は「これはどういうことだ！」とくぐもった声を洩らし、後ろへよろめいたと思うと、ビッグノルドの腕にすがりついた。大きな赤ら顔に当惑を浮かべた画商の表情は、いったいどうしたのかという疑念をあらわにしていた。それほどに富豪の顔には恐怖が溢れていた。

「なんでもありません」マカンディッシュ卿はぎこちなく言いわけした。「ときどき発作が出るだけです。申しわけないが、これで失礼します。ここは熱がこもりすぎていますので」

人のよい画商は肩で群衆を押しやり、富豪のために道を空けてやった。フォーシットは評論家ヴァーノンへ顔を向けた。

「あの娘を見ましたか?」と尋ねかけた。

「緑色の衣裳を着た女性のことですか?」ヴァーノンが

問い返した。「娘と言えるほど若くはないようでしたが。四十は超えていたでしょう。綺麗な人にはちがいないですがね」

「そうじゃありません」フォーシットは苛立って言った。「メインの絵の前に立っていた、黒いドレスを着た娘です」

　ヴァーノンはあっけにとられたように目を見開いた。

「それはなにかの謎かけですかな？　わたしは得意ではありませんでね。ほかの方に尋ねていただきたいですな」

「ご覧になっていたはずです」とフォーシットはくいさがった。「メインのモデルを務めていたのが彼女です。冗談を言っている場合ではありません」彼が口早にそう言うと、ヴァーノンは顔に大きな笑みを描いた。

「これはしたり。そんなふうに言われましては、どこかよからぬところで昼食を召しあがられたのでは、と問わずにはいられませんな」

「冗談はやめていただきたいと申しあげています」とフォーシットは言い返した。「あの娘はたしかにそこにいました。マカンディッシュ卿もメインも見ているのですから、あなたも盲目でないかぎりご覧になったはずです。すぐそこに立っていたのですから」と、その場所を指さした。

　ヴァーノンはたちまち険悪な表情になった。

「少しお疲れのようですな。そういう症状は理解できます、わたし自身経験がありますから。医師に診てもらって少し休まれたほうでいいのでは」

「わたしの頭がどうかしているか、それとも酒に酔っているとでも？」フォーシットは憤然と反駁した。

「そうは申していません。ただ少し過労気味ではないか、とね。とにかく、その場所にはだれもいませんでしたので」

　フォーシットはもはやなにも言わず、その場をあとにした。人混みを掻き分けて正面出入口まで来たところで、画商ビッグノルドと出会った。

「マカンディッシュ卿はどうしました？」と問い糺《ただ》した。

「帰宅していただくため、馬車に乗せてさしあげました。屋外に出たらいくらか恢復《かいふく》されたようでしたので。なんとも奇妙な発作でしたが」

「じつに奇妙でした」とフォーシットは冷静に応じた。

「あの女性を見てひどく驚いたせいかもしれません」

「あの女性とは？」

　またもおかしななりゆきになりそうだ。フォーシットは気持ちを引き締めるべく努めた。

「ご覧になっていないのですか？」苛立ちを抑えながら

問い返した。「メインの絵の前に立っていた、黒衣を着た女性ですが」

「なにを仰《おっしゃ》っておいでかな？　わたしは絵の真ん前にいましたが、目に入った女性などいませんでした」

　ビッグノルドの口調からして、正直に言っているのはたしかなようだ。フォーシットは自分の勘ちがいかもしれないというようなことをつぶやいたあと、メインを探すためにその場を離れた。画家は廊下から息を切らして戻ってくるところだった。

「彼女はどこにも見つからない」とメインは切りだした。

「すべての展示室を探しまわったし、表通りにも出てみたんだがね。階下にいる巡査にも訊いたが、彼女を見かけた者はだれもいない。なんとも奇妙だ」

「たしかに奇妙だ」とフォーシットが返す。「外へ出よう。そのほうが落ちついて話せる。この出来事には、一見したところ以上のなにかがありそうだ」

「つまり」フォーシットはメインがモデルを探していたあいだの事情を話したあと、こう締めくくった。「なにかが正常じゃないんだ。わたしは心霊現象といったものを信じちゃいないが、とにかくこの一件の真相はなんとしてもつきとめねばならん。きみたしか、ルーカス嬢の住所を聞いていると言ったな。この際直接連絡をつけるしかあるまい」

「しかし」とメインが言い返す。「彼女には三週間会えないと言われたんだ。だからぼくは、よほどの緊急時でなければ住所を利用しないと約束した」

「今がその緊急時だ。わたしは昨夜フリントと会ったが、彼が言っていたところによれば（ルーカス嬢について尋ねたときの彼の返答だ）、彼女の家族は娘がどこにいるかまったく情報を得られていない。だからもう死んだものと思っているそうだ。身持ちのいい娘で、父親と妹のために尽くしていたというから、もしまだこのロンドンのどこかで生きていて、独り身のままでいるのだとしたら、家族に所在を知らせないはずはないというんだ」

「というと、きみが考えているのはひょっとして――？」

「わたしがどう考えているかはこの際いい。彼女の住所はどこだ？」

「ハムステッド（ロンドン北部の古い住宅地）のセント・シア・ロード（架空の街路と思われる）にあるアルマ・コテージという家だ。そこ宛てに手紙を書こうか？」

「それよりも」とフォーシット。「じかに訪ねよう。わたしは馬車のなかで待っているから、きみが面会を求めてくれ。もし彼女が不在だったら、今夜手紙を出すことにしよう」

二人は辻馬車を呼び、馭者に行き先を告げた。フォーシットは座席に身を沈めて考えこんだ。メインは前へ身を乗りだし、腕を扉に凭《もた》せかけて、興奮と期待で顔を紅潮させていた。

「彼女は家にいないと思うか？」とメインは言った。

「もちろんいないだろうな。家に帰れる機会を失っているのかもしれない」

「いないならば、帰るまで待つのみだ」とフォーシットは落ちついて応えた。

長路《ちょうろ》のすえに、ようやくセント・シア・ロードにだとりついた。辺鄙な侘しい街路で、道の両側に小さな家々が離れて並び、それぞれの外壁の上にはガラスの破片が置かれている。どの家も陰鬱な趣《おもむき》で、何軒かは人が住んでいないようだ。そうした無人らしき一軒の前で馬車が停まり、馭者が乗客席の扉を開けた。

「この家がアルマ・コテージです」と馭者が告げる。「人が住んでいるようには見えないですがね」

メインは馬車から跳びおりた。

薄汚れた漆喰塗りの二本の門柱には、それぞれにこの家の呼び名が記されていた。門は南京錠で閉ざされ、庭は手入れされているようすがない。窓は鎧戸が締め切られブラインドがおろされている。

門に呼び鈴の紐があるので、メインはそれを勢いよく引いた。紐は固く、呼び鈴につづく針金が軋《きし》むが、人の反応はない。

「同じ呼び名のついた別の家があるのかもしれない」フォーシットが馭者に言った。「道をゆっくりと戻ってみてくれないか」

御者は従った。路側沿いに馬をゆっくり歩かせながら、家々の屋号を読んでいく。だがほかにアルマ・コテージという家はなかった。

メインはまだ呼び鈴に固執していた。庭師らしい道具類をかかえた老齢の男が通りがかり、彼に目をとめた。

「その呼び鈴は用をなさねえよ、旦那」と男が声をかけた。「もう三年も留守のまんまだからね」

「だれの持ち家なのかね？」フォーシットが男の後半のひと言を聞きつけ、すぐ近寄っていった。

「なんでもジョンソンとかいう人がいちばん最近の持ち主だと聞いたけど、使用人のほかはだれも見かけねえな。持ち主はごくたまに来るだけらしいね——たぶん夜中に」庭師はそう言って、意味ありげな笑みを見せた。

「貸し家なんだろうか？」とフォーシット。

「借り手はいねえようだけど、スタンディングという不動産屋が貸し家にしてはいるみてえだね」

「その不動産屋には、どこに行けば会えるかね?」

庭師は住所を教えた。フォーシットは礼に一シリング手わたし、馬車に乗りこんだ。「不動産屋に会いに行こう」とメインに告げた。

不動産屋は愛想のよい紳士で、格子柄のスーツを着て深紅のネクタイを締め、いくつもの指輪を嵌《は》めていた。

セント・シア・ロードの地所を仲介している人物で、アルマ・コテージのこともよく知っていたが、賃貸はしていないとのことだった。現在の所有者は国外にいるという。イギリスを離れてしばらくになるが、人に貸したりするつもりはまったくないらしく、これまで幾度かあった賃借の要望もすべて断っているという。

「なんとかあの家に住めないかと思っていましてね」とフォーシットは嘘を言った。「是非とも所有者の方にじかにお会いしたいんですが」

「お役には立てないと存じます。ジョンソンさんはどれほど高額を積まれても賃貸はなさらないでしょう。ほどなくイギリスに帰国され、あの家はご自分でなにかにお使いになりたいようです」

「さぞ湿気が浸透しているでしょうね」とメインが口を出した。「きっと手入れを任せられている人がいるんでしょうが」

不動産屋はその点については知らなかった。

結局それ以上はどうにもならず、二人は中心街に戻ってきた。フォーシットはクラブでメインと別れ、別の馬車を駆って、パーク・レイン（ハイド・パークに沿う南北の通り）にある大きな邸宅の前にたどりついた。マカンディッシュ卿に面会したいと邸《やしき》の使用人に告げたが、主人は二時間前に大陸《ヨーロッパ》へ旅立ったばかりで、いつ戻るかもわからないとの返事だった。明日の朝電報を打っておくので、用向きの手紙を送ればいいのではないかと勧めてくれた。

フォーシットは自分の名刺を使用人にわたした。

「マカンディッシュさんには是非ともお会いしたい」と告げた。「旅先への手紙の宛先を、わかり次第知らせてください」

使用人に半ソブリン金貨（価値としては半ポンド、あるいは十シリング）をわたし、クラブへと引き返した。道中で電報局に立ち寄り、電報を一通打った。

「ハムステッド地区、セント・シア・ロード、アルマ・コテージ。所有者オヨビ維持管理人ニツキ、デキルカギリ知リタシ。可能ナラ侵入モ。急ヲ要ス。フォーシット」

宛先は、ピムリコ（ウェストミンスターの南、テムズ河畔の住宅地）、デンビー・ストリート一一二番地、ヘイワード、とした。

「ひとつたしかなのは」後刻、フォーシットはメインに言った。「マカンディッシュ卿があの女性についてなにか知っているということだ。別の肖像画と似ているのを見てとったのだから、そちらの絵についてもよく知っているはずだ。ひどくうろたえ、逃げるように去っていった。もし彼女が生きているなら、顔を合わせたくないよほどの理由があるんだろう。そして――」

「もし生きているなら、だって？」と画家がさえぎった。「ぼくたちは今日の午後、彼女を見たじゃないか」

「見たのはわたしたち三人だけだ」とフォーシットが慎重に言った。「あるいは、見たと思っただけかも」

「ぼくはたしかに見た」メインは頑固に言い張った。

「だがビッグノルドとヴァーノンは見ていない。彼女がどうしてきみに住所を教えたと思う？」

「わからない」メインはしぶしぶ答えた。

「わたしにはわかる。あの家の場所をこそ、どうしても知らしめねばならなかったからだ。つまり、あの家を探せば必ず彼女が見つかるはずだ」

「あそこに閉じこめられている可能性がある、ということか？」

「そうだ」フォーシットは冷静に答えた。

四日後、メインはフォーシットの住み処《か》に至急来るようにとの連絡を受けた。訪ねてみると、友人は一人の平凡な風采をした小柄な男と密談しているところで、その人物をヘイワードと紹介した。メインはその名前から、フォーシットが弁護士としての仕事上で知りあった私立探偵で、その判断力と機転を高く評価しているらしいことを思いだした。

「鎖の輪がまたひとつ見つかったぞ」フォーシットは前置きも置かずにそう言った。「ヘイワード、きみの口から話してくれたまえ」

「そう長い話ではありません。アルマ・コテージの所有者であるジョンソン氏の正体は、富豪マカンディッシュ卿にほかなりません。卿は一八八六年二月にあの家を賃借し、家政婦を一人置きました。卿自身は日中は家におらず、夜晩くに知人をつれてやってくる習慣でした。知人といってもいつも別人で、数時間滞在して翌朝また一緒に出かけていくのがつねでした。一八八七年四月になると卿はあの家を購入しましたが、以降は住むことがありませんでした。管理人がときどき訪れては窓を開けたりするだけで。ショートという名前の、不愛想な老女です。この家は売り物じゃないよ、と言うのが口癖で、他人を立ち入らせないためにそう言うよう指示されているらしいのですな。おかげで泥棒に入られることもなく、ショート婆さんはいい仕事を失《な》くさずに済んでいます」

「家の裏手はどうなっている？」とフォーシット。

「ランドルフ・ストリート沿いの無人の家の庭が広がっています。裏手の近隣の窓からはその庭が見えるだけで、あの家はよく見きわめられないようになっています」

メインが不意に立ちあがった。

「今夜その家に行こうと思う」と決然とした調子で言った。

「そうしよう」とフォーシットも同調した。「例の道具を少し持ってきてくれないか、ヘイワード？」

「違法行為になりますよ」

「すでに言ったと思うが、すべての責任はわたしが持つ。この件できみがなにかを損ねることはない。時間はどうする？」

「午後十一時ごろに」と探偵は答え、肩をすくめた。「ハムステッド・ロードの終点で落ちあいましょう。ご承知と思いますが、馬車は使わないほうがいいかと」

午前零時三十分前、三人の男たちは人の住まない問題の家の門にたどりついた。そこまでの道中では用心のためふた手に分かれて、フォーシットとメインは一緒に歩き、ヘイワード探偵は通りの向かい側沿いにそのあとを追ってきた。

通りにはまったく人けがなかった。付近の住人は早く就寝する者がほとんどらしく、家々はどこも暗い。間近の街灯の明かりを頼りに、ヘイワードが懐中時計を確認した。「十一時半になったところです。警邏の巡査は十一時五十分まで来ませんから、決行できる時間はあと二十分です」そう言うと外套を脱ぎ、外壁の上に置かれたガラスの破片にかぶせた。

「わたしが足を持ちあげる役をします、フォーシットさん。外壁の内側には藪がありますから、注意深く跳びおりてください」

フォーシットは外壁をよじ登り、そのあとほかの二人もつづいた。

探偵の先導により、家の裏手へまわった。そこに着くとヘイワードは角灯《ランプ》を点けた。そして台所の窓の鎧戸にナイフを挿しこみ、掛け金をはずしたあとガラスを割り、手をつっこんで留め金をまわし、ブラインドをあげた。

三人とも用心しつつ、家のなかに目を凝らした。掛け布に覆われた家具類と、絨毯の敷かれていない床板には、埃が積もっていた。静寂の夜闇のなか、部屋から部屋へと忍び歩くと、足音が耳に障るほど大きく響く。屋根裏部屋から地下室にいたるまで捜索したが、生者にせよ死者にせよ人間の形跡は微塵も見つけられなかった。

台所の戸口まで来たときには、メインは顔がすっかり蒼白になっていた。目のまわりには黒い隈《くま》ができている。表情にはひどい落胆が明らかだ。

「そろそろ切りあげませんと」とヘイワードが言った。「これ以上は探しようがないでしょう」

探偵は角灯をさしあげ、四囲を見まわした。

「お待ちください」と言いだした。「そこに部屋がありますぞ」

廊下の暗い隅に楢《なら》材製の分厚そうな扉があった。閂《かんぬき》がふたつかかっているうえに、錠前が具わり、それがさらに紐で縛られて、二ヶ所で封をされていた。

「酒蔵庫《ワインセラー》じゃないか」

フォーシットはそう示唆したあと、ふたつの閂をはずしにかかった。錆びついて動かすのもままならないが、なんとかはずしおおせた。

ヘイワードがポケットから道具入りの小袋をとりだし、巧みに錠前を解いた。五分後、三人は扉の内側に立っていた。そこはたしかに酒蔵庫で、酒瓶用の大箱が積まれているが、ほとんどは空《から》だ。シャンパンの瓶数本と、ウイスキーが五、六本あるきりだ。

「あれほどの慎重な捜索に値する成果はなかったか」とフォーシットがつぶやいた。

ヘイワードが屈みこんだと思うと、床面の近くに角灯を突きだした。「床の煉瓦がゆるんでいます。一度はずされたあと、きちんと嵌め戻されなかったようです」

探偵はひざまずき、床の埃《ほこり》と漆喰の細かな欠けらを手で払った。引きちぎった蜘蛛の巣らしきものに向けて、そっと角灯をかざした。蜘蛛の巣にくっついているごく細いなにかを、親指と人差し指で摘んで丁寧に抜きとった。ひと筋の長くしなやかな髪の毛だ。

「ご覧ください」とヘイワードが言う。「ついに手がかりが見つかりましたよ。台所にある軽めの火掻き棒を使えば、なんとかなるでしょう。持ってきますから、少しお待ちを」

ヘイワードはすぐ戻ってきた。火掻き棒の尖った先端を煉瓦の隙間に挿しこみ、梃《てこ》代わりにした。難なく煉瓦を動かせた。その数枚をとりはずし、できた穴に手をつっこんで、土や芥《あくた》を幾度か摑みだした。それらを摑みだすごとに角灯で入念に調べた。上層はおもに煉瓦の欠けらと土で、下層はなにやら白い物質に埃《ほこり》が混ざりこんだものだ。

「生石灰《きせっかい》です」探偵はせわしなく言った。「あなたのお考えがまちがっていたかもしれないなどとは、もはや疑うべきではありませんな、フォーシットさん」

そして懸命に穴を広げる作業にいそしみ、六フィート近くの長さに及ぶ範囲の煉瓦をはずしきった。それからフォーシットと二人で土を掻きだした。

　床面から二フィートほど下方まで掘ったところで、生石灰に埋め尽くされた層があらわになった。

「ついに」とヘイワードが言う。「探しているものにたどりついたようです」ハンカチをとりだし、それを使って白い石灰粉を払っていく。

　二人の男たちは身を乗りだし、その薄い表層の下になにがあるかを予期して、胸が悪くなるのを堪《こら》えた。不意に探偵が顔をあげた。

「フォーシットさん」と物静かに促す。「ご友人を見てあげてください。今にも危なそうですので」

　警告は一刻とて早すぎはしなかった。その言葉が口から吐かれ終わらぬうちに、メインが目眩《めまい》に襲われたようにフォーシットの腕のなかへどっと倒れこみ、気を失った。

　意識のない友人をかかえたまま弁護士は穴のなかを見おろし、足もとに横たわるものを目に捉えた——**一人の女性の完全な白骨遺体を。**

　それがロンドンでいちばん美しかったモデルの——画家デヴェリルが描いた『オイノーネー』の原型となったのち、三年間にわたってその命運が秘密に閉ざされてきた女性の——なごりのすべてだった。

ロンドン幽霊物語：ヴォクソール・ウォーク

# ヴォクソール・ウォークの古い家

The Old House in Vauxhall Walk

シャーロット・リデル Charlotte Riddell

岩田佳代子訳

【場所】ヴォクソール・ウォークは、テムズ川南岸をランベスから南へ下り、遊園地の祖といわれた「ヴォクソール・プレジャー・ガーデンズ」に通じる通りである。本作が発表された頃は「ガーデンズ」は人気を失い閉園。通りもここに描かれるように寂れ、低所得層の住宅地となっていたとうかがえる。なお、「ガーデンズ」の跡地は一時は住宅地となったが、一九七〇年代に改めて公園となり、現在は同じ名で呼ばれている。

【著者】J・H・リデル夫人ことシャーロット・リデル（一八三二―一九〇六）の作品収録は、『幻想と怪奇12　イギリス女性作家怪談集』に続いて二度目となる。本作の初出は、同書収録の「胡桃屋敷」と同じ一八八二年の短編集 *Weird Stories*。父親との不和から家を飛び出した裕福な若者が、雨の夜に貧しい人々の住むヴォクソール・ウォークをさまよう――という出だしの本作は、幽霊譚であると同時に、当時のイギリス社会の諸相を鮮明に描き、著者の代表作とされている。なお、既訳に「ヴォクスホール通りの古家」（川本静子訳『ゴースト・ストーリー傑作選』みすず書房　二〇〇九所収）がある。

ヴォクソール・ウォークの一角（19世紀）

# 第一章

「家もないし――くつろげる場所もない――絶望しかない」

　同じ言葉を、彼よりも前に同じこの通りに足を踏み入れた多くの人間が口にしたに違いない――寒さと飢えに打ちひしがれながら、貧しいランベス地区の通りをかわるがわるうろついていた、疲れ切った者、みすぼらしい者、腹をすかせた者、寄る辺なき者、なんとかしてお情けに預かろうとしていた浮浪児たちが。だが彼らがこの言葉を、件《くだん》の男性以上に本心から、あるいは心底自分を憐れんで口に出していたかは怪しいところだ。その男性は若く、ヴォクソール・ウォークを足早に歩いていた。雨の降る冬の夜だというのに、外套も着ていなければ、帽子もかぶっていなかった。

　二十一歳の若者が話すには似つかわしくない言葉だったし、見るからに紳士然としているばかりか、実際に紳士であるその口から発されると、どうにも収まりが悪くもあった。さらに、運命の女神にすっかり見放されてしまったようにも見えなかった。長い間悲惨な状況に抗《あらが》い続け、ついには負けてしまったのだろうと、すれ違った人が思うような様子もそぶりも皆無だ。深靴の踵《かかと》はすり減ってはいなかったし、つま先も破れてはいなかった。その辺りで目にする多くの靴が、舗道を引きずられ、ぶつけられ、こすられてぼろぼろになっていたのに、だ。上等な洋服はいかにも上流階級といった感じの仕立てで、みすぼらしげにこそこそ歩いていたり、戸口にしゃがみ込んでいたり、施しを求めて無言で手を伸ばしたりしている面々の服に見られる、ほころびだの継ぎ当てだの裂け目だのはどこにも見当たらない。その顔は、飢えてやつれてもいなければ、深い皺《しわ》が刻まれているわけでもなく、酒に溺れた酷《ひど》い顔でもない。それなのに彼は、自分には絶望しかないと本気で思い、自暴自棄になり、大きな声でそう口にしたのだった。

　そんな思いを抱えてうろつくには向かない、ひどい夜だった。容赦なく勢いを増していく冷たい雨。川から続く交差路に吹きつける、身を切るような湿った風。雨に混じって降っているかのようなガス工場の煙霧。ぬかるんだ車道につるつる滑る舗道。薄暗いガス灯。なんとも寒々しいロンドンのその地区は、この上なく陰鬱で悲惨な雰囲気をたたえていた。

　確かに、あてもないまま、あるいはポケットに六ペンス銀貨一枚もないままさまようような夜ではなかった。だがそれがこの若い紳士――帽子もかぶらず、むき出しの頭に雨が打ちつけるままヴォクソール・ウォークを足早に歩いていく紳士の置かれた状況だった。

いかにも居心地のよさそうな大きな家々――かつては裕福な人々が暮らし、今はほぼすべての階に週単位で間借り人たちが暮らす家々を、若者はうらやましそうに見上げた。せめて一部屋、いや、ほんの片隅でもいいからその身を置けるなら、いくらでも金を払っただろう。彼はもうずっと歩き続けていた。実のところ、暗くなってからずっとで、十二月は暗くなるのが早かった。疲れていたし、寒かったし、ひもじかったが、もはや一晩中通りを歩き続けるしかなさそうだった。

一基のガス灯を通り過ぎるとき、彼の顔が光に浮かび上がった。目鼻立ちの整った若々しい容貌、表情豊かで繊細そうな口元。眉の形はことのほか独特だった。ひそめているわけではないのに、確実に寄っている。非凡な才を表していると言われることの多い形だったが、実際は、簡単に喜んだり落ち込んだり、ひどく苦しんだりすることもあれば、心の底から楽しんだりすることもある、実に起伏の激しい感情を表していた。もっともまだ短い人生ゆえにさほど楽しんではいなかったが、苦しみのほうはもうたっぷりと経験していた。そして、雨の中を帽子もかぶらずに歩いていたその晩、事態は危機的な状況に陥っていた。彼は絶望の只中にあって考えた――いや、もう結論を下してしまった。自ら命を絶つしかないと。自分は世の中に必要とされていない、消えたほうがいい。

そのときだった、ふと若者が見ると、とある一軒の家の扉が開け放ってあり、ほの暗い明かりに照らされた玄関の広間には、運び出されるのを待つ家具が何点か置かれていた。縁石のかたわらには幌つきの荷馬車が停まっていて、男性がふたり、その中にテーブルを積み込んでいる。若者は一瞬、足を止めた。

「ああ」彼は思った。「さして豊かとは言えない彼らでさえ行く先があって、雨風をしのげるんだ。なのにぼくには、この頭を覆うものもなければ、どこかに一晩泊まるための金すら一シリングもない」そんな思いに背中を押されるかのように、そそくさと歩いていった。あまりに速かったので、あとを追ってきた男性は追いつくのに難儀した。

「グレアム坊ちゃま。グレアム坊ちゃま」男性は息も絶え絶えになりながら大声をあげた。そう呼びかけられた若者は、撃たれたかのように不意に足を止めた。

「誰だい、ぼくを知っているようだが」振り向いてたずねた。

「ウィリアムですよ。お忘れですか、ウィリアムを。それにしたって、まあ、こんな晩に帽子もかぶらずに何をなさっていらっしゃるんですか」

「帽子は忘れたんだ」というのが返事だった。「取りに戻る気もなかったし」

「だったら何だって新しいのをお買いにならないんです。ひどい風邪をひかれますよ。それに、失礼ながら見られたもんじゃありません」

「わかってるよ」ぞんざいに答える。「だが半ペニーたりとも持ってないんだ」

「もしかして旦那様と――」ウィリアムは言いかけたが、ためらい、口を閉ざした。

「喧嘩したのかって。ああ、そうさ、それも死ぬまで終わらない喧嘩をね」苦笑いを添えて相手の言葉を締めくくった。

「それで、坊ちゃまはどちらへ行かれるんですか」

「行くあてなんかあるもんか。一番固くなさそうな敷石か、アーチで覆われた通路を探すしかないさ」

「ご冗談でしょう」

「冗談を言うような気分じゃないよ」

「でしたら、うちにいらっしゃいませんか。もうすぐ引っ越しを終えるところなんですが、暖炉にはまだ火種が残っていますし、こんな雨の中で立ち話をしているよりはましでございましょう。いかがですか」

「行くとも。もちろんだよ」グレアムは向きを変え、ウィリアムとともに来た道を戻っていった。着いた先は先刻ふと見た家だった。

　恐ろしく古い家だ。奥行きも幅もある玄関広間。のぼりやすいよう低く設えられた階段。天井へと続く分厚いコーニス。オーク材の床にマホガニー材の扉。いずれも、そもそもの持ち主の安定した豊かさを今なお無言のうちに語っていた。その持ち主は、トラデスカント（一五七〇―一六三八　イングランドの博物学者）たちやアシュモール（一六一七―九二　イングランドの古物収集家）たちが世に知られるよりも前にこの世に生を受け、彼らよりもはるかに長い間、大司教の公邸近くにあるセント・メアリー教会の墓所に眠っている。

「どうか二階へおあがりください」もうすぐこの家を離れる借家人が言った。「二階は扉を開け放ったままで寒いですから」

「この家を一軒まるごと借りていたのか、ウィリアム」グレアム・コールトンは少なからず驚いていた。

「左様です。ですから、わたしとしては引っ越したくないのですが、女房がどうしても嫌だって言うもんですから。こちらのお部屋です」そう言って、これまで住んでいた家の主人役をいささか自慢げに務めるウィリアムが客人を招き入れたのは、二階の空間をすべて使って一室にした、実に広々とした部屋だった。

　グレアムは疲れていたが、それでも驚きの声を抑えることはできなかった。

「すごいじゃないか。うちにだってこんなに広い部屋はないぞ」

「いい家なんです」ウィリアムは話しながら残り火をかき集め、その上に何本か薪《まき》を投げ入れていった。「ですが、まあ、多くの立派な一族と同じで、ここもすっかり落ちぶれてしまいましてね」

　部屋にある四つの窓はどれもしっかりと閉められていた。座面の低い、奥行きのあるソファは、過ぎ去りし恵まれた日々を示している。かつて窓にカーテンがかけられていたころ、座面もふかふかだったころのソファは、子どもたちにとって居心地のいい憩いの場だったことだろう。ときには大人にとっても。調度品は残っていなかった。強いて言うなら、暖炉のかたわらに置かれたオーク製のセトル（背もたれが高く、肘掛けのついた長椅子。座面の下に収納用の箱がある）一脚と、向かいの羽目板にはめ込まれたままの一枚の大きな鏡、そしてその下の壁面に固定された黒大理石製のテーブルが一台か。だが、いわゆる椅子やテーブルの類がなかったからこそ、この空間のとてつもない広さを存分に堪能することができた。他に注意を引かれるものがなかったおかげで、天井の装飾、板張りの壁、趣のある彫刻が施された昔ながらの炉棚に、ずらりとタイルを並べた暖炉といったものにもしっかりと目を向けられた。ちなみにタイルには一枚一枚、聖書や寓話から題材をとった絵が描かれていた。

「お前が今もここに住んでいたなら」グレアムはセトルにぐったりと体を預けながら言った、「このまま一晩泊めてくれって頼んだんだけどな」

「坊ちゃまさえよろしいんでしたら、お泊めするにやぶさかではございませんとも」薪に風を送り、炎を燃え立たせながら返事をする。「鍵を家主に返すのは明日にいたしましょう。何はともあれ、寒い通りにいらっしゃるよりはここのほうがましでしょうから」

「本当か」グレアムは勢い込んだ。「ありがたいなあ、ここにいられるなんて。もうへとへとなんだ」

「でしたらお泊まりになってください。歓迎いたしますよ。荷馬車に積むつもりだった、石炭を入れたカゴを取ってまいりましょう。もっとしっかりと火を熾《おこ》しますから。少しは温まれましょう。それから一走り、近所の家まで行ってまいります。なに、ここからせいぜい一、二分で、そんなに遠くございません。できるだけ急いで戻ってまいりますから」

「ありがとう、ウィリアム。お前はいつだってぼくによくしてくれたもんな」グレアムは感謝を込めて言った。「本当に助かったよ」そしてかじかんだ両手を燃え立つ薪にかざし、満ち足りた笑みを浮かべながら室内を見回した。

「まさかこんなところに泊まれるとはな」石炭を満たした半ブッシェル（約十八リットル）のカゴを持って戻ってくるや、炎を勢いよく燃え盛らせた救いの神に向かって、グレアムは告げた。「ヴォクソール・ウォークで知り合いに会うなんて、夢にも思ってなかったからね」

「坊ちゃまはいったいどちらからいらしたんですか」ウィリアムが訝《いぶか》しげにたずねた。

「メルフィールド爺さんのところからさ。お前も知っての通り、ぼくは昔爺さんの学校に通ってただろ。爺さん、今は引退して、ケニントンにあるクリケット場の〈ジ・オーバル〉で毎年ぼろ儲けしてた金で悠々自適に暮らしてるんだ。だから一ポンドくらい貸してくれるんじゃないか、一夜の宿を提供してくれるんじゃないか、ワインだって一杯ご馳走してくれるんじゃないか、そう思ってたんだ。だが、まったく、とんでもなかったよ。爺さん、実にお堅い口調で、立派な父親に従わないような息子にかける言葉はない、だとさ。くれたのは山のような説教だけ。で、実にそつなく丁重に雨の中へと追い出してくれた。できるもんなら一発お見舞いしてやりたかったよ」

ウィリアムは、何やら坊ちゃまを擁護しない言葉を呟いてから、大きな声で言った。「とにかく、ここにいらっしゃるのがよろしいですよ。では、三十分ほどで戻ってまいりますので」

ひとりになると、グレアムは外套を脱ぎ、乾かそうとセトルを少しずらして端にかけた。ハンカチで濡れた髪を拭く。やがて一気に疲れが押し寄せてきたので、腕枕をして暖炉の火の前で横になり、あっという間に眠りに落ちた。

一時間ほどたち、誰かがそっと火をかき立てる音と、室内を歩く静かな足音で目を覚ました。体を起こしながら周囲に目をやり、一瞬困惑するも、すぐに慎み深い旧知の人物を認め、笑いながら言った。

「焦ったよ。自分がどこにいるのかわからなかった」

「こんなところで本当に申し訳ないのですが」というのが返ってきた言葉だった。「まあ、それでも外にいるよりはましでございましょう。だいぶ荒れてまいりましたよ。上掛けを持ってまいりましたから、すっぽりくるまっていらしたらいかがですか」

「ついでに食べ物も持ってきてくれたらよかったんだけどな」グレアムは笑った。

「お腹が空いていらっしゃるんですか」ウィリアムは気遣わしげに聞いた。

「ああ。朝食を食べたっきりだからな。昼食の席に着くや否や親父と言い争いになって、そのまま席を立ったんだ。けど、空腹なんてたいしたことないさ。雨にも濡れないし、暖も取れてる。それ以外のことなんか、寝れば忘れるって」

　ウィリアムは独りごちた。「こんな時間に買えるものなんかないぞ。店はどこもずいぶん前に閉まっちまってるし」それから明るい声で言葉を継ぐ。「坊ちゃま、パンとチーズくらいでも我慢していただけますか」

「我慢だなんて――最高のご馳走だよ。だけど、今夜は食事のことなんか気にしないでくれ。お前にはもうじゅうぶんすぎるくらい迷惑をかけてるんだから」

　ウィリアムにできた返事は、扉へ突進し、階段を駆け下りていくことだけだった。ほどなくして戻ってくると、一方の手には紙に包んだパンとチーズを、もう一方の手にはビールをなみなみと注いだピューター製の計量カップを持っていた。

「これがやっとでして、坊ちゃま」申し訳なさそうに告げた。「家主のおかみに頼むしかなかったものですから」

「おかみの健康を祝して乾杯だ！」グレアムは威勢よく叫ぶと、計量カップからビールを一気に飲んだ。「親父の家のシャンパンよりうまいよ」

「旦那様はご心配なさっていらっしゃるんじゃないですか」思い切って聞いてみたウィリアムは、このときすでに石炭をすべて暖炉にくべ終わっており、空になったカゴをひっくり返して椅子がわりにしていた。パンとチーズをおいしそうに食べているかつての主人の息子の姿をやるせなさそうに見つめる。

「まさか」きっぱりとした答えだった。「土砂降りって聞いたところで、親父は、ぼくがずぶ濡れになればいいとしか思わないさ。たっぷり雨に打たれれば、ぼくのうぬぼれも冷めるとでも言うんだろ」

「坊ちゃまのおっしゃる通りとは思えませんがね」

「そうに決まってるって。親父は昔からぼくが気に入らなかったんだから。ぼくの母さんが気に入らなかったようにね」

「何をおっしゃるんですか。旦那様は、それはそれは奥様を大事になさっていらっしゃいましたよ」

「今日親父が母さんについて口にしたことを聞いてたら、お前だってきっとその考えを変えるさ。親父のやつ、ぼくが見た目ばかりじゃなく、性格まで母さんに似てるって言ったんだ。臆病で、騙《だま》されやすい偽善者だってね」

「そんなつもりでおっしゃったわけではないでしょう」

「そんなつもりで言ったんだよ、どの言葉も。親父のやつ、ぼくが臆病だと思ってるんだ、それはぼくが――ぼくが――」そして突然泣き崩れた。

「坊ちゃまをここにおひとりにしておくのはまったくもって気が引けるのですが」ウィリアムは一瞬、その目に困惑の色を浮かべながら室内に視線を走らせた。「他に泊まっていただくのにふさわしい場所もありませんし、わたしも出かけなきゃならないんです。夜警をしておりまして、十二時には仕事に就いてなきゃならないものですから」

「ぼくなら大丈夫だから。親父のことをこれ以上口にしちゃだめなだけさ。お前の話をしてくれよ、ウィリアム。どうやってこんな立派な家を手に入れたんだ。なのにそれを手放そうとしてるのはどうしてなんだい」

「ここを借りてくれと家主に頼まれたんでございますよ。ところが女房が気まぐれを起こしまして、ここに住むのが嫌だと申しましたもので」

「なんで気に入らないんだい」

「夜、子どもたちとだけで過ごすのがなんとも心細かったそうで」ウィリアムはグレアムから目を逸らして答えた。そしてすぐに言い添えた。「さて坊ちゃま、もうお役に立てることがないようでしたら、そろそろ出かけさせていただきます。時間が迫っておりますから。明日の朝また伺いますので」

「おやすみ」グレアムが気さくに片手を伸ばしたので、ウィリアムも気さくにその手を握った。「今夜偶然お前に会えなかったら、どうなっていたことか」

「世の中に偶然などそうあるものではないでしょう」穏やかな口調で応じる。「ゆっくりおやすみになれますように。雨に打たれたせいで風邪などお召しになりませんように」

「心配ないよ」そう答えたグレアムは、気づけば次の瞬間にはもう、ヴォクソール・ウォークの古い家にひとりきりになっていた。

## 第二章

暖炉の火も燃え尽き、完全な闇に閉ざされた室内でセトルに身を横たえていたグレアム・コールトンは、奇妙な夢を見た。自分が深い眠りから目覚めたような感じだった。炉床の上で薪が燻っていて、部屋の奥にある鏡が、断続的な明かりを反射している。鏡からは遠く離れているのに、どうしてだかそこに映るものがすべて見えた。だがグレアムは、驚くこともなくその理解不能な状況をそのまま受け入れた。多くの人が概して夢の中ではそうするように。

　だから、暖炉のかたわらに座っている女性の姿を認めたときも恐慌をきたすことはなかった。その女性はただひたすら、膝から何かをつまんでは、実にやり切れなさそうにそれを床に落としていた。

　金貨のやわらかな音が聞こえる。あの女性がつまんでは落としているのはソブリン金貨だろう。そうやってひたすら意味のないことを繰り返している女性をよく見ようと、少し体の向きを変えた。そして気づいたのだが、ゆうべはなかったはずの椅子が今はあった。そこに座っていたのは、皺だらけの老婆だ。粗末な衣服はぼろぼろで、室内用の帽子《モブキャップ》は、白髪がまばらに残るだけの頭にかろうじて乗っている。こけた頬とワシ鼻。金貨の山に襲いかかる指はまさにかぎ爪さながらで、その指で金貨を何枚か持ち上げては、痛ましげに撒き散らしていた。

「ああ、あたしゃ死んじまった」老婆は、この上なく恨みがましく、苦痛に満ちた声でうめいた。「ああ、あたしゃ死んじまった。一日でも、一時間でもいいから生き返れたら」

　そのときだった、暗闇の中から、影が最も濃くなっていた部屋の隅から、扉近くに残っていた暗がりの中から、陰鬱な夜の中から、足はぐっしょり濡れ、頭からは水滴を滴らせた面々が姿を現した。年老いた男たち、幼い子どもたち、疲れた顔の女たち、やつれ果てた者たち。金貨がその苦痛を和らげてくれたかもしれないのに、皆、金貨にあざけられた惨めな様をしていた。

　その面々が、今は嘆き悲しんでいるものの、かつてはほくそ笑んで座っていたであろう金の亡者の周りに集まってきた。皆、青ざめ、哀れな姿をしている。すっかり年老いてしまった者、まだほんの幼い者、社会から見捨てられて咽《むせ》び泣く者、清貧者、悪行を悔いている者。姿はさまざまでも、その青ざめた唇から異口同音に発されるのはただひとつの声。老婆なら与えることができたのに、与えることを拒んだ助けを求める声だった。

　彼らは、命あるときは個々にやっていたように、今度は皆でいっせいに老婆に詰め寄った。必死に頼み、咽び泣き、懇願する。老婆はおちくぼんだ目で彼らを見つめた。かつて追い払った貧しい面々、泣き叫ぶ声に耳を塞いだ子どもたち、自分にとってはほんのわずかな金額も融通してやらず、飢えて命を落とすに任せた老人たち。

やがて老婆は恐ろしい叫び声をあげると、やせ細った両腕を頭上高く掲げて、倒れ込んだ。くずおれたのだ。老婆の膝にあった金貨は落ちて散らばり、床を転がっていき、そのきらめきは彼方の闇の中へと消えていった。

　ここでグレアム・コールトンはぱっと目が覚めた。全身の毛穴から汗が噴き出している。生まれて初めて味わったかのような恐怖と苦悶。「ああ、あたしゃ死んじまった」という、あのやるせないうめき声が、耳の奥にこびりついて離れなかった。

　さまざまな思いが渾然とする中、何か大事なこともあったような気がしたが思い出せなかった。どんなに頑張ってもそれは記憶から逃げていき、目覚めると同時にどこかへ消え去ってしまった。

　横になったまましばし今の夢に思いを馳せていたが、依然強い睡魔には勝てず、再び夢の国へと戻っていった。

　どこまでも続く夜と闇の中、いくつもの奇妙な夢と混じり合って、先刻見た光景が蘇ってくるのはおそらく自然なことだったのだろう。気づけばグレアムは、胸が苦しくなるような場面を次から次へと見せられていた。そしてどの場面でも話の中心となっていたのが、先ほどの夢で見た、燃え尽きそうな火のかたわらに座っていた老婆だった。

　老婆が干からびたパンの耳をむしゃむしゃ食べながら、ゆっくりと部屋を横切っていく。あれだけの財産があればどんな贅沢品でも買えたであろう老婆が、だ。そして炉端には、時代遅れの服に身を包んだ、威厳に満ちた男性が立って、じっと老婆を見つめていた。男性の目は暗い怒りに燃え、歪んだ唇には嫌悪の笑みが浮かんでいる。夢の中だというのにどういうわけかグレアムには、この男性が目の前の老婆の祖先であることがわかった。そして、グレアムが今横になっているこの家——威容を誇るこの家が、かつてこれほどまでに悪意に満ち満ちた使われ方をしたことなど一度としてなかったことも。それというのも、老婆があまりに浅ましい心根の持ち主だったからだ。貧しい人々がよく知る、この上なく卑しく陰険な悪行にまみれた心根。他の悪行であれば、肉体に影響を及ぼしたかもしれないが、異様なまでに金に執着しての悪行は、その人間の心を蝕む。

　あの老婆、なんて卑劣で心が荒んでるんだ、見るのも嫌になる。グレアムがそう思いながらなおも見ていると、また別の幻影が現れた。どこからともなく部屋に入ってきたその幻影は、ほぼ戸口近くで老婆に対峙し、腕をつかんだ。なんとかしてほしいと言っているようだ。交わされた言葉がすべて聞こえたわけではなかったが、ときおり単語が耳に届く。昔の話。公平無私だった若い母親のこと――ふたりがまだ幼い姉弟だったころの話、忌々しいほどの金銭欲のせいでふたりの仲が引き裂かれる前の話をし、なんとかして老婆の心に訴えようとしているらしかった。が、すべて無駄に終わった。老婆は、先刻グレアムが目にした光景の中で子どもや若い女性や老人にとったのと同じ態度を弟にもとっただけだった。老婆の心は、人としての思いやりの気持ちが通じなかったように、肉親の自然な愛情を持ってしてもびくともしなかった。弟は、このままではひどい不幸やとんでもなく恥ずべきことが待っているから、それを避けられるよう助けてほしいと頼んでいるらしかった。が、そんな弟の願いを前にしても、まだしも鉄石《アダマント》のほうが柔らかかっただろう。そのとき、炉端に立っていた男性の姿が天使に変わった。天使は顔の前で悲しげに翼をたたみ、弟はうなだれたまま、足取りも重く部屋を出ていった。

　そうこうしているうちに再び場面が変わった。辺りはまた夜となり、金の亡者はゆっくりと階上へ歩を進めていく。グレアム・コールトンは、老婆がやっとの思いで一段一段階段をのぼっていく様を下から眺めているような気分だった。老婆は前の場面のときよりも異様に歳を重ねていた。体を動かすのもつらそうだ。痩せこけた手で、手すりを支える子柱を一本一本、慎重につかみながら、まさにあらんかぎりの力を振り絞るといった感じで、苦しげに一段ずつ這うようにのぼっていく。すっかり老いさらばえた姿で、それでも必死にのぼっていく老婆を、グレアムは固唾《かたず》を飲んで見守っていた。陰鬱な家にいるのは老婆のみ。あとはただ、夜の闇よりなお深い暗黒が、老婆を飲み込もうと待ち構えているだけだった。

　その後グレアムはしばし、夢も見ずにぐっすり眠ったようだった。やがて目覚めると、今度はどこかの部屋に入ろうとしていた。先刻見た老婆同様、みすぼらしく、きたならしい部屋だ。極貧労働者の細君でも、この部屋にあるものよりはもう少しましなものを揃えられただろう。上掛けの類がいっさい見当たらない、骨組みだけの四柱式寝台。歪んだまま引き上げられた日よけ。埃まみれの古い絨毯。泥だらけの床。塗装という塗装が剝げ落ちて、今にも倒れそうな洗面台。年季の入ったマホガニー材の化粧台と、ひびの入ったシミだらけの鏡。夢の中でしばしば登場するほの暗い明かりを介して室内を見た際、グレアムが最初に認められたのはそれだけだった。

　だが次第に、寝台の上で誰かが縮こまっているらしいのが見えてきた。慎重に近づいていく。それは、この家に蔓延《はびこ》るおぞましさの元凶ともいえる人物だった。その姿のなんと恐ろしかったことか。枕の上にまばらに広がる白髪。肩口にかき寄せた、毛布の残骸にすぎないもの。衣服を握りしめているかぎ爪さながらの手。眠っていてさえ自分の金を取られまいとしているかのようだった。

　凄まじく不気味な眺めだったが、その後に続いた恐怖の比ではなかった。グレアムが目を離せないでいるうちに、階段をのぼってくる忍びやかな足音が聞こえてきた。男がひとり、続いて仲間がもうひとり、警戒しながらそっと部屋に入ってきた。次の瞬間には、寝台のかたわらに立っていたふたり。目には殺意が光っていた。

　グレアムは叫ぼうとした。動こうとした。が、夢の中ならではの抑止力が働いて、口は封じられ、足は痺れて動かなかった。ただそのまま見聞きするしかできなかった。グレアムの目の前で、叩き起こされ、恐慌をきたす老婆。そしてひとりの悪漢に一発殴られ、続くもうひとりに、ナイフで胸を一突きされた。

　すぐさま言葉にならない悲鳴が上がり、老婆はそのまま寝台に倒れ込んだ。同時にグレアムも叫びながら再び目を覚まし、今の光景が夢だったと知ってほっと胸を撫で下ろした。

## 第三章

「よくお休みになれましたか」声をかけてきたのは、玄関広間に姿を現したウィリアムだった。背後からは、すばらしく晴れ渡った朝の陽光が差している。「ぐっすりお眠りになれましたらよろしいんですが」

　グレアムは笑いながら答えた。「いや、正直な話、アイルランド人なら『夢見たせいで眠れなんだよ』とか言うところだな。よく眠れたんだとは思う。けど、親父とやり合ったせいか、ベッドが固かったせいか、チーズのせいか——十中八九、ゆうべ遅くにパンとチーズを食べたせいだろうな——一晩中夢を見てたんだ、それも身の毛がよだつようなのをね。婆さんが何度も不意に現れて、しまいにはその婆さんが殺されるのを見たんだよ」

「冗談でございましょう」ウィリアムが落ち着きなく言った。

「本当だって。けどまあ、全部終わったことだからな。台所へ下りてきてしっかり顔を洗ったから、すっきりしてるよ。ついでに腹ぺこさ。なあ、ウィリアム、何か朝食を食べさせてもらえないか」

「もちろんですとも。鍋を持って参りましたから、すぐにお湯を沸かします」それからためらいつつ聞いた。「その……今日はご自宅にお帰りになられるんでございますよね」

「自宅だって」グレアムは繰り返した。「まさか。上着に勲章をつけるか、手なり足なりを一本失うまで、二度と自宅になんか帰るもんか。ずっと考えてたんだよ、ウィリアム。ぼくは入隊する。戦争になるって噂だし。そうすりゃ親父だって、ぼくの生死に関係なく、ぼくを臆病者呼ばわりした考えを引っ込められるだろ」

「提督が坊ちゃまのことをそんなふうにお考えになるわけがありませんよ。だいたい坊ちゃまには、他の人の十倍も勇気がおありじゃないですか」

「親父の前じゃだめなのさ」グレアムは力なく答えた。

「早まった真似はなさらないでくださいまし。腹立ちまぎれに兵籍にお入りになったりなどなさるものじゃございませんよ」

「だったら、ぼくはどうなるんだ。墓掘りもできなけりゃ、恥ずかしくて物乞いもできない。そもそもお前がいなかったら、ゆうべは屋根の下で過ごすことだってできなかったのに」

「こんな屋根ごときでそんなにおっしゃっていただけるなんて」

「こんな屋根ごときだって」グレアムは繰り返した。「これ以上のものを誰が望めるっていうんだ。それにこのすばらしい部屋」グレアムは、ウィリアムが今火を起こしている室内を見回しながら言葉を続けた。「ここなら優に二十人に食事を振る舞えるじゃないか」

「そんなにここをお気に召していただけたなら、もうしばらくここにいらしたらどうですか。この先どうなさるかお決めになられるまで。家主は反対なんぞしませんとも。大丈夫ですよ」

「おいおい、何を言ってるんだ。これだけの家なんだから、家主だってたっぷり賃料を取りたいだろう」

「でしょうな。そうできるものなら」含みのある言い方だった。

「どういう意味だ。この家はもう貸さないのかい」

「いいえ。ゆうべはお話ししませんでしたが、ここで人が殺されていましてね。以来この家にはなかなか借り手がつかないんです」

「殺されただって。どんなふうに。誰が」

「女性ですよ。家主の姉です。ここにひとりで住んでましてね。大金を持ってるって話でした。まあ、持っていたかどうかはさておき、胸を刺されて亡くなっているのが見つかったんです。金は、本当に持っていたんだとしたら、そのときに盗まれたに違いありません。今日までこの家からは金貨一枚見つかってないんですから」

「だからお前の細君はここに住むのを嫌がったのかい」

グレアムは炉棚に寄りかかり、何やら考え込むような顔でウィリアムを見下ろした。

「左様でございます。もう我慢できないと申しましてね。女房のやつ、すっかり痩せて神経質になっちまいまして、幽霊が出るって言ってきかないんです。実際に見たわけじゃないのに、足音や声が聞こえるって言いまして。廊下を歩いていたり、階段をのぼっていたりすると、きまって背後に気配を感じるんだそうです。子どもたちは、ゆうべ坊ちゃまがお休みなられたあの広い部屋で寝かせてたんですが、炉端に座る婆さんをよく見るとはっきり言っておりました。わたしの周りじゃ何も起こらなかったんですがね」ウィリアムはそう言って笑い、話を終えた。「まあ、わたしは枕に頭をつけたとたんに寝られる質ですから」

「それで、犯人は見つからなかったのかい」

「はい。家主、つまり殺されたミス・タイナンの弟がずっと疑われておりました。見当違いもはなはだしいですが。ええ、わたしは家主を信じていますから。ですが、今となってはけっして疑いを晴らせないでしょう。事件の一、二日前に、助けてもらいたいと家主がミス・タイナンを訪ねているのは事実ですから。それに、家主を悩ませていた問題が何にせよ、これまた事件から一、二週間のうちに、その問題を切り抜けられたのも周知の事実でして。そうは言っても、ほら、金は見つかっていないじゃないですか。要するに、わからずじまいということです」

「ふーん」グレアムは不意に声を上げると、室内を何度か行ったり来たりした。「その家主に会いに行っても構わないかい」

「もちろんですとも。帽子をおかぶりになれば」ウィリアムがあまりにも礼儀作法にこだわるので、グレアムは思わず吹き出した。

「確かにそいつは困ったぞ。となると、代わりに一筆書かなくちゃならないな。鉛筆はポケットに入ってるから、さてと、やるか」

グレアムの書いたものを届けに行ったウィリアムは、三十分もたたないうちに、ソブリン金貨一枚を手に戻ってきた。家主曰く、ミスター・クールトンが「お立ち寄り」くださるとは、まことに恐れ入ります、とのこと。

「お願いですから、早まったことはしないでくださいましよ」ウィリアムが泣きついた。

「おいおい、銃で撃たれるより幽霊に取り憑かれるほうがましだろう。何を怖がることがあるっていうんだ」

ウィリアムは首を横に振っただけだった。かつて仕えた若い主人には、よもや幽霊の出る家にひとりで残り、この家にまつわる謎を自力で解決できるだけの才などないと思っていたのだ。ところが、家主の家から出てきたグレアムはいつも以上に明るく楽しげな顔をしていた。そして鼻歌を歌いながらランベスの通りを歩いていき、自分の帰りを待つウィリアムのもとへと戻っていった。

「話がまとまったよ」グレアムは言った。「これで親父がクリスマスに息子の顔を見たいと思っても、探し出すのは一苦労だぞ」

「そんなことおっしゃらないでくださいまし、お願いですから」ウィリアムはぞっとした。「やはり坊ちゃまはヴォクソール・ウォークをたまたまお歩きになんぞならなければよろしかったんでございましょうかねえ」

「そんな辛気《しんき》臭いこと言うなよ。これはぼくにとって、今までの人生で最高の仕事なんだぞ、間違いないって」

　グレアムはその日の午前中も午後もひたすら、なくなった金――家主のミスター・タイナンが、絶対にまだ見つかっていないと断言した金を探して回った。若者というものは自信と負けず嫌いの塊だ。だからこの探索を始めたばかりの若者も、他の人間にはできなかったことも自分なら必ず成し遂げられると信じて疑わなかった。三階には施錠された扉がひとつあったが、そのときはさしたる関心も払わなかった。何かが隠してあるなら、階上よりも階下で見つかる可能性のほうが高いと決めてかかっていたからだ。そこで夜遅くまで、台所とワイン蔵と、地下室に山のようにあった昔ながらの戸棚の中を探し続けた。

　そして十一時近く、地下の納骨所並みに広いワイン蔵で空箱の中を必死に探し回っていたときだった。不意に背中に寒気が走った。身じろぎした途端、ろうそくの火が消える。その瞬間、暗闇に取り残された中で見えたのは、戸口に立つ女性。夜通し夢に現れてきた老婆にそっくりだ。

　慌てて駆け寄り、つかまえようと手を伸ばしたが、つかめたのは空気だけだった。ろうそくに火をつけ直し、一階へ通じる通路を閉ざしてから、地下室を隅々まで調べた。

　が、徒労に終わった。生きている人間の痕跡はどこにも見当たらなかった。もちろん窓はすべて閉まっていたし、扉もすべて施錠されていた。

「いったいどうなってるんだ」そうつぶやいたのは、階段の一番上に配された扉をしっかりと閉め、上階をくまなく探してからだった。唯一探さなかったのは、先刻の扉が施錠された部屋だけだ。

「明日、あの部屋の鍵を手に入れないとな」暖炉の火を背に、浮かない顔で立ったまま、改めて住むことを決めたこの家の客間――あの広い部屋の中を、見るともなしに眺めていた。

　そんなことを考えていたまさにそのとき、開け放った戸口に立つ老婆の姿が目に入った。ぼさぼさの白髪に、ぼろぼろの薄汚れたみすぼらしい服をまとっている。老婆は片手を上げると、グレアムに向かってその手を振り回し、脅すような仕草をした。そして、グレアムが飛びかかろうとしたちょうどそのとき、信じられないことが起こった。

　壁にはめ込まれた大きな鏡の中から、もうひとり女性がすっと現れたのだ。その姿を見た途端、老婆は向きを変え、耳をつんざくような悲鳴を撒き散らしながら逃げ出した。必死に階上を目指す老婆を、もうひとりの女性がすぐさま追いかける。

　吐き気を催しそうな恐怖の中、それでもグレアムは不気味なふたりを目で追った。ふたりはあの施錠された部屋の前を走り過ぎ、最上階へと姿を消した。

　数分後、グレアムはようやく落ち着きを取り戻した。それから階上を探したが、どの部屋にも人の気配はまるでなかった。

　その晩、火の前で横になるに際して、グレアムは客間の扉に入念に錠を下ろし、かんぬきをかけた。さらに対策を講じる前に、まずは重いセトルを引きずっていって扉の前に置く。こうしておけば、万一錠をこじ開けられたとしても、室内に入ってくるには相当な物音がするはずだ。

　しばらくは横になったまま目を覚ましていたが、やがて深い眠りに落ちていった。その後不意に眠りを破られたのは、羽目板の向こうからかすかに聞こえてくる、足を引きずって歩くような音のせいだった。肘をついて体を起こし、耳をそばだてる。すると驚いたことに、暖炉を挟んだ向かい側にあの老婆が座っているではないか。夢で見たあの老婆が、金がなくなったと嘆いている。

　火はほぼ消えかけていたが、その瞬間、炎が最後の力を振り絞って大きく舌を伸ばした。おかげで、一瞬ではあったが、老婆が幽霊のような指を唇に押し当てているのが見えた。首を傾げ、全身を緊張させている様子から察するに、聞き耳を立てているようだった。

　グレアムも耳を傾けた。だが実のところ、あまりの恐ろしさに耳を傾ける以外何もできなかったのだ。グレアムの眠りを破った音は次第に大きくなってきた。衣《きぬ》擦《ず》れのような音がじわじわと近づいてくる。羽目板の裏を上へ上へとのぼっていくようだった。

「ネズミだな」グレアムは思ったが、実際は恐怖のあまり歯がカチカチ鳴りそうになっていた。だがそう思った矢先、それが間違っていたことを見せつけられた。羽目板の隙間から、ろうそくなのかランプなのか、かすかな光が漏れてきたのだ。立ち上がろうとした。何とかして叫ぼうとした。が、どちらもできなかった。そしてそのまま倒れ込み、意識を失った。目が覚めたときには、一枚だけきっちり閉めずにおいた鎧戸《よろいど》から早朝の薄明かりが差し込んでいた。

　グレアムは朝食のあと、といってもほとんど手をつけなかったが、午前中何時間もかけて細心の注意を払いつつ家の中を探索し、ウィリアムが正午に辞してからは、暖炉の前に座り込んで考えていたが、やがて意を決したらしく、買ったばかりの帽子をかぶって外出した。

　戻ってきたときには、夕闇が色濃く迫りつつあったが、舗道は市場へ向かう人で溢れていた。それもそのはず、この日はクリスマス・イブで、多少ともお金に余裕のある人たちは皆、買い物をしようと意気込んでいるふうだった。

　その晩、古い家の中はただならぬ雰囲気に満ちていた。誰もいないはずの部屋から部屋へと、何かが悲しげにさまよっているのをグレアムは感じた。幽霊のようなものが。グレアムが背中を向けると、彼女は鏡からさっと出てきて暖炉の前へ行き、暖炉の前からまた鏡の中へと戻っていく。だが今はもう彼女に恐怖は感じなかった。その日の日中に引き受けてきたことのほうがはるかに恐ろしかった。

　静まり返った家の不気味さが次第にのしかかってくる。屋根裏部屋から地下室まで、すべてを飲み込んだ完全な静寂。聞こえるのは自分の心臓の鼓動だけだった。

　ようやくウィリアムが戻ってきた。だがグレアムは心に秘めたことをいっさい打ち明けなかった。かわりに、明るく、この上なく愛想よく話したのは、親父はぼくがどこに行ったと思うだろう、ということと、ミスター・タイナンがクリスマス・プディングでも贈ってくれたらいいのに、ということだった。やがてウィリアムはそろそろ失礼いたしますと告げた。そして、グレアムが階下の玄関に向かった際、鍵が差し込んでございませんが、と言った。

「ああ、今日ぼくが抜いたんだよ、油をさそうと思ってね」

「油はさしたほうがよろしゅうございますな。鍵を回すのも一苦労でしたから」言わずもがなのことを口にして、ウィリアムは帰っていった。

　グレアムはひどくゆっくりと客間に引き返したが、そこで足を止めたのは、客間に外から施錠するためだけで、それから深靴を脱ぎ、最上階まで上がっていった。そこで一番手前の屋根裏部屋に入り、暗闇と静寂に包まれてじっと待った。

　長い時間がたった。少なくとも、グレアムはそんな気がした。そしてついに、ゆうべ眠りを破ったあの音が聞こえてきた。密かな衣擦れの音。次いで一陣の冷気が流れ込んでくる。慎重な足音が続き、階下の扉をそっと開ける音がした。

　そのあとに起こったことはまさにあっという間のことで、それを説明するほうがはるかに時間を要した。グレアムはすぐさま廊下に飛び出していくと、外されたままになっていた壁の羽目板をもとに戻した。それから屋根裏部屋まで足音を忍ばせて戻り、窓の掛け金を外すと盛大な音を立てた。人気のない通りに響き渡るほどの音を。そのまま時を置かずに階段を駆けおりていくと、そこで男と出くわした。男はグレアムの脇をすり抜け、階上の廊下へ一目散に走った。だが逃げ道が塞がれていると気づくや再び階下を目指す。するとそこでは、グレアムが男の相棒と凄まじい立ち回りを演じていた。

「ぶっ刺せ――さっさとやっちまえ」男は血も涙もなく叫んだ。次の瞬間、グレアムは熱い鉄のようなものが肩に突き刺さるのを感じた。続いてドサッという音。男のひとりが急いで逃げようとするあまり足を踏み外し、階段の一番上から下まで転がり落ちたのだった。

　同時に、家が倒れるかと思うほどの凄まじい音が響く。そして、出血し、息も絶え絶え、今にも失神しそうだったグレアムは、ミス・タイナンが命を奪われた部屋の入り口でとうとう倒れた。

　やがて意識を取り戻したグレアムは、食堂にいた。医者が傷口を診てくれている。戸口近くには、直立不動で警備に当たっている警官がひとり。玄関広間は人で溢れていた。その時間に通りにいた困窮者や浮浪者が皆、何があったのかと押し寄せてきていたのだ。

　その中をふたりの男が警察署へと連行されていく。ひとりは頭部にひどい傷を負っており、担架に乗せられて。もうひとりは手錠をかけられ、罵詈雑言を撒き散らしながら自分の足で歩いていった。

　しばらくして野次馬がきれいにいなくなり、家が完全に警察の管理下に置かれるようになると、ミスター・タイナンが呼ばれた。

「あの凄まじい音は何だったんですか」力なく聞いたグ

レアムは今、壁に背を預けて床に座っていた。

「さあ。音なんぞしたんですか」ミスター・タイナンは、この若者の思い込みに調子を合わせてやろうと考えながら返事をした。

「しましたよ。客間だったと思うけど。鍵はぼくのポケットです」

　ミスター・タイナンはあいも変わらず、怪我をした若者に調子を合わせてやろうとの思いから、鍵を手に階段を駆けあがっていった。

　だが解錠し、扉を開けた途端、とんでもない光景が目に飛び込んできた。鏡が壁から落ちている。しかも粉々に割れて、破片が床一面に飛び散っていた。鏡の下にあったテーブルはその重みで倒れ、大理石製の天板もまた粉々だ。しかしミスター・タイナンの注意を引いたのは他のものだった。床には、無数の金貨も散らばっていたのだ。さらに、鏡の背後の壁に開けられていた穴にはいくつもの箱――有価証券に不動産の譲渡証書に債務証書がぎっしり入った箱もあった。いずれも、手放さなかったがゆえにミスター・タイナンの姉が命を落とすことになったものだった。

「それで、グレアム、何が欲しいんだ」その晩、いくぶん顔色は悪いもののそれ以外は別段変わったところもなさそうな様子で現れた長男を前に、コールトン提督は聞いた。

「欲しいものはありません。ただ、お許しがいただきたいのです。ぼくがこれまで知らなかったことをすべて、ウィリアムが話してくれました。これまでの償《つぐな》いに、父さんがお困りの件をぼくに肩代わりさせていただけないでしょうか。たまたま幸運に恵まれまして」グレアムは落ち着きのない笑い声を上げてから言葉を続けた。「父さんのもとを飛び出してから、一財産築いたんです。もうひとり別の男の分も」

「気でも狂ったか」にべもない返事だった。

「いいえ、本当に一財産見つけたんです。これからは頑張って、もっと真っ当な人生を送るつもりです。ヴォクソール・ウォークの古い家に行かなければ送っていたに違いない人生よりも真っ当な人生を」

「ヴォクソール・ウォークだと。いったい何を言っているんだ」

「お話ししますよ、座ってもよろしければ」そう言って、グレアムはこれまでのことを語りだした。

文豪たちのロンドン奇譚：ウェスト・ケンジントン

# 白い塀の緑の扉

The Door in the Wall

H・G・ウェルズ
H. G. Wells
野村芳夫訳

ケンジントン・ハイ・ストリート（19世紀半ば）

**【場所】**不思議な世界へと誘う緑の扉は、ライオネル・ウォレスの前にたびたび現れた。最初は五歳のとき、ウェスト・ケンジントンでのこと。彼が一人で出歩き、扉をくぐった頃、ハイド・パークとケンジントン宮殿を北東に望むこの一角は新興住宅地だった。迷子の少年を迎えた扉は、彼が長じるとともに、カムデン・ヒルに、アールズ・コートに、そして……再び入るべきか否か、迷ううちにウォレスは歳を重ねていく。彼が通った扉は、今も誰かの前に現れているかもしれない。

**【著者】**『宇宙戦争』や『透明人間』などの作品を手がけたSFの祖、H・G・ウェルズ（一八六六―一九四六）については多言を要さないだろう。*The Daily Chronicle* 誌の一九〇六年七月一四日号に発表された、彼の短編の中でも傑作の名高い本作を、ここに新訳でお届けする。なお、ウェルズの作品を『幻想と怪奇』で紹介するのは、第一巻『ヴィクトリアン・ワンダーランド』の「ポロックとポロ団の男」（中村融訳）以来。

# I

まだ三ヵ月にもならない、あるくつろいだ夕暮れどき、ライオネル・ウォレスは、この〈塀を抜ける扉〉の話をわたしに打ち明けた。そして、ほかならぬ彼の場合、それは偽りのない事実であると、わたしはそのとき直感した。

愚直なまでのきわめて率直な説得力をもって語られたので、わたしは信じるほかなかった。ところが、朝になって自分の家《フラット》のまったく異なる状況で目覚め、ベッドに入ったまま彼の話を回想してみるにつけ、熱のこもったゆったりした語り口の魔力が解け、二人を包んだ笠のついた卓上ランプの陰影にあふれた雰囲気や、ディナーをともにした楽しく明るい、デザートやグラスやテーブルリネンの醸し出す、日常世界から切り離されたいっときの輝かしい小世界といった道具立てがなくなると、わたしには正直すっかり信じがたいものに変わった。「一杯食わされたな!」と口にし、付け加えた。「まんまとやってのけたもんだ! ……よりによって、彼がこんなにうまく人をだませるとは思いも寄らなかった」

それからベッドの上に起き上がって、朝食前の紅茶をすすり、彼のとんでもない思い出話にまごつかされたものの、いつのまにかその真実味のわけを明らかにしようとしつつ、その話がなんらかの意味で示唆し、表し、伝えよう——どの言葉を選べばいいのかわからないが——とした体験は、あんなふうに語られる以外にはなかったのかもしれないと考え直した。

まあ、そんな説明に拘泥《こうでい》するのはよそう。わたしはその間の疑念を克服した。いまはもう信じている。自分の秘密の真相をウォレスが全力を尽くしさらけ出して語ったのを直接聞いた、そのときと同じように信じている。だが、自分の目で見たのか、見たと思いこんだだけなのか、はたまた特別な能力の持ち主だったのか、あるいは空想的な夢の犠牲者だったのか、もはや推察のしようもない。わたしの疑念を永久に解けないものにした彼の死の現実さえ、それを明るみに出すことはできない。すなわち、読者諸賢の判断を仰ぐほかない。

わたしの行き当たりばったりの意見や批評のどれが、口の重い当人をそのかして、秘密を打ち明ける気にさせたのか、もう思い出せない。いまかえりみれば、わたしが関係していた大規模な大衆運動で、彼が自ら犯した怠慢と信頼の欠落のせいで失望を誘った結果に対し、自己弁護をしていたところで、彼は唐突に切り出した。「実は」と彼。「ひどく気になっていることがあって——。

仰《おお》せのとおり」彼はいったん口をつぐんでから続けた。「わたしは注意散漫だった。実をいえば――幽霊とか幻影といったものとはわけがちがう――しかし――口にするのも妙なんだが、レドモンド――わたしは憑りつかれている。なにかに憑りつかれている――むしろ現実から目をそらさせ、あこがれの念で満たすものに……」

彼はイギリス人特有の内気さ、感動や厳粛さや美について語ろうとすると、ついわれわれが気圧される感情にはばまれて、いったん口を閉ざした。「きみは一貫してセント・アセルスタン校に通っていた」彼はいい、つかのまわたしを怪訝《けげん》な気分にさせた。「まあ」――彼は口ごもった。そして、ひどく躊躇《ちゅうちょ》したようすではじめたが、やがていくらか口が軽くなり、自分の人生の秘事を語りはじめた。この世の人生の興味も見どころもすっかり退屈であきあきする無駄なものに思わせるほど、とめどないあこがれの念で彼の心をいっぱいにした、美と幸福の忘れがたい秘密の記憶を。

手がかりを得たいまにして思えば、表情にもやはりはっきりと現われていたようだ。わたしは、ひどくうわの空の表情で写っている彼の顔写真を持っている。それを見るとかつてある女性――深く彼を愛した女性――の述べた言葉が思い出される。「突然」と彼女。「興味を失くしてしまうの。彼はあなたを忘れてしまう。他人など知るもんかってね――当人の目の前でよ……」

しかし、つねに興味を失うというわけではなく、ひとつの対象に関心を持って集中すると、ウォレスは見事な成果をおさめることができた。事実、彼の経歴は一連の成功に彩られていた。わたしをとうの昔に追い抜いて、頭上はるかを飛翔し、とにかく、わたしなど物の数に入らないほどの頭角を現わした。まだ四十歳に一年満たず、彼がもし生きていたら、政権の一翼を担い、おそらく新閣僚に抜擢されていたであろうというのが衆目の認めるところだった。学校では苦もなく――まるで生まれつきであるかのように――いつもわたしをしのぐ成績をおさめていた。われわれはウェスト・ケンジントンのセント・アセルスタンのカレッジに進み、大学生活をほとんど一緒に過ごした。進学当初はほぼ同じ程度だったが、軒並み奨学金を獲得し、輝かしい成績を上げて、はるかにわたしを置き去りにしてしまった。だが、わたしとて、そこそこの成績だったのだ。そして、はじめてわたしが〈塀を抜ける扉〉の話を聞かされたのは、その在学中であり――二度目は、彼の死の直前だった。

少なくとも彼にとって〈塀を抜ける扉〉は、不滅の現実にいたる真の塀を通り抜けるために実在する扉だった。

いまは、その点、大いに確信がある。

それは彼の人生のきわめて早い時期、五歳から六歳のあいだ、小児のころに起きたことだった。ゆっくりしたまじめな調子で、坐った彼が告白するようすをわたしは覚えている。彼は出来事が起きた当日のありさまを、筋道立てて考えた。「そこには」と彼。「深紅色の――どこもかしこも輝くばかりの深紅色のアメリカヅタが、琥珀《こはく》色の澄明《ちょうめい》な陽光に映える白い塀一面に繁っていた。どういうわけかそんな印象は残っているが、その状態を克明に記憶しているわけではない。そして、緑色の扉の前のきれいな舗道には、マロニエの葉が落ちていた。落葉は黄色や緑色の模様をつくっていたから、つまり、茶色とか汚い色ではなかったので、散って間もなかったにちがいない。だから、十月だったと思っている。わたしは毎年、マロニエの落葉に気をつけているからわかるんだ。

もしその点で間違っていなければ、五歳と四ヵ月のころだった」

相当ませた幼児だったそうだ――異常に早い時期から喋《しゃべ》れるようになり、実にまともな〝昔気質《かたぎ》〟の判断力があると周囲の大人からいわれ、たいがいの子供では七歳から八歳にならないとあたえてもらえない大幅な自主性を許されていた。二歳のときに母親を亡くし、やや放任主義的で威張らない、幼児向きの家庭教師の庇護のもとに育った。父親は仕事で頭がいっぱいの、厳格な事務弁護士で、ほとんど子供には無関心なくせに期待だけは大きかった。頭脳明晰ではあっても、彼にとって人生はいささか灰色で退屈なものだったろうと、わたしは思っている。そんなある日、彼はさ迷い出た。

どうやって家を抜け出したかも、ウェスト・ケンジントンのどの道をたどったのかも、思い出せなかった。すべては救いがたい記憶の忘失のうちに消えてしまった。しかし、白い塀と緑色の扉だけはきわめて鮮明なまま残っていた。

その子供っぽい体験の記憶にしたがうと、はじめて扉を目にするなり、特別な感情や魅惑に駆られ、歩み寄って開き、扉を入りたいという欲求を感じた。そして同時に、この誘惑に屈する――それが賢明でないか、有害なのかは、判断のしようがなかったが――にちがいないという明快な確信を持っていた。はなから扉の鍵がかかっていないのも知っていて、自由に入ればいいとわかっていた――記憶が妙にゆがめられていないかぎり――のは、不思議だった。

誘惑と反発に揺れる、幼い少年の姿が目に浮かぶようだ。もしこの扉を抜けたら、なぜかはわからないが、その胸中には激怒する父親の姿が、きわめて鮮明に浮かんでいた。

　このためらいの瞬間を、ウォレスはとてもきちょうめんに説明してくれた。そのまま扉の正面を通り過ぎると、やがてズボンのポケットに両手を突っ込んで、とてつもない苦労をして口笛を吹くまねをし、そのまま塀の外れまで歩いた。するとそこには汚い小さな店が並んでいたのを憶えていた。なかに水道屋兼室内装飾店があり、汚れた土管、鉛の板、丸型蛇口、壁紙の見本帳、エナメル缶が乱雑に散らかっていた。それらの品物を立ち見しているふりをしながら、彼は緑色の扉を情熱的に求め、熱望した。

　やがて、感情の大波に溺れたと彼はいった。二度とためらわないよう、駆け出した。ふっくらとした腕を伸ばして緑の扉を抜けると、背後でどんと閉まるにまかせた。そしてたちまち、その後の人生をとりこにした庭園へと入った。

　駆けこんだ庭園の感じを、きちんとわたしに伝えるのは、ウォレスにとってきわめてむずかしそうだった。

　なんともわくわくさせる空気に満ちたそこには、陽気さと愉快な出来事と幸福をあたえてくれる雰囲気があった。その光景には、すべての色彩を鮮やかに完璧で微妙に輝くものにしてくれるなにかがあった。内部に入った瞬間、人はこのうえない喜びを覚え――この世で若く楽しみに満ちているときにしか味わえない、まれな瞬間だった。そして、ここではすべてが美しい……。

　ウォレスはいったん思いにふけってから続けた。「なんとまあ」信じがたいことをいいよどむ人間の、自信のない声でいった。「二頭の大きなヒョウがそこにいたんだ……そう、まだら模様のヒョウが。だが、怖くはなかった。大理石で仕切られた花壇が両側に続く広い道があり、そこでビロードをまとったような二頭の大きなけものが、ひとつのボールで遊んでいた。片方が頭を上げると好奇心に駆られたらしく、近づいてきた。一直線に来て、わたしが伸ばした小さな手に、柔らかで丸い耳をなすりつけ、ごろごろ喉を鳴らした。ほんと、ここは魔法の庭園なんだ。わたしにはわかる。で、広さは？　ああ！　あっちにもこっちにも遠くまで続いていた。はるか先に丘陵地が見えたと思う。ウェスト・ケンジントンは、こつ然としてどこに消えてしまったのか、さっぱりわからない。そして、なぜか、まさしく故郷に帰ったような気がした。

　ところで、背後の扉が勢いよく閉じた瞬間に、マロニエの落葉が散る道、通りすがりの馬車や商人の荷車を忘れてしまった。家の規律や服従へと引き戻す重力めいた束縛を忘れた。ためらいと恐怖をすっかり忘れ、思慮分別を忘れ、この人生の些末な現実を忘れた。一瞬にして、わたしは楽しくてたまらない、不思議大好きな子供――べつの世界の子になった。そこでは異なる種類の価値観が支配し、温かくより感動に満ちたその空気はかすかな、透明で喜びのある柔らかな光のもとにあり、そして青空にはうっすらたなびく雲が光って浮かんでいた。そして、目前には広くて長い道が招くように延び、その両側には雑草がなく、自然なままの花々を豊かに咲かせた花壇があり、あの二頭のヒョウがいた。わたしは怯えもなく、小さな手でその柔らかな毛皮に触れ、丸い耳や耳の下の感じやすい部分をかいてやり、ヒョウたちと遊んだ。まるで故郷に迎えられたかのように。心の奥にはここが故郷なのだという強い感覚があった。ちょうどそのとき、背が高くて美しい娘が道に現われ、微笑みながらやってくると、『さて？』と語りかけ、わたしを抱き上げてキスし、下に降ろすと手を引いてくれた。驚きはまったくなく、ただどういうわけか見すごされていた幸福なものごとを思い出させてくれる、喜ばしい正義の印象だけがあった。赤くて広い階段があったのを、わたしは思い出した。穂のように伸びたヒエンソウの花々のあいだに見えてきた階段を上がると、とても古くて陰の多い黒い木々の並木がある大通りに出た。赤くひび割れた幹が左右に続く大通りを抜けると、大理石の立派な台座に据えられた彫像が並び、きわめて人によく馴れて友好的な白いハトがいたんだ……。

この涼しい大通りを導いてくれた娘さんは、わたしを見下ろし――感じのよい小じわのある優しく親切な顔の、見事なかたちの顎を憶えている――穏やかな快い声でたずね、いろいろ教えてくれたのに、それがなんだったか、ちっとも思い出せないのだが、楽しいことを教えてくれた……。やがてとてもきれいで毛が赤茶色の、ハシバミ色の親しげな目をした小さなオマキザルがこちらのほうに木から降りてくると、わたしの脇に走り寄り、にんまりと笑って見上げ、すぐに肩へ飛び乗ってきた。そうして、わたしたち二人は大いなる幸福感に満たされて道を進んだ」

彼は口を閉ざした。

「続けたまえ」とわたし。

「些細な寸景を憶えている。わたしたちはゲッケイジュの下で思いにふけっている老人のかたわらを通り過ぎたのを憶えている。そして、インコのさえずる場所や日除けのついた広い列柱を抜け、楽しい噴水や美しいもの、心からの願望や予兆に満ちた涼しい広壮な宮殿にやってきた。するとそこにはさまざまなものがあり、たくさんの人々がいた。なお、はっきり際立つものもあった気がするが、印象が薄れてしまったものもある。しかし、どの人間たちも美しく親切だった。どういうわけか――わたしにはわからないが――人々はみな思いやりをもって歓迎してくれ、その身ぶりや手ぶりで喜ばせ、愛情のこもった眼差しで迎えてくれた。そうだ――」

　彼はしばし考えこんだ。「わたしは遊び友だちを見つけた。わたしはひとりぼっちの少年だったから、それだけでうれしかった。花時計のある芝生の中庭で、楽しいゲームに遊びふけった。そして、遊びながらおたがいを愛した……。

　しかし――妙なんだが――記憶に欠落がある。どんなゲームの遊びだったか思い出せない。一片の記憶もない。そのあとの子供時代、わたしは長時間かけて、楽しかったその遊びを思い出そうと、涙ながらに試みた。もう一度――自分の子供部屋で――ひとりでも遊びたかった。だめだ！　思い出せるのは、楽しかった感情と、いつも二人の遊び友だちがいたということだけ……やがて、暗い地味な女性が、厳しくて青白い顔でやってきた。夢見るような目の陰気な女性で、薄紫色の長い柔らかなローブを身につけ、本を手にして、ホールの上の二階席にわたしを導いた――遊び友だち二人は、わたしを放したがらなかったが、ゲームを中止し、連れられていくわたしを見守っていた。『もどってきてよ！』彼らは叫んだ、『すぐにもどってきてね！』と。わたしは女性の顔を見上げたが、そんな言葉は耳に入らないようだった。その顔はとても上品で厳粛だった。彼女は二階席に坐り、わたしはその脇に立っていたので、膝の上で本が開かれればよく見える。本が突然開いた。彼女が指差したのでわたしは覗き、驚いた。というのは、その本の生きているページのなかに、自分を見たからだ。それはわたし自身の物語であり、そこには生まれたときからの出来事がすべて入っていたからだ……。

　素晴らしいものだった。いいかい、その本のページは写真ではなく、現実だったんだ」

　ウォレスは重々しくいったん口を閉ざし――わたしを不安そうに見た。

「続けたまえ」とわたし。「わかるよ」

「現実だった――そう、現実だったにちがいない。人々は動き、物事は生じては消えていった。忘れかけていた母親、そして、厳格で正直な父親、召使い、子供部屋、わが家のおなじみのものばかり。玄関の扉と忙しく人馬が往来する通り。わたしは驚嘆して見入り、やや疑わしげに女性の顔にまた目をやり、ページを次々めくり、この本のページをどこもかしこも眺めようとして、そのうちついに長く白い塀に付けられた緑色の扉の外で、わたしがうろうろとためらっている場面になり、ふたたび混乱と恐怖におちいった。

『この次は？』わたしは叫び、ページをめくろうとしたが、厳しい女性は冷たい手で邪魔をした。

『このあとは？』と言い張り、彼女の手にそっと抗《あらが》い、子供なりの全力をこめて相手の指を持ち上げた。そして、わたしの力に屈してページがめくられたと同時に、彼女は影のようにかがみこみ、わたしの額にキスした。

だが、次のページは魔法の庭園を示さず、ヒョウたちも、手を引いてくれた娘も、行かせまいとした遊び友だちもいなかった。そこには、街灯が点灯される時刻の迫った寒々としたウエスト・ケンジントンの長い灰色の通りがあり、そこで泣きながら惨めに立っていた。わたしにできるのは自制を保つことしかなかったのに、『もどってきてよ！』、『すぐにもどってきてね！』と呼び掛けてくれた遊び友だちのもとに帰れず、そこで泣いていた。それは本のページのなかの物語ではなく、無情な現実だった。あの魔法の庭園や、その膝もとに立っていた、厳しく抑制する母のようなその手も消えてしまった——いったいどこに消えたのか？」

彼はふたたび中断し、しばらく暖炉の火に見入っていた。

「ああ！　あの帰還は悲惨だった！」彼はつぶやいた。

「そうか？」わたしは一分かそこらしてからいった。

「哀れなちびだった！　——この灰色の世界にもどされてしまった！　起きたことの豊かさを悟るにつれ、わたしは抑制のきかない嘆きに身をゆだねた。そして街頭で泣いているぶざまな屈辱、おまけになお帰路にも迷う不面目が残っていた。あらためて、金縁眼鏡をかけた親切そうな老紳士に目をやった。彼は立ち止り——まず、持っていた傘でわたしをつついてから、話しかけた。『かわいそうな子だ』と彼。『迷子になったというわけだね？』——こっちは五歳をとっくに過ぎたロンドン子なのに！　そして、彼は若くて親切そうな警察官を連れてくると、周囲に人だかりができて、家までついてきた。涙にくれ、耳目を集め、ショックを受けたわたしは、魔法の庭園から父親の家の玄関階段へともどった。

これが憶えているかぎりの庭園のありさまで、この庭はいまだにわたしをとりこにしている。もとより、その曖昧模糊とした虚構性、身近な日常的体験との差異の、筆舌に尽くしがたい特性を伝えることはできないが、しかし、これが——これが顚末《てんまつ》なのだ。これが夢だというなら、それは白昼に見たまったく驚くべき夢にちがいない……。まったくもう！　——当然、わたしはそのあと、猛烈な質問で攻め立てられた。叔母から、父親から、乳母から、女性家庭教師などの一同から……。

　みんなに説明を試みたが、父親は嘘をついたと、わたしをはじめて鞭打った。そのあと説明しようとした叔母からはらちもないことを言い張っていると、こちらも罰をくらった。わたしはいっさいの説明を禁止され、口を封じられてしまった。おとぎ話の本さえ、しばらく取り上げられてしまったほどだった——〝空想癖〟がすぎるという理由だった。ええっ？　そう、そんな仕打ちだった！　父親は旧弊《きゅうへい》な人間だった……そして、わたしの話は自分に跳ね返ってきた。話せる相手は枕しかなく——枕はしばしば濡れ、泣きながらつぶやく子供の涙でしょっぱくなった。そして、わたしはお定まりの祈りの文句のあとに、心からの願望をつけ加えるのがつねだった。『神さまお願いです、あの庭園の夢を見させてください。お願い！　あの庭園に連れて行ってください！』あの庭園に連れて行ってください！　わたしはあの庭園をしばしば夢に見た。だから、なにかをつけ加えたかもしれない、どこか一部を変えてしまったかもしれない。わたしにはわからない……すべては、幼児期の断片的記憶を再構成する試みなんだからね。少年時代の一貫した記憶とのあいだには深い溝がある。もう二度と驚異の庭園を見た話をする機会はないだろうと思っていた」

　わたしは誰もがする質問をした。

「いいや」と彼。「庭園にもどる道を、当時、見つけようとした記憶はない。いまからすれば、少し奇妙でもあるが、おそらく、この不運な出来事のあと、わたしの行動に監視の目が行き届いていて、道に迷わせないようにしていたのだろう。そう、きみと知り合うまで、また庭園を探そうとはしていなかった。だから、ある期間——いま振り返ると信じがたい話だが——庭園のことなどまったく忘れていた——たぶん、八歳から九歳のころだったと思う。セント・アセルスタン校の生徒だったわたしを、きみは憶えているかい？」

「もちろんだとも！」

「秘密の夢をかかえていた気配など、当時のわたしには感じられなかっただろう？」

## Ⅱ

彼は急に笑みを浮かべて顔を上げた。

「きみと〈北西航路〉（当時ノルウェーの探検家アムンゼンがはじめて開拓した、北米大陸北岸を抜ける航路のこと）ごっこの遊びをしたことがあったかな？　……そうか、もちろんきみとは通学路がちがったな！

　こいつは」彼は続けた。「空想好きの子供なら一日中やりたいような遊びだった。普段とちがう道をたどって学校へ行こうというものだ。通学路は慣れれば退屈だ。家を十分間早く出発し、いつもとちがう通りを発見する。学校とは見当違いの方向を選び、なじみのない道を抜けてゴールに向かう。そんなある日、わたしはカムデン・ヒルの反対側のかなり下層階級の集まったあたりに迷い込んでしまった。そして、こんどばかりはゲームはうまくゆかず、学校に遅刻しそうだと思いはじめた。袋小路になっているらしいある通りでかなり窮地におちいっていたが、結局、抜け道を見つけた。わたしは気を取り直して急いで通過した。『やったぞ』というと、なぜか見覚えがある、汚くて小さな店の並びを抜けた。すると、なんとも不思議だ！　そこには魔法の庭園に導いてくれる緑色の扉のある、わが長い白塀があった！

　わたしは突然ぶちのめされた。そうなんだ、つまるところ、あの庭園、あの素晴らしい庭園は夢ではなかった！」

　彼はいったん口を閉ざした。

「緑色の扉との再会は、あわただしい生活を送る学校の生徒と、遊びに明け暮れる幼児との決定的なちがいを特徴づけているように思う。いずれにしろ、この二度目の出会いでは、なかに入ろうとする気はまったく起こらなかった。わかるだろう――ひとつには、学校に間に合うことばかり考えていたからだ――皆勤賞を失いたくなかった。確かに、少なくとも、扉を開けてみようとする気持ちは少しあった――そうとも。それを思わなかったわけではない……。しかし、扉の魅力は学校の始業時間に間に合わせるという優先的な決断の障害物に思われた。もちろん、扉の発見には多大な興味をかきたてられた――胸がいっぱいになった――だが、わたしは立ち止らなかった。扉はわたしの足を止められなかった。懐中時計を引っ張り出すと、残り時間が十分しかないのに気づいて、走り過ぎた。やがて、坂を下りて見慣れた街に出た。息を切らして学校についた。ほんとうなんだ。汗だくだったが間に合った。コートと帽子を掛けたところまで憶えている……足も止めずに通り過ぎ、機会を逃した。変わり者だと思うかい、え？」

　彼は考えこんでわたしを見た。「そのときは、いつでもそこに扉があるわけではない、というのを知らなかった。学校の生徒の想像力など知れたものだ。場所を突き止めた、もどれる道を知っているというだけで、とてつもなく愉快な気になっていたのだろう。でも、わたしの関心の的は学校だった。その朝は、美しくて不思議な人々と楽しく再会できるだろうという夢想にふけって、ひどくうろたえ、不注意だったと思う。奇妙にも、胸のなかでは、彼らが喜んで会ってくれるのを疑いもしなかった……。そう、その朝のわたしは、懸命に勉学にいそしむ合間の気晴らし、愉快な場所にすぎないというふうに庭園をとらえていたのだと思う。

　その日はまったく行ってみようとはしなかった。翌日は半休日だったので気にしてもよかったはずだ。ひょっとして態度がうわの空だったので罰課題でも出されたせいで、回り道をするだけの時間が取れなかったのかもしれない。わからない。わかっているのは、そのあいだに魔法の庭園は、自分ひとりの胸の内にとどめておけないほど、大きな存在になってしまったことだ。

　わたしは打ち明けてしまった。あいつの名前はなんだったか？　――フェレットみたいな顔をした活発な子供で、われわれがスクウィフと呼んでいたやつ」

「年下のほうのホプキンズだ」とわたし。

「そう、ホプキンズだった。彼には話したくなかった。どういうわけか、彼に話すのは決りに反するという気がしていたのに破ってしまった。途中まで帰り道が一緒だった彼はお喋りで、話をするにしても、庭園以外のことに頭を使うのは耐えがたい気がしたんだ。というわけで、わたしは秘密を洩らしてしまった。

　そしたらあいつは秘密を喋りまくった。翌日の休み時間、わたしは六人からの上級生に取り囲まれてしまった。からかい半分ながら好奇心いっぱいで、魔法の庭園の話を詳しく聞きたがった。大柄のフォーセット――彼を憶えているかい？　――それにカーナビー、モーリー・レノルズといった連中だ。きみはたまたま、いたのかな？　そうか、きみがいたなら、わたしの記憶に残っているはずだな……。

　少年というのは妙な感情を持ち合わせているものだ。わたしはそう思う。ひそかに自己嫌悪を感じながらも、上級生たちの関心を集めたのが少しうれしかった。とくにクローショーにほめられたときにはいい気になった――きみは年長のほうのクローショー、作曲家のクローショーの息子を憶えているかい――これまで聞いたなかで一番上出来の嘘だといわれたのを強く記憶している。しかし、神聖そのものの秘密を喋ってしまったのを恥ずかしく思う胸の痛みもあった。フォーセットのやつときたら、緑の服の娘についてとんでもない冗談をいいやがった——」

　ウォレスは恥ずべき記憶のとげとげしさに声を低めた。

「わたしは聞こえないふりをした」と彼。「そう、カーナビーはそのとき突然、わたしを嘘つき下級生と呼び、真実だと主張するわたしと口論になった。わたしは緑色の扉の場所を知っているから十分もあればそこに案内できるといった。カーナビーはひどく居丈高になって、自分の言葉を証明するか、さもなければ痛い目にあいたいかと脅した。カーナビーに腕をひねられた経験はあったか？　だったらどうしたかわかるだろう。わたしは自分の話が真実だと誓った。クローショーが少し間に入ってくれたが、当時、カーナビーのやつに口出しできる人物は学校内にいなかった。カーナビーの思いどおりになった。わたしは興奮して耳を赤くし、少しばかり怯えていた。浅はかな子供のようなふるまいの結果として、ひとりで魔法の庭園に向かうどころか先頭に立ち——頬を赤くし、耳を熱くし、目を怒らせ、胸の内はみじめさと屈辱に燃え——あざけりと好奇心をかかえる脅迫的な六人の連中を案内した。

　白い塀と緑色の扉はなかった……」

「ほんとうか？」

「発見できなかったということだ。見つかるものなら、見つけていた。

　そのあと、ひとりきりで行っても発見できなかった。それっきり見つからない。学校時代、それからはつねに探し続けてきたように思うが、一度も出くわさなかった——まったく」

「上級生たちは——怒ったろう？」

「ひどかった……たちの悪い嘘つきだといって、カーナビーたちからつるし上げられた。わたしは家にこっそり帰り、泣きじゃくった顔を見られないよう二階に上がったのを憶えている。ついに泣きながら眠ってしまったが、それはカーナビーのせいというより、庭園のため、願っていた美しい午後のため、優しい友好的な女性や待ってくれた遊び友だちのためであり、もう一度教えてもらいたかったゲーム、忘れてしまった甘美なゲームのためだった……。

　もしも、他人に話したりしなければ、結果はちがったのではないかと固く信じた——……そのあとは最悪で——夜は泣きぬれ、昼はとりとめない空想にふけった。二学期間、わたしは怠けてしまい、通信簿はひどかった。憶えているか？　もちろんだろ！　きみが——わたしを算数で負かしたので、わたしは骨の折れる退屈な勉強に復帰できたんだ」

## Ⅲ

友は暖炉の炎の中心を、しばらくじっと見つめていた。やがて、いった。「十七歳になるまで、わたしは一度も扉を見なかった。

三度目はいきなり視界に飛びこんで来た――わたしがオックスフォード大学へ進学し、奨学金を得るためにパディントン駅へと一頭立ての辻馬車を走らせていた際、一瞬だけ見かけたのだ。わたしはタバコを吸いながら、自分もひとかどの男になったと間違いなくうぬぼれた気分になって、一頭立て辻馬車のひざ掛けを直していた。すると、唐突に扉と塀が出現した。なお忘れがたく、到達可能なものへの親しみ深い感覚が現われた。

馬車はがたがた通り過ぎた――すっかりびっくりして、停車させたときにはずっと先の角を曲がったところだった。そのとき自分の意志が二つに分かれる妙な瞬間を経験した。辻馬車の小さな屋根扉をかつんと叩いて合図を送ってから、腕を降ろして懐中時計を取り出した。『はい、なんでしょう！』後方に立つ馭者《ぎょしゃ》が間髪入れずにいった。『えー――ああ――なんでもない』わたしは叫んだ。『つい、間違えた！　あんまり時間がない！　出してくれ！』うながされた馭者は先を急いだ……。

わたしは奨学金を獲得した。そして、その次の夜、父親の家の二階にある、わたしの狭い書斎の暖炉の前で父親の賞賛――まれな誉め言葉と健全なその助言を反芻しつつ、愛用のパイプ――若者に人気の太くて短いパイプをふかしながら、長く白い塀のあの扉のことを考えた。『もし停まっていたら』と思った。『奨学金もオックスフォード大学も逃していたにちがいない――先々の立派な学歴を台無しにしていた。わたしには現実が見えはじめた！』深い思いにふけり、自分の経歴のためなら、疑いもなく犠牲に値すると当時は結論づけた。

あそこの親切な友人たちや甘美に思われる透明な雰囲気は、きわめて素晴らしいが、遠い存在だ。わたしは大英帝国を掌中にする階段を昇りはじめた。もうひとつの扉が開くのが見えた――わが身の出世の扉が」

彼はふたたび暖炉の炎を見つめた。赤い光がその表情にほんの一瞬、不屈の精神力をうかがわせて消えた。

「そんなわけで」彼はいい、溜息を洩らした。「わたしは栄達の階段を昇った。成果を上げた――たくさんの困難な仕事を成し遂げた。しかし、わたしは魔法の庭園を夢に見た。千回も。そして、その扉を見た。あれから、四回、少なくとも垣間見えた。そう、四回だ。この現実世界がとても輝かしく、興味深くてその意味と機会に満ちているように思われるとしたら、比較すれば魔法の庭園の魅力は薄れ、穏やかで遠いものになってしまう。美女たちや大立者たちとのディナーに向かう途中で、誰がヒョウを撫でようと思うだろうか？　わたしはきわめて将来有望な人間としてオックスフォードを卒業し、ロンドンにやってきて、それなりの成功をおさめた。それなりの——だが、そこには失望もあった……。

　わたしは二度恋をした——その話にはこだわりたくない——しかし、一度、相手から来ないかもしれないと疑われていた密会に向かっていた。アールズ・コート近くの滅多に通らない道を使って近道をした。すると、たまたま白い塀とおなじみの緑色の扉に出くわした。『変だ！』とわたしはひとりごちた。『こいつはカムデン・ヒルにあるんじゃないのか。どういうわけか、わたしには見つけられない場所——新しいストーンヘンジを見つけるような——自分が奇妙な白日夢にふける場所だ』そのまま密会へと向かった。その午後、扉はなにも訴えかけてこなかった。

　扉を試してみようという衝動に駆られなかったわけではない。せいぜい三歩も横に歩けばいいのだから——もっとも、扉が開くというのは、心の底から確信していた——けれども、そんなまねをしたら約束の時間に遅れて名誉にかかわるだろうと考えた。あとでわたしは、時間にきちょうめんすぎるのもどうかと自省した——少しだけ覗いて、ヒョウに手を振るくらいできたかもしれないと考えた。しかし、探しても見つからないものは、あとから探そうとしても無理なのは、今回身に染みた。そう、あのときの後悔は大きかった……。

　そののち何年も激務に追われ、扉を見る機会はなかった。ふたたび出現したのはつい最近だ。それとともに、現実世界がくすんで見えるような気がしてきた。あの扉を二度と見られないのは、悲しくつらいことだと思いはじめた。おそらく、わたしは働きすぎで少し疲れていたのだろう——世間でいう、更年期のようなものなのか。わからない。しかし、仕事をこなすための鋭敏な聡明さが最近失われていて、しかも、ちょうどそんなときに——新しい政治情勢が発生して——働くべきときが来た。妙なものじゃないか？　しかし、わたしは人生がつらいものだと知りはじめ、その報酬を受け取れそうになったところで、人生が貧相なものに思われた。少しまえから、魔法の庭園がとてつもなく気になりだした。そう——それから、わたしは三回見た」

「庭園を？」

「いや——扉をだ！　しかも、わたしはなかに入らなかった！」

　彼はどうしようもない悲しみのこもった声で、テーブル越しに身を乗り出した。「チャンスは三回もあった——三度だ！　もう一度だけ扉が出現してくれたら、この埃《ほこり》っぽくて暑い、この温かみのない虚栄のきらめきから、この骨折り損の世界から、誓って出ていってやる。庭に入ったきりもうもどらない。今度はなかにとどまる……誓って。それなのにあのとき——わたしは入らなかった。

　一年間に三回も、わたしは扉の前を素通りし、入るのに失敗した。去年、三回も。

　最初のときは借地借家人救済法案の抜き打ち採決がおこなわれた晩のことだった。そのとき政府は三票の僅差でかろうじて勝った。きみは憶えているか？　わが陣営では誰ひとり——ひょっとしたら反対陣営では少しいたかも——その夜の決着は見通せなかった。討議は卵の殻のごとく砕けて決裂した。わたしとホッチキスは、ブレントフォードに住む彼のいとこと一緒に晩餐をとっていた。われわれはどちらも棄権の意志はなく、電話で緊急招集をかけられ、ただちにいとこの車で出発した。われわれはかろうじて間に合ったが、その途中でわが塀と扉の前を通りかかった——月光のもとで青黒く、車の燈火を浴びると熱くて黄色いまだら模様に見えたが、間違いない。『いや参った！』わたしは叫んだ。『なんのことだ？』ホッチキスが訊ねた。わたしは『なんでもない！』と答え、その瞬間は去った。

　『わたしは多大な犠牲を払った』議場に入るなり、院内幹事にいった。『誰しもだ』と彼は応じ、急いで去って行った。

　あのときほかにどうすればよかったのか、わからない。そして、次の機会はあの厳格な父親に別れを告げるため、枕もとへと急いでいるときだった。やはり、そのときも人生のしがらみはいかんとも成しがたかった。しかし、三回目のときはちがっていた。一週間前のことだ。思い出すだけでつらい後悔の念にかられるよ。ガーカーとラルフスが同席していた——もう、秘密じゃない。わたしはガーカーと会っていた。われわれはフロビッシャーの店で晩餐をとっていて、話題は機微に触れかけていた。改造内閣でのわたしの処遇の問題で、大臣就任の要請の話になりそうだった。ああ——そうとも。もうすっかり決着をみた。まだ話す必要はないのだが、きみに隠しておく理由もない……。そうだ——ありがとう！　ありがとう！　だが、先を続けさせてくれたまえ。

　その夜、事態はとても煮詰まっていた。わたしの処遇は微妙なものだった。わたしはガーカーから決定的な言葉を聞き出そうとぴりぴりしていたが、ラルフスの存在が邪魔だった。そこで、懸念している人事にあからさまに触れぬよう、全力を振り絞って、浅くて無害な話題を続けようとしていた。やむなくな。ラルフスのその後にとった行動は、わたしの用心を正当化してくれるに充分だった……。ラルフスはケンジントン・ハイ・ストリートでわれわれ二人とわかれる予定だった。そうなったら、いきなり単刀直入に切り出し、ガーカーの意表をついてもいい。ときとして人はそんな小細工を弄する必要がある……。するとそのとき、行く手の道の視界の片隅に、また白い塀と緑色の扉があるのに気づいた。

　われわれは話しながら通り過ぎた。わたしは通過した。ガーカーの特徴的な横顔、高い鼻にかぶせるようにオペラハットを目深にかぶり、首にスカーフをぐるぐる巻きにして、わたしとラルフスの影の先を歩く姿がいまも目に浮かぶ。わたしは扉の三十センチ先を通った。『二人にお休みを告げて、なかに入ったら』と自問した。『どうなるだろう？』そしてわたしは、ガーカーにその言葉を発したくてぴりぴりしていたのだ。

　わたしには種々の現実問題がからみあっていて、その自問には応じようがなかった。『気が狂ったと思われるだろう』と思った。『そしていま、わたしが消えれば！――有力政治家、驚きの失踪！　と、囃《はや》される』わたしは身動きが取れなかった。千もの思いもよらないほどこまごました世俗的な事柄が、あの危機の瞬間、重要性を増していた」

　やがて彼は悲しげな笑みを浮かべて顔を向け、ゆっくりと喋《しゃべ》った。「だからこのざまだ！」と彼。「だからこのざまだ！」彼は繰り返した。「そして、チャンスは消えた。一年間で三度も扉は招いてくれた――平和への、喜びへの、美しさへの扉。誰も知らない夢の先、親切の先にある扉が。それなのにわたしは拒絶してしまったのだ、レドモンド、そして、消滅してしまった――」

「そんなことはわからないだろう？」

「わかる。わかるとも。もうわたしに残されているのは、こなすべき仕事、やり遂げなければならない任務にしがみつき、ときを待つだけだ。きみはわたしが成功者だという――この下品で不快な、退屈で妬ましい世界に生きているのに。成功者だと」彼はその大きな手にクルミを握っていた。「こんなものが成功だというなら」彼はいい、砕いて殻を見せた。

「聞いてくれるか、レドモンド。今度の喪失は破滅的だった。もう二ヵ月間、すでに十週間近く、必要不可欠、緊急を要するものを除いて、仕事が手につかない。わたしの魂はなだめようのない後悔でいっぱいだ。夜になって――人目につきにくくなると――外出してしまう。さ迷ってしまう。そう、世間の人が知ったらどう思うだろうか。閣僚内定者、各省のなかでとびきり重要な省の大臣が、ひとりきりでさ迷い――悲嘆にくれ――ときには泣きそうになりながら――扉を、庭園を求めているなんて！」

## Ⅳ

彼の顔が青白くなり、あまり見たことのない陰気な光がちらついたのが、目に浮かぶようだ。今夜は彼がひどく生々しく感じられる。ソファーに坐って彼の声、口調を回想しているが、彼の死の一報を伝える昨晩の〈ウェストミンスター・ガゼット〉紙はなお読み捨てられたまま置かれている。今日の昼時の議員会館は、彼の死の話でもちきりだった。ほかの話は出なかった。

　当局は彼の遺体を昨日未明、イースト・ケンジントン駅近くの深い穴で発見した。地下鉄を南に延伸する工事に関連して掘られた二本の竪坑のひとつだ。一般の人が入り込むのを避けるため、道路に板囲いが作られており、そちら方面に住む労働者たちの便宜をはかって、そこに小さな扉が設置されていた。二人の現場親方同士の行き違いがあって、扉に鍵がかけられておらず、そのために彼は入ってしまった……。

　さまざまな疑念と謎で、わたしの胸は陰鬱になった。

　その夜、彼は議事堂から歩いてきたのだろう――会期中、彼はしばしば家まで歩いていた――考えごとに没頭し、深更の、人けのない道路を黒々と歩くその姿が偲ばれる。そしてそのとき駅近くの青白い電灯の光が、粗末な板張りの囲いを白い塀と見まがうものにしていたのか？　その鍵のかかっていない宿命の扉が、なにかの記憶を呼び覚ましたのか？

　そもそも、当の塀の扉は緑色だったのだろうか？

　わたしにはわからない。ただ彼から聞いたままを述べたにすぎない。ウォレスはまれだとしても前例がないわけではないたぐいの幻覚と不注意の罠が、偶然一致した犠牲者にすぎないと信じたときもあった。しかし、それはまさにわたしの心の底からの信念ではない。なんなら、ばかげた迷信家と受けとってくれてもいいが、実にわたしは半分以上確信しているのだ。まさに彼は異常な才能、特別な感覚――それがなんなのかはわからない――を持っていて、塀と扉に仮託された出口を、つまり、まったく美しいべつの世界へ脱出する秘密の通路を見ていたのではないか？　いずれにせよ、そいつは最後に彼を裏切ったともいえるだろう。だが、彼はほんとうに裏切られたのか？　そこには、夢想家たちの、幻視者や空想家たちのもっとも深遠な秘密がかかわってくる。公平でありふれたこの世界でわれわれに見えるのは、板囲いや穴なのだ。われわれの白昼の基準を当てはめれば、彼は安全なところから、闇と危険と死に向かって歩を進めた。

　しかし、彼にもそんなふうに見えていたのだろうか？

文豪たちのロンドン奇譚：エッジウェア・ロード

# 館内は無人

All But Empty

グレアム・グリーン
Graham Greene

植草昌実訳

エッジウェア・ロード（1950年代の絵葉書）

【場所】エッジウェア・ロード（作中ではエッジウェア・ストリート）は、ハイド・パークのマーブルアーチから、北部郊外のエッジウェアまでほぼまっすぐに延びている。ローマ時代からある道で、十八世紀からは街道として賑わった。十九世紀にはオスマン帝国との交易路として活用され、一九七〇年代からは中東からの移民が集まって沿道に「リトル・カイロ」や「リトル・ベイルート」と呼ばれる区域もできた。長い道なだけに、一九三〇年代には本作の舞台のような寂れた映画館も、ひっそり建っていたことだろう。

【著者】『情事の終り』や『第三の男』を著した巨匠として、またスパイ小説の名手として、グレアム・グリーン（一九〇四―九一）の名は記憶されている。が、やはり英国の小説家らしくこのような怪談を手がけている。一九四七年の本作は、一九三九年に発表された「エッジウェア通り」（『二十一の短編』所収）の改稿版。舞台も筋も同一だが、こちらは一人称で語られており、印象がかなり異なるので、御興味がおありの向きはぜひ読み比べていただきたい。なお、本作は「がらあき」の題で『ミステリマガジン』一九七七年八月号に既訳がある（吉田誠一訳）。

客が一人もいない映画館など、めったにないものだが、ここだけはいつ何時でも客がいたためしがなかったので、一九三〇年代の初め頃、私はよく寄ったものだった。とはいっても、春まだきの陰鬱に曇った午後に限ってのことだが。エッジウェア・ストリートにガス灯が点りはじめ、ストリップ小屋がどこも込みだす時分なら、この映画館にも客が入っていたのかもしれないが。もっとも、私にはそうは思えなかった。

小さいだけに、かかる映画もふるわなかった。音響機器がないのか、無声映画ばかりで、大向こうを狙った派手なものも、ユーモアをそこはかとなく湛えた通好みなものも、そこでは見たためしがない。上映されるのはひと昔前の、ありふれた客間喜劇ばかりだった。

こんな映画館が営業を続けていたのは、持ち主がこの物件を売ることも貸すこともできず、かといって閉めるわけにもいかなかったからだと思う。私が寄ったのも、静かで、場内にいつも客がいないからで、入場係《モギリ》の娘が陽気で、さほど人目を惹くほうではないが、どこか蓮っ葉な可愛らしさがあったからでもある。

映画館があるのは、エッジウェア・ストリートの外れの横町だった。アメリカ製の西部劇で見る酒場のような板張りの建物で、ポスターは出ていなかった。かかる映画が古すぎて、ポスターはもう残っていなかったのだろう。客はかのモギリ嬢に料金を払い、赤い天鵞絨《ビロード》の垂れ幕の向こうの、がらんと寂れた中に座席だけは無駄なほど贅沢な客席に着く。モギリ嬢は笑みを浮かべ、なれなれしく話しかける。客の名前をみな覚えていてもおかしくはない。私はあの映画館にもうずいぶん行っていないが、彼女はきっとまだモギリをしているのだろう。

ある午後、入ったら客が自分しかいなかった。映画に伴奏をつけるピアノ弾きさえいなかった。入場券売り場の蓄音機から、こもっているのに妙にキンキンした音楽が聞こえてきた。モギリ嬢が持ち場をうっちゃって映画につきあってくれればいいのにと、私はふと思った。ある列の端から、席を一つ開けて座ったのは、それを期待してのことだが、彼女が来るわけもなかった。年嵩《としかさ》の男が垂れ幕を上げて入ってきて、通路を近づいてきたかと思うと、場内が暗いせいか、どこに座るかわからなくなった様子だった。空席しかないというのに、私のいる列に入ってきて、濡れた顎髭《あごひげ》がこちらの顔に擦れるほど近づいた。そして、私が空けておいた席に座り、がらんとした暗がりの中、男二人が隣りあうことになった。

銀幕をいくつもの影が行き交い、そのぎこちなさは、ギリシャの古銭に刻まれた人物像を思わせた。その心情は白く大きな文字となって揺らめいたが、私には面白くもなんともなかった。だが、隣の老人が泣いているのには驚いた――聞かれたくはないのだろうが、芝居がかったところのまるでない嗚咽には、彼が心配になりこそすれ、邪魔を恨みはしなかった。私は声をかけた。

「どうかなさいましたか」

聞こえたのかどうかは知らないが、彼は言った。「何を言っているのか、聞こえないんだ」

老人が抱く孤独は、私の想像を超えているようだ。ここでは無声映画しかかからないことを、誰からも聞くことがなかったのだから。説明してみたが彼は聞かないまま、静かにこう続けた。「何も見えないんだ」

彼が盲人だと思ったので、どこに住んでいるかを尋ね、シーモア・テラスの住所を聞きだすと、他の映画館を案内できるし、帰りは自宅まで送ると申し出た。外にいる人たちが、明るい部屋でお茶でも飲もうとガス焜炉《こんろ》に火を入れているころだというのに、私たちは換気の悪い暗がりの中で孤独を分かちあっていたのだから。だが、気持ちは伝わらなかった。この男は動こうとしないのだ。いつも夕方になるとこの映画館に来るのだ、と男が言ったので、まだ午後だ、と私は答えたが、帰ってきた返事は「たいして変わりゃしないさ」というものだった。何に堪えているのかはわからないが、目が見えないことでも老齢でもなく、心にしまいこんだもののようだった。

少し間を置いて、その糸口が摑めたのは、彼が急にこちらを向き、顎髭が私の唇に付くほど顔を近づけて、小声で言ったときだった。

「俺に見えてたなんて、気づくやつはいないだろう。でも、見たんだ」そして、さらに声を低めた。「耳から耳まで裂けてたんだ」

男が何を言おうとしているのか気づいて、私は驚いた。笑うさまのことだろうが、そうとは聞こえない言い方だ。

「置き去りさ」男は続けた。「階段の下にな。あそこじゃいつもゴキブリが、壁の罅《ひび》割れから出入りしているんだ。気に障るったらない」声はかすかに震えていた。

この年老いた男は遠い過去のことを思い出しているのだ、と思って自分を落ち着かせようとしたとき、声がこう続いたので、私は胸の内を見透かされたような気がした。「今日の話さ。夜中に柱時計が二度鳴って、俺が階段を下りると、やつがいたんだ。俺は怒ったさ。やつがにかにか笑ってたからな」

「耳から耳まで大口開けて、ですか」ふと安心して、私は軽い口調で言った。

「それはあとの話だ」訂正するように言うと、男は突然、字幕の文字を読み上げた。「愛している　離しはしない」彼は声をあげて笑った。「少しは見えるんだ。ぼやけちゃいるがな。そう、ぼやけてるが」

　この男が正気でないのは確かだが、私は動かなかった。一つは、モギリ嬢が来てくれて二人になれば、一人で彼を扱うよりは楽だろうから。もう一つは、こちらが静かにしているのがもっとも安全と思えたから。私はじっと座ったまま銀幕に目を向け、男は隣で震え、声を殺して泣いていた。わかりようもないが、夜中に起きたことで彼を動転しているのは確かなようだった。

　しばらくして、男はまた話しはじめたが、あまりに小声なうえ、蓄音機の音にまぎれてしまい、「蛇の歯」という言葉しか聞き取れず、聖書の引用をしたのだろう、と推察するほかなかった。だが、階段の下での出来事について、私の疑念が取り残されなかったのは、彼が涙の合間にふと、こんなことを口にしたからだ。

「まさか、あの包丁があんなに切れるなんて。研ぎに出したのを忘れてたんだ」

　そして男は話しつづけ、声には力と落ち着きが聞こえだした。「俺はゴキブリを駆除するのに硼砂《ほうしゃ》を持って下りていったんだ。下に誰がいるかなんて知るわけがない。腹を立てながら階段を下りた。時計の鐘が二時を告げ、あいつが笑って俺を見ていた。包丁を研ぎに出したのは、日曜の夕食に豚の骨付き肉を買っておいたからだ。そうとも、やつが笑っていたから俺は怒ったんだ。持っていた包丁が震えた。で、哀れにも死んじまった。耳から耳まで、喉を裂かれてな」肩を落とし、髭面を両手で覆うと、老人はまた泣きだした。

　私の役割は明らかだった。この正気を失った男は、哀れみを乞うているが、危険でもある。

　立ち上がって男を通路に押しのけ、天鵞絨の垂れ幕のあいだに飛びこむまでは、勇気を要した。彼がまだ包丁を持っているかもしれないからだ。ようやく午後のくすんだ日差しの中に出ると、私の顔から血の気が失せていたのだろう、モギリ嬢が驚きの目を向けた。電話ボックスに入って後ろ手にドアを閉めると、ようやく安堵の息をついた。あの男もここまでは付いてはこないだろう。

「警察署に」と声を絞って交換手に告げ、客席のあの男に聞こえはしないかと怯えながら待ったが、受話器から返事が聞こえたので、私は捲《まく》したてた。「今朝、シーモア・テラスであった殺人事件のことです」

　相手が興味を惹かれたのが、声からうかがえた。そのまま待つように言われ、しばらくは秒針の音を聞く思いだった。

受話器を握っているあいだも、私は天鵞絨の垂れ幕から目を離さずにいたが、人が出ようとしているのが、揺れと膨らみようでわかった。「早く、早く」受話器に向かって叫んだが、そのあいだにあの老人の姿が、幕のあいだから見えた。「急いでくれ。犯人がここにいるんだ」私は回らない舌で映画館の名と、自分の身にあったことを告げたが、返ってきたのはとても理解できない答えだった。「犯人は逮捕しました。ですが、死体が消えてしまっているのです」

文豪たちのロンドン奇譚：キングズ・クロス駅〜スイス・コテージ

# 名高き詩人の家

The House of The Famous Poet

ミュリエル・スパーク

Muriel Spark

圷香織 訳

キングズ・クロス駅（1920年代）

**【場所】** 語り手が列車で知り合った女性に案内されたスイス・コテージは、カムデンの一画にある住宅地で、南にはプリムローズ・ヒルやリージェンツ・パークが位置する。地下鉄が通っているが、彼女たちがキングズ・クロス駅（画像）からタクシーで移動しているのは、一九四四年当時はドイツ軍の空襲に備え、地下鉄駅がシェルターとして使われていたからだろう。

**【著者】** ミュリエル・スパーク（一九一八―二〇〇六）はスコットランド出身の小説家。結婚してローデシア（現ジンバブエ）に移住したが、夫が暴力的なため、息子を修道院に預け一九四四年にロンドンに戻り、第二次大戦中は諜報機関の職についた。五七年に最初の長編小説 *The Comforters* を発表、六七年に『ミス・ブロウディの青春』で注目された。九三年に大英帝国勲章を叙勲。短編小説にも優れ、「ポートベロー・ロード」をはじめ怪奇幻想味をもつ作品も多い。本作は『ニューヨーカー』誌の一九六六年四月二日に発表された。戦時の雰囲気を色濃く感じさせる、奇妙な味の一編である。なお、本作には菅原時子、深町眞理子、小辻梅子の三氏による既訳がある。

一九四四年、地方からの列車が五、六時間遅れることが当たり前だった時代の夏、わたしがエディンバラから乗ったロンドンへの夜行は、ヨークですでに三時間の遅れが出ていた。同じコンパートメントにいたのは十人。だがはっきり覚えているのはふたりだけで、覚えているにはそれだけの理由もあった。

あのときのことを振り返ると、向かいに座っていた人たちが思い思いに頭を傾け、だらしなく眠り込んでいた景色が頭に蘇ってくるのだが、寝ている他人を目の前にすると、その人の特徴や個性が妙に強調されるかに思えて、時に、いけないものを見ているような気分になる。なんだか精神的な忘却と引き替えに、日中には当たり前に持っていた、外面的な特徴を包み隠す能力を失ってしまうかのようなのだ。そんなわけで彼らの姿は中世的な自意識の欠如を漂わせながら、十二世紀のフレスコ画を思わせた。ただし、ひとりだけを別にして。

その男は下級の兵士で、ただ眠っていないというよりも、はっきりと目を覚ましていた。煙草をゆっくりふかしながら、次から次へと静かに吸い続けている。わたしの目には極めて凶悪な――原始的な顔立ちに見えた。狭い額は生え際まで二インチとなく、黒々とした濃い眉毛は眉間でつながっている。決して大きくはない顎に加え、小さな鼻、落ちくぼんだ間隔の狭い目までがいちいち類人猿めいていた。きっと親同士の血が濃いのだと思った。まさしく、先祖返りを起こしたような男だと。

ところがこれが、じつに親切で、紳士的な男だとわかった。わたしの煙草が切れると、雑嚢《ざつのう》を探り、わたしだけでなく、わたしの隣にいた若い女性にまでひと箱ずつくれたのだ。わたしたちはどちらも慌てて小銭を出し、金を払おうとした。だが彼は取り合おうとせず、ようやくこちらがおとなしく受け取ると、また静かに、黙々と煙草を吸いはじめた。

わたしは男に、憐れみに似たものを覚えた。無害だとわかっている、猿などの生き物に対して抱くような感情を。だがそこで思った。人間でないというだけの理由で猿に憐れみを抱くのと同様、こんな感情はまったくのお角違いなのだと。

煙草を受け取ったことから、隣の女性とのあいだには仲間意識のようなものが生まれ、それからは彼女と、小声でおしゃべりをしながら過ごした。聞けば、ロンドンの家で家政婦兼子守をしているという。いかにも田舎育ちらしい容姿――きれいな金髪、赤らんだ顔、力強いしっかりした骨格をしているので、重い物、たとえば石炭の入った大きなバケツを運んだり、ふたりの子どもを両脇に抱えたりすることにも慣れていそうだ。けれど一番興味を引かれたのは、その声だった。音楽的で洗練されていて、とても抑制の利いた声なのだ。

　列車の旅が終わりに近づいて、はっと体を起こした人々が通路を行ったり来たりしはじめると、エリーズというその娘が、自分の働いている家に一緒に来ないかと誘ってきた。大学に勤めているという家の主人は、妻と子どもを連れて留守にしているからと。

　わたしは同意した。教育のある家政婦に出会うなど珍しいから、もっと面白いことがわかるのではという気がしたのだ。そこにはなんらかの経験――ひょっとすると、真理さえ潜んでいるかもしれない――当時のわたしにとっては、真実が物語よりも奇なものであったのだ。加えて、その日曜はロンドンで過ごしたかった。翌日には公務で、地方に疎開していた職場に戻る必要があったのだが、ここで語るには長過ぎる理由があって、すぐには戻りたくなかったのだ。何本か電話をかける必要もあった。汗をぬぐって着替えもしたかった。エリーズのことも、もっと深く知りたかった。だからわたしは彼女にお礼を言って、誘いを受けることにした。

　キングズ・クロスで列車を降りたとたんに後悔した。十時を何分か過ぎたところだったが、プラットホームにすっくと立ったエリーズは、限界まで疲労しているように見えた。まるで昨夜の旅疲れだけでなく、彼女の知られざる人生のすべての断片が、いきなり彼女の上にのしかかってきたかのように。列車の中で彼女に感じた力は、すでに失われていた。エリーズがその美しい声でポーターを呼んだときに、髪の、車内では見えていなかった側の分かれたところに黒っぽい筋がのぞいているのがわかった。金髪との対比で濃紺に見える。彼女を最初に見たときに、脱色しているのかもしれないと思ってはいたのだけれど。その無様な仕上がりを目にしていると、濃紺の筋が、疲労の垂れ込めた彼女の顔を差している矢のようにも見えてきて、こちらまで一気に疲れを覚えてしまった。旅のストレスばかりが理由ではない。それは探求のはじまりにはなぜだか襲ってくる倦怠の予感のせいでもあり、おかげで好奇心にも歯止めがかかるのは、おそらく慈悲深くもあるのだろう。

　おまけに、エリーズについて知るべきことなど、ほとんどないこともわかってしまった。わたしの求めに応じ、キングズ・クロス駅からスイス・コテージにある屋敷までのタクシーの中で話してくれたのだ。彼女は良家の生まれなのだが、家族からは恥だと思われており、彼女のほうでも家族をそう思っている。特別な職業訓練を受けたわけでもないので、家を出ると、家政婦の仕事をはじめた。オーストラリア兵と婚約していて、彼もまた、スイス・コテージの兵舎にいるという。

　おそらくは退屈な一日への予感に加え、ひと晩寝ていなかったことと、Ｖ１ミサイルの到来を告げるサイレンが鳴り響いていたせいもあったのだろう。屋敷を見るなり、苦々しいものを覚えた。庭ではあらゆるものが伸び放題になっている。エリーズが玄関を開けると、わたしたちは薄暗い部屋に入った。長くてシンプルな木の作業用テーブルが、部屋の大部分を占めている。その上には、半分に減ったマーマレードの瓶、書類の束、乾いたインクのこびりついた壺があった。隅にはモリソン・シェルターの名で知られる、スチール製の天蓋がついた防空用のベッド。炉棚には写真が何枚か飾られていて、そのうちの一枚には、眼鏡をかけた学生らしい少年が写っていた。あらゆるものに、エリーズの疲労とわたしの嫌悪がしみついていた。ところがエリーズときたら、顔に色濃く出ている自分の疲労には気づいてさえいないようなのだ。上着を脱ぐ手間さえ惜しんでいたが、あまりにもピチピチなので、疲労のうえにあの恰好で、どうしたらああもキビキビ動けるのだろうかと不思議に思ったくらいだ。とにかくエリーズは上着のボタンをきっちり留めたまま、恋人に電話をかけ、朝食を作った。そのあいだにわたしは、二階にある、青い壁にヒビの入った薄暗いバスルームを使うことにした。

　エリーズがたずねもせずにわたしの旅行鞄を開け、配給の食糧を取り出していたのがわかったときには、なんだか少し嬉しくなった。いくらかの現実性を含んだ、親しみのある気さくな態度に思えて、気分もよくなってきた。だが屋敷そのものに対しては、まだ苛立っていた。あちこちで目に入るものに、明白な因果関係が感じられないことには、正当な理由がないように思われたのだ。どこかの大学に勤めているという主人については、あえてたずねることもしなかった。予想通りのこたえ――孫のもとを訪ねているとか、帰省して親族の集まりに参加している、などと言われるのがいやだったので。わたしにしてみれば、この屋敷の主人は現実の存在ではなかった。あくまでもエリーズに属する、エリーズに満たされたものとしてこの家をとらえていたのだ。

　エリーズと近くのパブに出かけると、彼女の恋人のほかに、何人かのオーストラリア兵と一緒になった。歯の汚い、痩せたロンドン娘もひとりいた。エリーズはとても幸せそうだったし、例の魅力的な声で、今晩家でパーティをするからみんなに来てほしいと言い張った。洗練された貴族的な口調で、ひとり一本ずつビールを持ってくるようにと。

その午後、エリーズはこれからお風呂を使ってくると言い、わたしをひとつの部屋に案内してくれた。ここで電話をかけたらいいし、なんなら昼寝をしてもいいと。いくつかの窓がついた大きな明るい部屋で、屋敷のほかの場所よりも整然としており、書物がずらずらと並んでいる。だが、不自然なものがひとつだけ。窓のそばにベッドが置かれているのだが、これがかなり厚みのあるマットレスに過ぎず、きちんと整えられた状態で、直接床に置かれているのだ。なんらかの意図があるのは明らかなので、わたしはまたしても、そんなことを考えた年配の教授の不毛な偏屈さを思い腹が立った。

必要な電話をかけてしまうと、休むことにした。だがその前に、何か読むものを見つけたかった。部屋にあった書物には困惑を覚えた。学者の書斎にありそうな本などまったく見当たらないのだ。ある本には、著者自らが献辞を記していた。しかもかなり著名な小説家だ。もう一冊署名の入った本を見つけたが、こちらには献呈した相手の名前も記されていた。はっとして机に戻った。電話をかけていたときに、未開封の手紙の山には気づいていたので。そこではじめて、この屋敷の主人の名前を見つめた。

バスルームまで走り、ドア越しに叫んだ。「この家の持ち主は、有名な詩人なの？」

「そうよ」エリーズも大きな声で返した。「言ってあったでしょ」

そんなことは何ひとつ聞いていなかった。この家にいる権利など、自分にはないように思われてきた。なにしろいまや、エリーズが見知らぬ夫婦の代理人を務めている家ではなくなってしまったのだ。ここは、名高き現代詩人の家。いまにも彼とその家族が戻ってきて、わたしがいるところを見つけてしまうのではと恐ろしくなった。わたしはエリーズにバスルームのドアを開けさせると、面と向かって、一家が戻ってくるまでには、まだ何日もあることを確認した。

それからは、もはやエリーズという理由付けを失った屋敷そのものについて思いをはせた。この屋敷は詩人の家であり、わたしは彼の作品をよく知っているばかりか、多くを暗唱することさえできる。その新たな定義のもとで眺めると、屋敷はまったく違うものに見えてきた。

それを確認したくて、表に出ると、タクシーを降りたときにはじめてこの屋敷を見た、まさにその場所に立ってみた。最初の印象を、もう一度確かめてみたかったのだ。

　今回は生い茂った庭に確固たる意図が認められて、そのとき以来わたしは、そういうものは、見る側の目の中にこそ存在するのだと信じるようになった。とにかくそのときには、最初に足を踏み入れた、ああも苛立ちを覚えた部屋がいきなり意味を持ちはじめ、それがなんであれ正しいものに思われてきたのだ。エリーズの手で炉棚に移されていた干からびたインク壺も、確認のために元通り置き直した。前には気づかなかった写真があって、その中には高名な詩人が写っていた。

　エリーズにあてがわれた上階の部屋についても同様だった。わたしはまた本を手に取ったが、高名な詩人のものだからというよりは、どう作られたのかに興味を引かれていた。紙をどうやって調達し、黒いインクはどんな植物から作られたのか。そんなことが気になったのも、このときが最後になったのだが。

　オーストラリアの兵士たちとロンドン娘は七時頃にやってきた。わたしは地方に向かう八時半の列車に乗るつもりでいた。だが電話をかけて時間を確認したところ、日曜は列車がないという。エリーズは彼女らしい、親しげながらもくたびれた様子で、そう深刻に考えずに今夜は泊まっていってほしいと言った。また警報のサイレンが鳴りはじめた。わたしはもう一度、詩人とその家族が今晩帰ってくる可能性はないのかと確かめた。だが前のときほど、きっぱりとした態度ではなかったと思う。頭の中では、サイレンと、その騒音の程度を正確にとらえようとしていたものだから。いったい内務省にいるどんな底意地の悪い天才が、こうも不吉な音を、どんな理由で生み出したのかと。わたしはまた、〝サイレン《siren》〟という言葉についても思いをはせていた。するとその音が、なんだか滑稽なものに思えてきた。凶暴な海の魔物〝セイレーン《siren》〟が、はるかな昔から一九四四年に向けて盛大にげっぷするところが頭に浮かんだので。だがじつのところ、警報のサイレンは恐ろしくてたまらなかった。

　なにより、エリーズのパーティの様子が腑に落ちなかった。みんなは、まるで誰の家でもないかのように自由に振る舞っていて、いっそエリーズが一番おとなしいくらいなのだ。ロンドン娘は長テーブルに腰を下ろし、爆弾が炸裂するたびに、黄色い声を張り上げながら騒いでいる。わたしは屋敷が、軍によって、ひと晩接収されたような錯覚を受けた。なにしろ徹底的に占領されてしまったかのようで、最早、最初に足を踏み入れたときの家でも、高名な詩人の家でもなく、第三の家——キングズ・クロス駅のプラットホームに立ちながら、物憂い気持ちでぼんやりと予想していた家に変わっていたのだ。誰もがかなり疲れている様子で、騒々しい声からも、そろって寝不足なのがうかがえる。ビールがなくなるとお開きになった。兵士たちが宿舎やパブへ、ロンドン娘も、ここ数週間を過ごしているという地下のシェルターに向かい出ていったところで、わたしはエリーズにたずねた。

「疲れていないの？」

「ええ」その声には極限ともいえる疲労がにじんでいた。「わたしは疲れを知らないの」

わたしのほうは二階の部屋の、床に直《じか》置きされたマットレスに身を横たえるなり眠りに落ちて寝過ごしてしまい、八時になってエリーズに起こされた。九時の列車に合わせてもっと早く起きるつもりだったものだから、彼女とゆっくり話している時間はなかった。だとしても、昨日の疲れた様子が、彼女からいくらか薄らいでいることには気がついた。

エリーズが通りにタクシーを呼びにいってくれたので、部屋で鞄に荷物を詰めていると、階段を上がってくる足音が聞こえた。エリーズが戻ってきたのだろうと思い、開いた扉から外をうかがうと、軍服姿の男が見えた。両手で大きな包みを抱えている。顔をうつむけ、煙草をくわえながら、階段を上ってくる。

「エリーズに用かしら？」てっきり彼女の友だちだろうと思い、声をかけた。

男が顔を上げると、あの先祖返り、列車の中で煙草をくれた兵士であることがわかった。

「いや、誰でもかまわない」兵士が言った。「じつは、軍のキャンプに戻らなくちゃならないんだが、運賃の持ち合わせがなくて——八シリング六ペンスなんだ」

わたしがそれくらいなら都合できると言って金を取り出すと、兵士は包みを床に置きながら言った。「借りたいんじゃない。借りようとは思っちゃいない。ここに売るものを持っているんだが」

「なんなの？」わたしは言った。

「葬式だ」兵士が言った。「ここに入ってる」

これにはぎくりとして、窓に近づいた。下には霊柩車も棺も見えない。並木道があるだけだ。

兵士は微笑み、「葬式といっても抽象的なやつなんだ」と言って包みを開けはじめた。

取り出されたものを、わたしはじっくりと調べて、すっかり満足した。まさに求めていたようなものだったのだ。ところどころ、少し紫の強過ぎるところはあるけれど。なにしろわたしは、この喪の色があまり好きではない。だとしても、その色合いを少し弱めることはできるだろうと思った。

　わたしは取引を喜びながら、八シリング六ペンスを差し出した。抽象的な葬式はかなりの量があったので、わたしは急いで、そのうちのいくらかを鞄にしまった。それからポケットにも詰めたけれど、まだ残っている。エリーズがタクシーを連れて戻ってきたので、急がなければならなかった。だから走って扉を出て、高名な詩人の屋敷の門を抜けると、まだ残っていた葬式も、わたしのあとをついてきた。

　あなたはおそらく、わたしが何らかの証拠を隠していると不満に思われるだろうか。そもそも、証拠などないのではといぶかっていることだろう。「抽象的な葬式など、どこにも実在するはずがない」と。「そんなものは観念に過ぎない。観念を鞄に詰めることはできないし、その色を見ることも不可能だ」

　そしておそらくは、わたしの語ってきたことなど、単なる作り話に過ぎないとほのめかすことだろう。

　どうか、最後まで話をさせてもらいたい。

　わたしは列車に乗った。そして座席の真向かいに、あなたがその存在からして疑っている、あの友人の兵士が座っているのを見たときの驚きを想像してもらえるだろうか。

「興味本位で聞くのだけれど」と、わたしは言った。「売ってくれたあのお葬式、あなたならどんなふうに説明するのかしら？」

「説明する？」と、兵士は言った。「抽象的な葬式を説明するやつなんかいないさ。それは心に描くことしかできないんだ」

「その言葉には含蓄があるわね」わたしは言った。「でもやっぱり、わたしは説明しなくちゃいけないの。なにしろ、抽象的なお葬式に出くわすことなんか滅多にないんだから」

「価値を認めてもらえて嬉しいよ」兵士が言った。

「それに戦争が終わって公務から解放されたら、大胆に文章をひねって、こんなふうな帰結を見た、あの名高き詩人の家での体験を書いてみたいの。それにはもちろん」と、わたしは付け加えた。「それがどんなふうに見えるのか、説明する必要があるわ」

　兵士はこたえなかった。

「もしそれがオカピとかジュゴンだったら、その見た目を説明しなくちゃいけないでしょ？　でなければ誰も信じてはくれないもの」

「金を返してほしいのかい？」兵士が言った。「だとしたら、もうないんだ。切符に使っちまったから」

「誤解しないで」わたしは慌てて言った。「あのお葬式は素晴らしく抽象化されているわ。ただ、それをなんとか文章にしたいだけ」

　わたしは相手の困ったような顔を見ているうちに、強い憐れみを覚えた。例の類人猿めいた顔が、この世で一番哀しいものに思えてきたのだ。

「その抽象的な葬式は」と、兵士が言った。「俺がこの手で作ったんだ」

　サイレンが、どこか遠くから聞こえてきた。

「エリーズも先月にひとつ買ってくれたよ。彼女は文句ひとつ言わなかったがね。俺は次の駅で乗り換えるんだ」兵士は上の棚から、荷物を下ろしはじめた。「ほかにも」と、兵士は言った。「きみの名高き詩人もひとつ買ってくれた」

「え、そうなの？」

「ああ。不満もなく。ちょうど彼の欲しかったのが——葬式の概念だったもんでね」

　列車が止まると、兵士は飛び降りて手を振った。再び走りはじめると、わたしは抽象的な葬式を取り出し、しばらく見つめた。

「概念なんかくそ食らえだわ。わたしが欲しいのは、本物の葬式なのよ」

「そのうち手に入るさ」廊下から声が聞こえた。

「またあなたなのね」わたしが言った。あの兵士だったのだ。

「いいや。俺はさっきの駅で降りたんだ。ここにいるのは、観念としての俺に過ぎない」

「ねえ、これを全部捨てちゃったら気を悪くする？」

「もちろんしないさ。観念を怒らせるなんてできっこないんだから」

「わたしは本物のお葬式が欲しいの。それも自分のお葬式が」

「だろうな」

「それなら細かいところまで、すっかり書き尽くすことができるだろうから」

「自分の葬式を？　あんたはそれを書きたいのかい？」

「ええ」

「だが、あんたは単なる人間じゃないか。人間には、自分の葬式を書くことなんかできっこない。それが抽象的なものでないかぎりはな」

「わたしの窮状がわかってもらえたかしら？」

「なるほど」兵士は言った。「俺はこの駅で降りるよ」

　観念的な兵士は降りていった。列車がまた、スピードを取り戻していく。わたしは窓から、八シリングド六ペンス分の抽象的な葬式をすっかり投げ捨てた。それは野原の上でひらめき、強い日差しにぎらついている迷彩を施した工場の屋根の上を漂っていたが、やがて見えなくなってしまった。

一九四四年の夏には、多くの人が、無残に、唐突に、殺された。判明した死者の名前は、やがて新聞に載り、世間の知るところとなった。その中には、例の高名な詩人の名前もあった。予定よりも早くスイス・コテージの屋敷に戻ると、そのしばらくあとに、飛行爆弾が命中したのだ。不幸中の幸いで、妻と子どもは田舎に置いてきていた。

わたしは職場のある土地に着くと、仕事に戻る前に、少し自由な時間を持つことができた。エリーズに電話をかけて、きちんとお礼を言わなければと思った。なにしろ慌ただしく屋敷をあとにしてしまったので。だが電話はつながらず、交換手のほうでは、わたしに対する苛立ちを表現するのに充分な言葉を見つけられずにいた。その過労のにじむ喧嘩腰な声の後ろでは、相手側の回線が通じていないことを示す、引きずるような甲高い音が聞こえていて、わたしを限りなく落ち込ませ、くたびれさせた。それは警報のサイレンにも増して耐えがたく、わたしは受話器を置いた。そしてじつのところ、エリーズはすでに、あの高名な詩人の家の下で命を落としていたわけだ。

ヒビ割れた青い壁のバスルーム、床に直置きされたベッド、乾いたインクのこびりついた壺、放置された庭、きれいに並べられた書物――エリーズと詩人が一瞬で命を落としたことを思って怒りに襲われたときには、必ず、そういったものたちを頭の中で呼び覚ますようにしている。死んだ人々については復活の天使が呼び覚ますとしても、あの破壊された名高き詩人の家を蘇らせるとすれば、わたしのほかに誰がいるというのだろう？ ほかの誰が、あの家について語るというのか？

エリーズと詩人がどのように取り込まれ、善意の兵士から売られた葬式の概念を穏やかに受け取ったかを思うとき、わたしは自分に言い聞かせるのだ。いつかはわたしも、そしてあなたも、抽象的な葬式を、不平のひとつもなく、受け取ることになるのだと。

ショート・ショート

# 緑の聖地

井上雅彦

誰にだって、聖地がある。

いや、聖地と呼ぶのは、些《いささ》か大仰だろうか。

ひらたく言えば、大切な場所。お気に入りの場所。心安らぐ場所……あるいは、安全地帯ともいえるだろうか。気取って言うならば、秘密の庭。そう。正直に言えば、秘密にしておきたい場所なのだ。

云うならば……隠れ家。

そう。それが、ぴったりな呼び名なのかもしれない。

僕にとっては、まさにここが、そうだ。

緑滴る聖なる隠れ家。なにより、性に合う土地だ。

ここがロンドンだということが、信じられないって？

確かに、中心街《セントラル・ロンドン》からは、ほんの少し距離がある。チャリング・クロスの南東四マイル。テムズ南岸の特別区。

それでも、小高い丘にあがれば、真っ正面に、シティの顔が目に入る。セント・ポールの大聖堂だ。

しかし、ここまで足を運んできたからには、わざわざ都塵を振り返ることはない。

森の声に耳を傾ければいい。栗鼠《りす》の跫音。土鳩の呟き。梢を叩く啄木鳥《きつつき》。木菟《みみずく》の羽ばたき。苔と蔦とに覆われた美神たちの石の衣音……。

さらには、馥郁とした緑の吐息を味わえばいい。湿った土の匂い。発酵する枯れ葉の堆積。罅割れた石たちの奥深くにまで染みこんだ悠久の時間が醸《かも》し出す薫香。

そして……この地の気配を味わえばいい。

視えてくるだろう。

この地の外とは異なるものたちが。この地以外では、けっして、視ることのできないものたちが……。

おわかりいただけると思う。

この土地こそが、本当の聖地だと……。


聖地といえば、巡礼者——そうだった。そもそも、その話をしていたところだった……。

ロンドンという都に訪れる旅行者は、誰しも巡礼者になりたがる。

巡礼者の聖地とは、かれらが求め、崇める神話に準拠する。

そして、この都には、さまざまな〈神話〉が産みだされている。

挙げれば、枚挙に暇《いとま》が無い。シャーロック・ホームズ、ハリー・ポッター、ザ・ビートルズ、切り裂きジャック、プリンセス・ダイアナ……。

魅力的な〈神話〉たち。それぞれに魅せられ、聖地を巡礼せんと志す者たちが、このロンドンで最初に行うべきことは、この歴史在る都が誇る伝統の巡礼案内「散策《ザ・ウォークス》」を入手することだ。それは、ホテルや鉄道駅、今ではコンビニなどでも無料で手に入る。「散策《ザ・ウォークス》」はフリーペーパーなのだ。

この巡礼案内を頼りに、目指す〈神話〉の聖地巡礼の案内情報を探し出せたなら、指定の時間を確認し、指定の集合場所に行けばよい。

たとえば……「ハリー・ポッター」の聖地巡礼なら、記されている集合場所は、例の魔法学校行きの特別列車が到着するキングズ・クロス駅……と思いきや、なんと地下鉄のモニュメント駅だ。ここは、魔法街「ダイアゴン横町」の映画ロケ地にほど近い。あとは、集合時間だ。ビッグベンの鐘——さもなきゃスマホの時計表示——が教えてくれる指定の時刻に、同好の聖地巡礼者たちが集まってくるだろう。ここで巡礼者たちを待っているのが、聖地の案内人〈散策ガイド〉というわけなのだ。

そう。彼らこそ、ロンドン屈指の話芸の達人。

都のあちこちにある歴史在る〈聖地〉——小説の舞台や映画のロケ地、さまざまな〈物語の現場〉のスポットを巡りながら、深い知識と巧みな話術で巡礼者の興味を惹きつけていく。徒歩でまわるのは、二時間ほど。

その間、巡礼者は、散策ガイドの名調子に魅了され、聖地の旅に強く惹きつけられていく。

僕の父も惹きつけられたクチだ。

とはいえ、父は単純に話術に魅了されたわけではない。魅了されたのは、このビジネスモデル。〈散策ガイド〉の流儀を学ぶ目的があったのだ。それはいつも一緒に巡礼に参加する、父の〈共同経営者〉としても同じこと。もっとも、この二人の目的は、この頃から、微妙にズレてはいたのだが、同じ野心を持つ者同士だ。

二人が果敢にさまざまな聖地巡礼に参加するたびに、物心ついたかつかないかという僕までが、いつも一緒に連れまわされることになる。

当時の年齢の僕を連れてまわるのであればハリー・ポッターを巡る魔法の旅がふさわしかったにちがいない。

父の好みもどちらかといえば、そちらにあった筈なのだ。しかし、〈共同経営者〉の志向は異なっていた。

「私たちの目指すべき聖地は、もっと人間の本能に根ざしたものよ」

彼女は、父にはっきり言った。「それは、恐怖。本能の根源にあるもの」

「でも……僕は……」

「大丈夫。私たちは、日本で実績をあげてきたじゃない」

父は母国にいた頃から、彼女には逆らえなかった。だからこそ——僕は、思いもかけないものを視るはめになってしまった……。

とはいえ……。

この「緑の隠れ家」の外で視るものなど、今にして思えば、たわいのないものばかり。むしろ、この隠れ家でこそ、僕は本当の「魔法」に出会えたわけだから。

まず——初めてこの緑の聖地を訪れる者の目に、最初に飛び込んでくることになるのが、その正門の象徴的な紋章なのである。

いかめしい黒鉄《くろがね》の門扉を幾つも連ねている門柱は、白くて四角い石の柱なのだが、そこに不思議な装飾の浮き彫り《レリーフ》が施されている。

重たそうな刃を下向きにした斧。まるで、首斬り役人の御用達——そんな形にも見えるのだが、よく見ると、刃ではなく、燃えさかる焔《ほのお》。これは斧ではなく「逆しまの松明」なのだ。クロノス神の持ち物としても知られる死の象徴。しかし、この松明が、この門から入らんとする者に呼びかけているメッセージは、けっして「絶望」などではない。「ここに来る者はすべての希望を捨てよ」などと陰鬱に呼びかけるロンドン塔とは大違いだ。なぜなら、逆さ松明の上方に、赤い輪が置かれている。この輪は赤い鱗の蛇。自分の尾を咥《くわ》えて呑み込む赤いウロボロスなのだ。死と再生。永劫回帰。永遠の不死。そう。死の象徴を、もう一度、逆転させているのだ。

だからこそ……この「緑の聖地」は、安らぎに満ちている。死は生なればなり、なのだ。

苔と蔦とに覆われて、緑が滴るヴィクトリアン様式の墓石たち。霊廟《マーソリアム》を彩る美神たち。野鳥の声が谺《こだま》する深い森の中の墓地……。

〈七つの壮麗な墓所〉と呼ばれているロンドン屈指の霊園の中で、二番目に大きな敷地面積を誇り、最も知名度が低いとされているのが、ここなのだ。

正式名称は、ナンヘッド墓地《セメタリー》。

そうなのだ。他ならぬこの霊園こそが、僕にとっての大切な、お気に入りの、心安らぐ場所であり、安全地帯にして秘密の庭。緑の隠れ家。そう。本物の聖地なのだ。

ああ、だから……。

この「聖地」の外で視たことなどは、今にして思えば、たわいのないことばかりだった……。

父と〈共同経営者〉が、幾度も参加した〈聖地巡礼〉は、なかなかに人気のあるものだった。

幽霊《ゴースト》を巡るツアー。実際に、フリーペーパー「散策《ザ・ウォークス》」でも目玉となっている。参加してみてわかったが、「歴史在るパブを愉しむツアー」と人気を二分するほどの集客力なのである。

「予想通りだわ」

〈共同経営者〉が言った。「少し学べば、あなたも、きっと成功できる。あの案内人以上にね。あなたには、怪談師として培《つちか》ってきたノウハウがある。才能もね」

二人で日本からロンドンに出てきた時から、彼女には、勝算があったようだ。コロナ後の日本人旅行客に向けた自分のイベント・ビジネスのプランと、父の演じる役割に。〈共同経営者〉というよりも、〈資金提供者〉でもあるわけだから、それだけ、父に期待していたことは確かだ。そのために、さまざまなコースを熱心に廻ったわけで、僕まで何度もつきあわされてきた。

目玉のコースは、ロンドンの中心街だった。

かの有名な環状道路《ピカデリー・サーカス》から西北へ延びるピカデリー大通りを五分ほど歩き、ホテルリッツを左手に、真向かいのバークリー・ストリートに分け入ること三分。四角い《スクエア》公園が見えてくれば、もう現地だ。問題の幽霊屋敷がひっそりと佇んでいる。

バークリー・スクエア五十番地。

「ことの起こりは、一八七七年のクリスマス・イブ……」

と、〈散策ガイド〉が手慣れた調子で嗄《しゃが》れ声を聴かせる。「下船したばかりの二人の船乗りがおりまして。名をエドワード・ブライデンとロバート・マーティン。宿を探していたのですが、安酒にしこたま酔っ払い、どうやら空き屋のようだからと、門の鉄柵をこじ開けて、勝手に押し入ってしまったのが、この屋敷だったのでありました。図々しくも三階まで昇ったところで、寝室を見つけ、宿替わりにと、二人で寝入ってしまったというわけでありますが、さて、その夜中……」

　ぐしゃ、ぐしゃ、ぐしゃ、と階段を昇ってくる奇怪な跫音、いきなり破られたドア、そして、およそ人とは思われぬ、身の毛もよだつような異形の姿……と〈散策ガイド〉が語るのは、ホラー映画めいた生々しい妖怪談だ。

　命からがら家から逃げ出したマーティンが「警察の青ランプを見つけ」て助けを求め、二人の警官とともに屋敷に戻り、三階の窓を見あげた瞬間――窓が内側から破られ、悲鳴とともに墜落してきたエドワードが、門の鉄柵の尖った先端に、ぐっさりと胴体を串刺しにされ、

「世にも怖ろしい形相で、息絶えたのでありました」

　と言いながら、当時のままの、鋭い鏃《やじり》のような鉄柵の先端を指してみせる〈散策ガイド〉の見てきたような講釈は、まだ、ほんの序章にすぎなかった。

　この惨劇が、二年後の『メイフィア』誌に載って有名になってからも、次々と怪異は続き、この屋敷を舞台に何世紀にもわたる妖怪じみたものの目撃談や血腥《なまぐさ》い事件、不可解な死の〈実話〉が語られる。

　朗々と語ってみせる〈散策ガイド〉の講釈を聞きながら、巡礼者たちは、さすがに薄気味悪そうにこの屋敷を――現在は古書店「マグス兄弟社」として通常に営業しているこの建物を――凝視している。例の鉄柵や、三階の窓の方向を。

　僕は、窓までは見られなかった。それを見あげるには背丈が足りないからだ。

　だが――それ以外のものを視た。視てしまった。

　将来のビジネスを夢想しているのか、目をきらきらと輝かせて、ガイドの言葉に聞き入っている「共同経営者」の女性の口元の笑み。

　それとは対照的に、あまり興味もなさそうに、というよりも、どこか憂鬱な表情すら見せながら、鋭く尖った鉄柵の先に目を馳せている父の表情。

　そして……僕が見たものは、それだけではなく……。

　いや……やはり、たわいのないものだ。

　この緑滴る聖地の外で視たものなどは……。

　ここに還れば、すべてのいやなものは忘れてしまえる。

そのことを教えてくれたのも、父だった。

父がこの聖地ナンヘッド墓地《セメタリー》について教えてくれる言葉の調子は、どんな〈巡礼ガイド〉の講釈よりも表情に富み、気品があり、情熱的だった。まるで恋人について語るかのようで（あとにして思えば、当然のことだったが）、その一方で、歴史の記録のように学術的だった。

ナンヘッドなる地名——一説にはヘンリー八世への抵抗者《レジスタンス》に起源を持つとも言われる——が最初に記載された一六八〇年の頃には、古代教区の一部を形成していたこの森林庭園は「諸聖人《オール・セインツ》」の墓地として知られていたのだが、一八四〇年になってイングランド国教会に奉献されるや、新しい礼拝堂が建てられて、国の認める重要な霊園となっていった。

ヴィクトリア期に一気に人口の増えたロンドンでは、あちこちで勝手に埋葬された大量の死体の腐敗物が川に流れ込み、水道に逆流するなどの問題が起きていたため、公の霊園整備が急務だったのだ。

のちにロンドンの〈七つの壮麗な墓所〉のひとつと呼ばれることになるナンヘッドは、当初は庶民の墓所でもあったのだが、やがて、政治家、実業家、慈善家、シェークスピア俳優、女優、歌手、作家、詩人などの名士たちが、ヴィクトリア様式の装飾的で巨大な霊廟を競うように建てた結果——瞬く間に豪壮華麗な霊廟が犇《ひし》めき合う高級霊園となっていった。結果——二十世紀を迎える頃には、ナンヘッドの敷地は満杯状態。

こうなると、一転——荒廃の季節となる。

それ以上の埋葬地が無くなったのをきっかけに、霊園管理会社が放棄してしまったのだ。たちまち芝生は荒れ野に代わり、墓所は荒らされる。墓標は薙《な》ぎ倒され、踏みつけられ、ばらまかれ、野生の苔や蔦が蔓延《はびこ》りはじめる。砕かれた美神の彫刻にも、転がされた頭部にも、折れた十字架の石碑にも、緑が滴り、覆い尽くしていくことになる……。

そして、現在。自然保護区域としても、英国の価値ある文化財としても保護されるべき土地として認識され、市民の基金でさまざまな修復が始まっているのだが、

「この姿だからこそ、ここは〈聖地〉なのさ」

と、父は、僕に熱く語るのだ。「森の中の緑の聖地。希有なる土地だ。すべての精霊が、あるがままの姿で寛《くつろ》いでいる」

わかっている。僕にも視える。いや、ここを訪れる者ならば、誰もが視ることが出来るだろう。

葡萄の葉陰に、白鳥のような翼。清涼な緑の面紗《ベール》をつけた女神たち。野苺の実のような色の墓石とともに横た

わった天使たち。密生する蔦と一体になった聖母。そして、天使なのか、妖精なのか、霊廟の奥から覗く少女たちの顔。父の大好きな映画のヒロインによく似た面立ちの少女もいる。美しい顔を傾けて、横たわった僕の唇に、冷たい唇が近づく。僕の口の内で林檎の味がする……。

彼女らを眺めたり、感じることができるのは、とても幸福だ。それを、僕に教えてくれた父と同じように。

僕も父も、この聖地では、美しいものたちを感じることができた。でも――ここの外では、とうてい美しいとはいえないものたちも、目にすることになったのだった。

そう。はっきりとあれを視たのは、また別の「幽霊ツアー」だったろうか……。

グリーン・パークの「首つりの樹」が見える窓辺だったか？　トイレに淑女の亡霊が出るという、パブ『ボウ・ベルズ』のテーブルだったか？

父と共同経営者とのビジネスを巡っての会話の最中だったのだが……そうだ。あれは、イースト・エンド。他ならぬ「切り裂きジャックの聖地」にある店でのことだ。

「日本で私たちが開拓してきた客層にとっては、英国のゴーストなんて、退屈に感じるかもしれないわね」

共同経営者が気を吐いていた。「人を串刺しにした妖怪屋敷にしたところで、日本の心霊スポットと比べたら、ぜんぜん怖くないじゃない。うん。そうだわ。そもそも、他人事だからよ」

「他人事……」

「日本のは他人事じゃないの。うっかりすると、自分に憑いてくるかもしれない恐怖があるでしょう。この国のには、それが感じられないの。そう……その切迫感がね」

「切迫感……」

「感染の恐怖に近いかもしれない。たとえば……あの屋敷をひと目見ただけでも、自分が呪われるかもしれない。夜中にあの敷地に入ったものは、数時間後に必ず死ぬ。そういう要素を〈盛る〉べきなのよ。私たちのイベントで、日本人相手に、ガイドをする時はね。貴方、そういうの、本当に得意だったじゃない」

その時、窓の外を巡礼ツアーがぞろぞろ横切ってきて、十字路で停まった。巡礼ガイドが仰々しく声を張りあげていた。確か、切り裂きジャックの三人目の犠牲者の殺害現場だった筈だ。地面を指さす巡礼ガイドと、それをとりまく巡礼者たち。

「もう、やりたくないんだ」

父がぽつんと言った。

僕も、共同経営者も、最初は気づかなかった。特に、僕は、窓の外に気をとられていた。現場を眺める巡礼者のなかの、とりわけ背の高い女の人の顔色に。

「やりたくないんだ。そういうのは」

父の声が大きくなった。

「……え？」

「ロンドンで僕がやりたいのは、怪談じゃない」

父がはっきりと、そう言って、僕は振り返った。

共同経営者は、目を見ひらいていた。

「どういう意味？　あなた、まさか――」

「映画なんだよ」

父は言った。「僕が本当にやりたいのは、ある映画の撮影現場を巡る案内ガイドなんだ……」

僕は、驚いて、共同経営者の顔を見た。

彼女の顔色が、みるみる変わっていくのがわかった。

父の好きな映画については、僕は幾度も、この地で聞かされていた。〈七つの壮麗な墓所《ザ・マグニフィセント・セヴン》〉のひとつとはいっても、もちろん、西部劇映画ではない。この緑の聖地は、父が最も自分を取り戻せる場所だった。さらに、父はロンドンの至る所で――あの共同経営者には内緒で――父の愛するその映画のロケ地を歩いてきた。当然ながら、僕もつきあっていた。

主人公たちの通うパブリック・スクールを撮ったハマースミス。ビー・ジーズの曲とともに、大半が撮影されたランベス地区。放課後に主人公たちがバスで出かけた盛り場は、ウエスト・エンドだった。

学校は墓地の近くにある設定で、主人公たちの登校シーンは、端正に整備されたプロンプトン墓地で撮影された。墓地の内側から柵越しに賑やかな表通りの通学路を撮影していた。主人公たちが、初デート先に選んだのも、同じ墓地の中という設定だが、その撮影現場は、もっと密やかな、もうひとつの別の墓地だった。

そうなのだ。この二人、マーク・レスター演じるダニエルとトレイシー・ハイド演じるメロディが「小さな恋」を育む舞台として選ばれた撮影現場こそが、ナンヘッド墓地。他ならぬこの聖地なのだ。墓標も霊廟も彫刻も、刻を忘れた緑の帷に覆われて、悠久の時間が刻まれたこの土地なのだ。

父はこの映画を幾度もＤＶＤで再生していたし、それ以前から、僕はあの聖地の中で幾度も聞かされていたから、たとえば、幼い二人が五十年後の愛を語りながら、ひとつの林檎を囓《かじ》りあうシーンなど、かれらを囲む墓標の銘のように心に刻まれている。

でも、それ以上に僕の印象に残っているのは、別のシーン。放課後にこっそりと集まったメロディたち数人の女子生徒たちが、葡萄の葉陰の奥、白鳥のような翼を持った等身大の天使像が立つ墓標で、ひとりづつ身を屈め、白いハイソックスの足下に拡がる、巻物のような形の石碑の上を見つめる。そこには、拡げられたミック・ジャガーのポスターがあり、彼女たちは、ひとりづつ跪いて、ミックの唇に口づけをするのだ。

　そんな彼女たちの姿を木陰から覗いてしまうダニエルの目が、父と瓜二つに感じるのは、気のせいだろうか。

　今としては、もう確かめようがない。

　あのＤＶＤは、永遠に失われてしまったのだから。

　あの夜は、なにもかもおかしかった。

　いつものホテルの一室に戻ってきた父と共同経営者は、少し前の会話を蒸し返し、ひどい調子でののしり合った。

　今となっては、あまり記憶にもないし、憶えていたくもないのだが、どちらも、相手を指さして、「取り憑かれている」などと叫びあっていたような気がする。

　あの映画のＤＶＤは、父のパソコンから引きずり出されて粉々にされ、僕が物心ついた時から、なんとなく見せられてきた父と彼女との物語も粉々になった。

　彼女の行方は、未だに杳《よう》として知れないが、こうなることを、僕はなんとなくわかっていたような気もする。

　あのイースト・エンドの窓の外、切り裂きジャックの巡礼たちの中に、ひときわ背の高い女が視えていた。微妙に頭と首元がずれていたので、三人目の犠牲者、「のっぽ《ロング》のリズ」ことエリザベス・ストライドなのかとも思ったが、父の共同経営者も、かなり長身だったのだ。だから、僕はテーブルの彼女の顔を二度見してしまった。

　いや……それを言うなら、あのバークリー・スクエア五十番地の幽霊屋敷。そこでも巡礼者の中に、すでに、奇妙な者が視えていた。顔の見えない俯《うつむ》いた影が、その手に持っていたのは逆しまの松明のような……。

　いや。やはり、たわいもない話だ。この聖地の外のことなどは。今は、姿を消してしまった父のことだって。

　父は、この聖地の外にいる時から、しだいに影が希薄になっていたのだし、そのぶん、僕の存在は密度を高めてきた。まるで、ウロボロスが自らを飲み込み、反世界で生まれ変わるように、父は、この緑の聖地で僕を産み、短い間に育ててあげたのだろう。

　いや……僕のことを、育ててくれたのは、あの美神たちだろうか？　あの少女たち。あの林檎の味を、僕の唇に残してくれた、あの美しい少女。それが、古代ケルトの精霊なのかどうかはわからない。あるいは、語り継がれたこの聖地の名前の由来――ヘンリー八世の修道院解散令に抵抗《レジスタンス》し、斬首にされた「尼僧の頭部《ナンズ・ヘッド》」なのかどうかもわからない。

それでも、僕は、この聖地で息づいた。

今の僕の肉体も、あの映画のダニエルぐらいには成長している。姿が見えるかどうかは、まだわからないけど。

僕の声は、どうだろうか。聞こえるだろうか。

栗鼠の跫音。土鳩の呟き。そんなふうに聞こえるだけだろうか。僕の緑の吐息を感じてくれるだろうか。

いや。なにかを感じてくれるのなら、大丈夫。

それだけで、僕は十分なのだ。

悠久の時間が醸し出す薫香を、この地の気配を、感じとってくれさえするのならば、いつかの日かきっと、僕の同朋《はらから》を、この地にもたらしてくれるかもしれないのだから。

僕は、いつでも、それを待っている。あの少女たちとともに。

なによりも自由な、この緑の聖地の中で。

**参考資料**


●「ロンドンを旅する60章」
川成洋・石原孝哉・編著（明石書店）

●「ミステリーの都ロンドン　ゴーストツアーの誘い」
石原孝哉・市川仁・内田武彦（丸善ライブラリー）

●『小さな恋のメロディ』(Melody)
原作・脚本 アラン・パーカー
監督 ワリス・フセイン
一九七一年公開（イギリス映画）

●その他、ウェブサイト上の複数の記事を参考にさせていただきました。

ショート・ショート

# 同居人

織守きょうや

ロンドンの大学に入学し、大学院へと進んで、一人暮らしは四年目になる。三年ちょっとの間に、三度の引っ越しを経験した。それ自体は、別に珍しいことではない。ロンドンは家賃が高く、物件をシェアするのが一般的なので、人間関係のトラブルも多く、賃借人はころころ変わるのが普通だ。日本と違って礼金の制度がないので、気軽に動けるというのもある。皆、いい物件が見つからないから、とりあえずここに住んでおいて、もっといい物件が見つかったら引っ越そう、というような考えで部屋を借りるのだ。三年間で三回というのは、引っ越しの回数として、決して多くはない。

　海外駐在員だった両親の帰国に伴い、家族で住んでいた家を出て、最初に借りた家は、大家さんと同居するスタイルで、それがどうにも落ち着かなかった。次に借りたところは、隣の部屋の住人が深夜にヒップホップを大音量で流すのでろくに眠れず、一か月で次を探した。その次に借りたのは、まさしく「とりあえず」の腰掛けで借りた部屋だったが、電気の利用がコイン式になっているのが面倒で、冬になってストーブ代がかさむ前に引っ越した。今住んでいる家は、人間関係に問題はないものの、浴室を使える時間が決まっているのと、洗濯機がなくてコインランドリーに行かなければならないのが不便だった。それで、どこかもっといいところは、と探していたところ、大学の掲示板で、ハウスシェアの案内を見つけた。

その物件は、古い一軒家で、大学にも近い。家賃はひと月四百ポンドで、ロンドンの中心部という立地を考えれば、かなり安かった。

早速見学に行き、設備を確かめた。二階建てで、一階部分の居間とキッチンとバスルーム、トイレが共用。古いが、しっかりした建物で、地下にランドリールームがあり、共用の洗濯機も置いてある。

大家が同居ではないことは確認済だが、重要なのは同居人だ。二階に三つある部屋のうち、埋まっているのは一部屋だけ、つまり、自分のほかに住人は一人しかいなかった。先週まではもう一人住んでいたのだが、出ていってしまったという。

居間のソファで本を読んでいた先住者は、内覧中の僕を見つけると立ち上がり、さっと右手を差し出す。広い家で一人暮らしを満喫していたのだろうから、新しい同居人は歓迎されないかもしれないと思っていたが、意外にも友好的な態度だった。

「キングスカレッジだって？　お仲間だ」

ノアという名前の彼は、学部は違うが、同じ大学の院生だということがわかった。だから、構内の掲示板に案内が貼ってあったのだろう。

よろしく、と手を握り返し、僕が名乗ると、彼は器用に両眉をあげ、「ホームランを連発できそうな、いい名前だ」と言った。メジャーリーグで活躍する日本人選手と同じ名前のおかげで、すぐに覚えてもらえるので助かっている。

それから僕たちは、大学近くのパブのメニューや、違う学部の名物教授の話などで盛り上がった。ノアはスノッブな感じが少し鼻につくところもあったが、それも含めて、いかにも英国の若者といった感じで、僕は好感を持った。彼とならうまくやれそうだ。僕は、その日のうちに入居を決めた。

イギリスの賃貸は、家具がついていることも多い。この物件もそうだった。共用スペースのキッチンには、冷蔵庫に調理器具に、食器も全部そろっているし、個室にだって、ベッドや机や棚が用意されていた。おかげで、業者に頼まなくても、気軽に引っ越しができる。

急いで荷造りを済ませ、二日後には入居した。

ノアがワインを開けて歓迎してくれた。

新居での最初の夜は、荷解きをした後、まずベッドメイクをした。初日は、しっかり休むことが大切だ。明日は日曜で大学が休みだが、ウィークデーに引っ越しの疲れを引きずりたくない。

部屋についていたベッドフレームとマットレスに、持ってきたシーツをかけ、枕を置き、布団を被せる。薄い羽根布団は、両親と住んでいたときから使っているものだ。枕とシーツも年季が入っていて、どこに住んでも、寝具が慣れ親しんだにおいだと安心して眠れる。

古い家で、壁や床は防音仕様になっていないので――それはどこも大体同じだし、お互い様ではあるのだが――、特に最初の夜は気を遣う。電気を消して、そろそろとベッドにもぐりこんだ。

都心ではあるが、住宅街だから、夜は静かだ。たまに車が通る音が聞こえる。

うとうとし始めたころ、僕は、はっとして目を開いた。

誰かが泣いている。

最初は、風の鳴る音か何かを聞き間違えたのかもしれないと思ったが、これはやはり、泣き声だ。確信して、ベッドの上で体を起こした。

起き上がって改めて耳を澄ませてみても、確かに、すすり泣きが聞こえる。女性のようだ。

ノアが女性を連れ込んでいるのか、とまず思った。僕とワインを飲んだ後、恋人を部屋へ連れてきて、一緒に過ごしているのか。しかし、だとしたら、もう少し何か、物音が聞こえたはずだ。話し声はまったくしなかったし、僕の部屋もノアの部屋も二階にあるが、階段を上る音も、ドアを開け閉めする音も聞こえなかった。

それなら外だろうか。ベッドを下りて窓から覗いてみたが、通りで女性が泣き崩れているなどということはなく、街灯がぼんやりとレンガの道を照らしているだけだ。

気のせいだろうか？　しかし、やはり聞こえている。

ノアに声をかけようかと迷ったが、彼は眠っているらしく、隣の部屋からは物音ひとつ聞こえない。時計を見ると、もう深夜一時を過ぎている。起こすのは非常識だろう。

実害があるわけではないし、そもそも、僕が寝ぼけているだけか、幻聴かもしれないのだ。

壁に耳をつけてみたり、部屋のドアを開けてみたりしたが、声がどこから聞こえているかはわからなかった。

僕はベッドに戻り、目を閉じて布団をかぶった。

いつの間にか眠っていたらしい。

朝になり、思いのほかすっきりと目が覚めた。

昨夜のことは、こうして思い返してみれば、騒ぎたてるようなことでもないように思える。

やはり、ノアが女性を連れ込んでいたのかもしれないし、女性の声に違いないと思ったが、もしかしたら、泣いていたのはノアだったのかもしれない。

　プライバシーの尊重は、ハウスシェアにおいて最も大事なマナーだ。

　僕は、昨夜のことを、ノアには話さないことにした。あの声が彼と関係のあるものだったら、それを指摘することで気まずくなりたくはなかったし、そうでなくても、女の泣き声がしなかったか、などと言われたら、彼もいい気はしないはずだ。第一、ノアは起きてこなかったのだから、何も聞いてはいないのだろう。

　ただ、引っ越し初日でナーバスになっていて、幻聴を聴いただけだ、と思うことにした。

　新しい家は便利で、快適だった。

　スーパーまでは歩いて行けるし、駅はすぐそこだし、大学にも近くなった。

　ノアは思いのほか静かな同居人で、生活音を邪魔に感じることはなかった。プライベートは尊重してくれ、あれこれ訊いてきたりしないし、大音量で音楽をかけたり、人を招いて大さわぎしたりすることもない。いい家に、いい同居人だ。

　ただ、夜中のすすり泣きは、次の夜も、その次の夜も聞こえた。

　毎晩、自室でベッドに入っていると、決まって、どこからか聞こえてくる。

　壁やドアに耳をつけてみても、泣き声が大きくなることはないから、声はノアの部屋から聞こえているわけではなさそうだった。

　ノアは決まって無反応だ。彼の部屋の前まで行ったこともあるが、ドアをノックする前に引き返した。自分にしか聞こえないものかもしれないのだ。

　声は、ノアが研究室の泊りがけのフィールドトリップに出かけ、帰ってこなかった日にも聞こえた。それで、声の主がノアでも、その恋人でもないことがはっきりしてしまい、いよいよごまかせなくなった。自分でも、わかってはいたのだ。薄々どころか、ほとんど確信していた。正面から向き合うのが嫌で、目を逸らしてただけで。

　この家には何かいる。

　誰か、と言ったほうが適切だろうか。

　僕が入居する前、ノアが一人でこの家に住んでいたことが信じられない。夜な夜なこんな声のする家に、一人で住むなんて、僕だったら耐えられない。彼には聞こえないのだろうか。

　もしかしたら、彼以外の住人たちは、僕と同じようにすすり泣きを聞いて、それが原因で逃げ出したのではないだろうか。その結果、声が聞こえないノアだけが残っているのかもしれない。相場と比べて家賃が安いのも、きっと、住人の入れ替わりが激しく、人がなかなか居つかないからだ。

ノアが帰ってきたら、話をしようと決めた。

その夜は、朝まで眠れなかった。

一度、何かがいる、と認めてしまえば、すすり泣きのほかにも、気になることはあった。

たとえば、ランドリールームに洗濯物を取りにいったとき、湿った土のようなにおいを感じたことがある。靴の裏についた乾いた泥のにおい、などではない。ほんの一瞬だが、生々しく、濃い土のにおいが鼻をかすめたのだ。ランドリールームは地下にあるので、いつでもひんやりして、空気が湿っている。とはいえ地下室自体はコンクリートで固められていて、土が露出している部分はないのに、不思議だった。

においがしたのは一瞬だったから、そのときは特に気にとめなかった。しかし、思い返してみると、気味の悪い体験だった。

無人のはずの居間の前を通り過ぎたとき、誰かの気配を感じたこともある。キッチンで簡単な料理をしているとき、後ろを誰かが通り過ぎたような気がしたことも。

その日の夕方、僕は、フィールドトリップから帰ってきたノアを、玄関でつかまえた。

ちょうど、夕食の用意ができたところで、家じゅうにカレーのにおいが漂っていた。

鼻をひくひくさせているノアに、「よかったら、一緒にどうだい」と声をかけると、彼は顔を輝かせる。

「助かるよ。腹がぺこぺこなんだ」

イギリスでもカレーの店舗は多いが、そのほとんどがインドカレーだ。日本の家庭で一般的に食べられている、いわゆる欧風カレーは見かけない。キッチンの横のダイニングテーブルで、向かい合って座り、実家から送られてきたルーで作ったカレーをごちそうすると、ノアはうまいうまいと喜んで食べた。

機嫌よくしているところを見はからって、実は、引っ越してきた日から、毎夜、誰かのすすり泣く声が聞こえるのだと切り出す。

馬鹿にされるのではと内心不安だったのだが、ノアはあっさり、「ああ」と頷いた。

「視《み》えないレディな。気になるか？」

俺はもう慣れた、とこともなげに言われて、思わず椅子から立ち上がる。

「君にも聴こえてるのか？」

そりゃ聴こえるよ、と答えて、ノアは不思議そうに目を瞬かせた。

「知ってて越してきたんじゃないのか？　ここは出るって、誰でも知ってるぞ」

ノアの話によると、この家にはその昔――二十世紀の頭だと彼は言っていたが、定かではない――両親を亡くした女性が一人で住んでいたらしい。生まれ育った家で、大人になってからも一人暮らしをしていた彼女は、生活のため、家に下宿人を置くことにした。しかし、市内の大学に通う男子学生だったその下宿人と揉め、殺されてしまった。二人は恋仲だったとも、政治的に対立する意見の持ち主だったとも言われている。

彼女は死後もこの家に住み続け、夜になると、己の不幸と自分を殺した男を呪ってすすり泣くのだという。

怪談としてはどこにでもありそうな類の話だ。

ノアは、その話を、前にここに住んでいた同居人から聞いたらしい。近所の人は皆知っている話で、大家も特に隠してはいないという。僕はたまたま聞くチャンスがなかったのだろう。

日本では、事故物件には告知義務があると聞くが、イギリスではどうかわからない。そういう規定があったとしても、ここで女性が死んだのは百年以上前のことだ。そんな古い事件についてなど、日本でだって、告知義務はないだろう。

「歴史のある町の、歴史のある建物だ。色々あるだろうさ。俺たちより彼女のほうが先に住んでいたんだ、追い出すわけにもいかない」

夜中に泣かれるのはちょっと迷惑だが、もともと彼女の家なんだから仕方がない、とノアは肩をすくめる。確かに彼の言うとおりだ。彼の言うところの視えないレディは、自分の家で泣いているだけで、そこへ後からやってきて住み始めたのは僕たちの勝手だった。

「彼女としてはただ、生前住んでいた家で、今も暮らしているつもりなのさ。ただそこにいるだけで、悪さはしない。俺はもう慣れたよ。他人の気配や物音なんて、ハウスシェアをしていれば当たり前のことだしな」

イギリスと日本では、幽霊に対するスタンスが違うようだ。それとも、ノアが特別大らかなのか。

そこにいるだけ、と言われても、そこにいること自体が問題のように感じるのは、僕が日本人だからだろうか。

「日本では、人が死んだ物件は忌避される傾向にあるんだ」

「イギリスじゃ、幽霊が出る物件はむしろ価値があがるんだぜ。特別感があるだろう。それだけ歴史があるってことだし」

ノアは、何故僕が怖がっているのかがわからないようだった。

「泣き声は聞こえるが、それだけだよ。彼女は、俺たちとはかかわりのないところで、かかわりのないことのために悲しんでいる。理由はわからないし、わかりようがない。誰かを恨んでいるのかもしれないけど、それも俺たちには関係のないことだ。そうだろう？」

彼の言うとおりだとは思う。お互いを尊重して、干渉しないことが、ハウスシェアの極意だ。それと同じことなのだと理解はできるが、だからといって、すぐに平気で眠れるようになるかは自信がなかった。

二人で食器を洗い、片付けて、部屋に戻ろうとしたとき、ふっと鼻先を湿ったにおいがかすめる。ランドリールームで嗅いだのと、同じにおいだ。

僕は、階段の手前でノアを呼びとめた。

「土のにおいがしないか？」

「そうか？」

ノアは鼻をひくつかせたが、首をひねり、カレーのにおいしかしないけどな、と言った。

結論から言うと、結局、僕は、この家のもう一人の同居人の存在に慣れることはなかった。

すすり泣く声は毎夜続き、それが視えないレディのものだと思うと、気になってなかなか眠れなかったし、気配を感じるたびにびくついた。

彼女は、どの部屋にも現れた。気配と、土のにおいでわかる。彼女が生きていたころは、ハウスシェアなどしてなかったわけだから、すべての部屋が彼女の部屋だ。彼女は家中を好きに行き来する。

大学で、同じ研究室の友人に相談をしてみたら、イギリスでは幽霊が出る物件のほうが人気があるというのは本当らしい。古い建物が多いから、そこで人が死んでいるのは珍しくないし、そもそも、事故物件が不吉という概念がない。一般的に、幽霊は祟《たた》るものと認識されていないようだった。英国王室の現役の宮殿にだって、歴代ロイヤルファミリーの幽霊が住んでいるのよと、その友人には言われてしまった。

しかし、僕は日本人だ。そこにいるだけの存在だと言われても、怖いものは怖い。

それに、幽霊が出る物件のほうが価値が高くて人気があって、イギリスの幽霊は無害で、イギリス人は幽霊を怖がらないというなら、何故この家の家賃は相場より安いのだ。本来祟るものではないはずの幽霊に、実際に住んでみた住人たちが恐怖を感じたからではないのか。

僕がそう言うと、ノアは、すすり泣きに我慢できない奴が出ていくんだろう、と答えた。「俺は感じないけど、においも、気になるやつはいるだろうし。うるさい同居人、体臭のきつい同居人は、幽霊でなくたって迷惑だもんな」

俺は気にならない。そこにいるだけで、こっちに干渉してこない限りは平気だ、無害だよ——と笑って、ノアは取り合わない。

「君もすぐ、気にせず眠れるようになるさ」

彼はそう言ったが、僕は、日ごとにすすり泣きが気になるようになった。レディの死因を聞いてしまえば、ただ悲しげなわけではない、どこか恨みがましげなものに聞こえてくる。姿は視えなくても、こちらをにらむ顔が浮かぶようだった。

僕は、彼女は悲しんでいるのではなく、悔しくて泣いているのではないかと思い始めた。

居間で一緒になったとき、ノアにその考えを伝えてみたら、彼は怪訝《けげん》そうに首をかしげた。

「悔しいって、殺されたことがか？」

「それもあるかもしれないけど……自分の家に、他人が居座って好き勝手していることが」しかもその他人は、自分を殺したのと同じ、男子学生たちなのだ。

追い出すこともできず、悔しくて泣いているのかもしれない、と僕が言うと、ノアは、考えすぎだ、と呆れた表情になった。

「だとしても、それならつまりは、彼女はこちらに何もできないってことだろう。彼女が悔しがってるってことは、俺たちは安心していいってことだ」

どこまでも前向きだ。

僕など、対抗しようもない相手に恨まれていると思ったら、それだけで落ち着かない。

「死者は生者に何もできないよ。そもそも、住む世界が違うんだから、互いに干渉なんてできないはずだ」

「英国の幽霊だって、祟ることはあるって聞いたぞ。ヘンリー六世の二番目の王妃が流産して処刑されたのは、追い落とされて幽閉された末に死んだ最初の王妃の祟りだっていうじゃないか。しかも流産したのは、最初の王妃の埋葬された日だったとか……」

「ああ、有名な話だな。三人目の王妃が死んだのも、その二人目の王妃の祟りじゃないかって言われているし」

「だったら……」

「でも、仮に王妃たちの幽霊が祟ったのだとしても、彼女たちは生前恨んでいた相手を死んでからも恨み続けたってだけだ。無関係な人間に祟ったりはしないよ。ウィンザー城にだって王妃たちの霊は出るけど、今そこに住んでいるロイヤルファミリーや使用人たちを祟ったなんて話は聞かないだろ？」

ノアの言い分はいちいちもっともだ。しかし、僕は引き下がらなかった。

「でも、もし、彼女が間違えていたら？」

僕の反撃に、ノアは虚を突かれた表情になる。

「僕たちは、彼女を殺したとされている男と同じ、ロンドンの男子学生だ。その男はもうとっくに死んでいるだろうけど、もし、彼女に、僕たちとそいつとの区別がついていなかったら……」

いつからか、頭に浮かぶようになった考えだった。

レディが、次々入れ替わる入居者たちを同じ一人の男と認識していて、恨み続けているのだとしたら。自分の家を占拠し、いつまでたっても出て行かないでいるその男に、憎悪を募らせているのだとしたら。

想像力が豊かだな、とノアは笑った。

それでこの話は終わった。


しばらくすると、どの部屋にいても、土のにおいがするようになった。

寝室でも、キッチンでも、バスルームでもだ。

部屋を移動しても、ついてくる。ただそこにいるだけ、ではない。物理的に干渉することはできなくても、少なくとも、彼女はこちらの存在を認識している。

それに気づいたとき、僕はとうとう、引っ越しを決意した。

日本人の自分には、最初、土のにおいがすぐに不吉なものには結びつかなかった。しかし、イギリスでは、土葬が一般的だ。日本で言うなら、線香のにおいがしたようなものではないか。

そのにおいが、どうやら自分について家の中を移動している、という事実に、耐えられなくなった。彼女の自己主張が強くなっているのが、何か危険な兆候のようにも感じられたのだ。

僕は、急いで別の部屋を見つけて、視えないレディの家を出た。家賃は二百ポンドほど上乗せすることになるが、背に腹は代えられない。

ノアは残念がっていたが、僕の選択を尊重してくれた。

新しい部屋は、狭く、ベッドのスプリングはきしんで固かったが、すすり泣きが聞こえてこないだけで天国のように感じた。

　引っ越し初日の夜は、久しぶりにぐっすり眠ることができた。


　視えないレディの家を出て半年ほどしたころ、構内の掲示板に、また、あの家の賃借人募集の張り紙を見つけた。家賃は、僕が借りたときよりも少し安くなっていた。グループでの利用も可、とあり、現在入居者はいないと書いてある。

　ノアはどうしたのだろう、と心配になった。

　それで、以前聞いていた彼の研究室を訪ねてみると、彼は元気そうにしていた。

　僕から何か月か遅れて、ノアもまた、あの家を出たのだという。

「いや、毎晩声が聴こえるだけってことは、変わらなかったんだけどな」

　何かあったのかという僕の質問に、ノアは頭を掻きながら言った。

「俺は辛気臭いすすり泣きにもすっかり慣れて、もう何も気にしないで眠れるようになっていたんだが――」

　あるとき、突然、毎晩聴こえていたすすり泣きが、けたたましい笑い声に変わったのだという。

　いつものように入眠しようとしていたノアは跳び起きた。その晩は頼み込んで友人の家に泊めてもらい、翌日荷物をまとめて引っ越したそうだ。

「初めてぞっとしたよ。逃げなきゃだめだと思った」

　彼女が何故笑っていたのかはわからないが、危険だと感じたのだと、彼は言った。

　あるいはそれは、彼女がこちら側へ干渉する準備が整ったというサインだったのかもしれない。だとしたら、危機一髪だった。

　ノアもそう考えていたかもしれないが、はっきりしたことは言わなかった。僕も指摘しなかった。

　ノアとはパブで一杯やって別れた。

　それから二週間経つが、掲示板には、今も賃借人募集の紙が貼られたままだ。

# 乱反射するイメージ
## ——日本におけるロンドン怪奇幻想文学の系譜

朝宮運河

「この街は、道路や裏小路や丘や囲い地（宿屋までも）がむやみやたらに広がった巨大な迷宮だった」（小尾芙佐訳）。

スティーヴン・キングは自らのロンドン滞在体験をもとにした短編「クラウチ・エンド」（一九八〇）でこう記している。長い歴史ゆえに光と闇を抱え込んできたロンドンは、さまざまな顔をもつ「迷宮」として、怪奇幻想文学史において特別な地位を占めてきた。

それはわが国においても例外ではない。本稿ではロンドンに霊感を受けて生まれた国産怪奇幻想小説の系譜を、簡単に辿ってみたい。

第一に紹介すべきは夏目漱石「倫《ロン》敦《ドン》塔《とう》」（一九〇五年）だろう。一九〇〇年、給費留学生として英語研究のためイギリスに渡った漱石は、ロンドンに二年間滞在。「倫敦塔」はロンドン到着早々見物に出かけた、ロンドン塔の印象をもとにした幻想小品である。

「倫敦塔の歴史は英国の歴史を煎じ詰めたものである。過去と云う怪しき物を蔽《おお》える戸張《とばり》が自《おの》ずと裂けて龕《がん》中《ちゅう》の幽光を二十世紀の上に反射するものは倫敦塔である」。漱石は英国の歴史そのものといっていい血も凍るような場面を、目の前の古塔に幻視する。現代と過去が交錯する「倫敦塔」こそ、日本人によって書かれた最初のロンドン怪奇幻想譚だろう。

漱石がロンドンに滞在したのは、イギリスが最も繁栄したとされるヴィクトリア朝の末期（漱石はヴィクトリア女王の葬儀を見物している）。そしてそれはコナン・ドイルがシャーロック・ホームズの冒険譚で人気を博した時代でもあった。ホームズと漱石が同時期におなじ空気を吸っていたという〝史実〟は山田風太郎を筆頭に、わが国のミステリ作家に刺激を与えることになった。

その代表的な二長編が島田荘司『漱石と倫敦ミイラ殺人事件』（一九

八四年）と柳広司『吾輩はシャーロック・ホームズである』（二〇〇五年）だ。前者では謎の被害者ミイラ化事件の真相をホームズが追い、後者では自分がホームズであるという妄想に取り憑かれた漱石がロンドン塔の怪奇事件を調査する。いずれも優れたホームズ・パスティーシュであるのに加え、明治期の日本人が直面した孤独と異文化体験が刻印されている。

　話が前後したが、ホームズ譚は明治期に翻訳紹介が始まり、日本でも広く親しまれていた。日本人によるホームズ・パスティーシュも戦前から多くの作例があり、その中にはロンドンを舞台にしたものもあるが、それらを詳しく紹介するには紙幅が足りない。興味のある方は新保博久編『日本版ホームズ贋作展覧会』（一九九〇）、北原尚彦編『日本版シャーロック・ホームズの災難』（二〇〇七）などのアンソロジーにあたっていただきたい。

　日本作家によるホームズ・パスティーシュの中でも、筆者が偏愛しているのが服部正の長編『影よ踊れ』（一九九四年）。妖精画家として知られ、アルコール依存症のため施療院で晩年を送ったコナン・ドイルの父、チャールズ・ドイルが重要な役目を果たす、哀切な幻想ミステリである（ただし主な舞台はロンドンではなくコーンウォルだが）。

　ホームズ登場以前の一八八八年、イーストエンド地区で娼婦五人を相次いで惨殺し、歴史の闇へと消えていった切り裂きジャック。世紀末ロンドンの闇を象徴するようなこの未解決事件は、わが国の怪奇幻想文学にも影響を及ぼしている。島田荘司『切り裂きジャック・百年の孤独』（一九八八年）は、ジャック事件からちょうど百年後、西ベルリンでも同様の手口の娼婦殺害事件が起こるというミステリ。死体解体の謎にスマートな解決がつけられているが、暗鬱にして神秘的なムードも色濃い。

　服部まゆみ『一八八八　切り裂きジャック』（一九九六年）は、ロンドンを訪れた日本人留学生・柏木がスコットランド・ヤードに所属する青年探偵・鷹原とともにジャック事件に遭遇する耽美的な歴史ミステリ。「エレファント・マン」として知られたジョゼフ・ケアリー・メリックが登場するなど、ロンドンの見世物趣味が事件の鍵を握っている。

　赤川次郎『霧の夜の戦慄　百年の迷宮』（二〇〇三年）は、スイスの寄宿学校に進学した日本人少女・綾《あや》が、一八八八年のロンドンと現代を行き来しながら、ジャック事件に巻き込まれていく、という趣向。稀代のベストセラー作家の核にある、怪奇幻想嗜好がよく表れた長編といえる。

　朝松健の「1889年4月20日」は、ナチ・クトゥルー連作『邪神帝国』（一九九九年）所収の一編。魔術師S・L・メイザースの手紙、その恋人ミナ・ベルグソンの日記などを読み進むうちに、切り裂きジャック事件の知られざる真相が明らかになる。未解決事件に儀式魔術からアプローチを試みた一編。変わり種としては菊地秀行『切り裂き街のジャック』（一九八五年）も忘れがたい。二十二世紀、気象変動によって地表の大半が海に覆われた世界に、かの時代そのままにヴィクトリア朝ロンドンが再現される。そこで反復される猟奇連続殺人。国連の特別捜査官サガは、アンドロイドの替わりに人間の女性が犠牲となった怪事件の謎を追う、というSF的趣向のリッパーものだ。

『倫敦塔・幻影の盾』書影

　十九世紀末のイギリスでは、黄金の夜明け団などの魔術結社が生まれ、心霊現象研究協会が設立されるなど、オカルトが知識人の関心を集めた。高橋克彦『霊《たま》の柩』（二〇〇〇年）は、オカルトの英国に大胆なアプローチを試みた伝奇長編。シリーズ前作『竜の柩』で古代史の謎を追ったテレビディレクター・九鬼虹人《くきこうじん》らは、今作では大正八年の日本にタイムスリップ。イギリスに渡り、心霊現象研究協会のメンバーだったコナン・ドイルとも対面を果たす。

『霧の夜の戦慄』書影

　友成純一のモダンホラー長編『黒魔館の惨劇』（一九九一年）にも、英国オカルトの伝統は影を落としている。ロンドンの閑静な住宅地、ハムステッドの古い洋館を借りた日本人が、次々と狂気に陥り、凄惨な死を遂げていく。その幽霊屋敷には忌まわしい過去があった。

　ホームズ、切り裂きジャック、オカルトときたら、お次は吸血鬼だろう。ブラム・ストーカーの『吸血鬼ドラキュラ』（一八九七年）の主な舞台はロンドンだった。三島由紀夫のミステリアスな短編「仲間」（一九六六年）は父親に手を引かれ、ロンドンの街を歩き回る少年の物語。

「今夜から私たちは三人になるんだよ、坊や」という幕切れの父親の一言は、眷属を秘かに増やす吸血鬼のイメージと重なる。

　より本格的にロンドンの吸血鬼を描いた作品として、平谷美樹のホラー長編『ヴァンパイア　深紅の鏡像』（二〇〇八年）をあげておこう。雑誌編集者の主人公が、バーのカウンターで見知らぬ老人から吸血鬼にまつわる長い話を聞かされる。そのうちの一編が、父の仕事の関係でロンドンに越してきた少年・隆宣《たかのぶ》の血も凍るような体験を扱っている。

　また、菊地秀行『吸血鬼ドラキュラ』（一九九九）はストーカーの原典を大胆にアレンジし、著者お得意のアクションホラー要素を強めたリライト版だ。

　古書蒐集家、シャーロキアンとしても著名な北原尚彦の短編集『首吊少女亭』（二〇〇七年）には、「ウェストエンドの吸血鬼」と呼ばれる殺人鬼が登場する。その他にも、下水道に潜む異形、劇場の悲劇、ばね足ジャックに火星人襲来までを盛りこんだ同作は、オカルトと科学が共存するヴィクトリアン幻想の見本市のような一冊だ。

　ヴィクトリア朝の世相を織り込んだシリーズものをさらに二作。『レディ・ヴィクトリア　アンカー・ウォークの魔女たち』に始まる篠田真由美の《レディ・ヴィクトリア》シリーズ（二〇一六年～）は、厳格な階級社会を舞台に、元子爵夫人と使用人たちの連帯を描いたミステリ。日本人村での変死体、さまよい歩くミイラなどの事件が扱われている。

『月蝕島の魔物』『髑髏城の花嫁』『水晶宮の死神』からなる田中芳樹の《ヴィクトリア朝怪奇冒険譚》（二〇一一～一七年）は、一八五〇年代を舞台にしているのが特色。クリミア戦争から生還した語り手が、チャールズ・ディケンズをはじめ、アンデルセン、ルイス・キャロル、ナイチンゲールなど実在の人物と交流しつつ、冒険に乗り出していく。剣戟《けんげき》あり、怪異ありの痛快作だ。

　ここまで取り上げたように日本で書かれたロンドン怪奇幻想譚は大半がヴィクトリア朝を舞台にしているが、それより約百年前の十八世紀のロンドンを描いたのが皆川博子の『開かせていただき光栄です』（二〇一一年）とその続編『アルモニカ・ディアボリカ』（二〇一三年）だ。解剖医バートンとその弟子たち、盲目の治安判事フィールディングらが、美しくも残酷な犯罪に挑む。当時のロンドンの風俗が生き生きと描かれており、歴史小説としても読み応えがある本格ミステリだ。

　史実を改変したパラレル・ワールドのロンドンを舞台とした小説も紹

介しておこう。パンク刑事の冒険と推理を描く山口雅也の《キッド・ピストルズ》シリーズ（一九九一年〜）は、威信を失った警察に代わって、民間探偵が捜査権を持つもうひとつの英国を描く。ここではフィクションの中にしか存在しないはずの名探偵が実在しているのだ。ミステリの国・イギリスのイメージを先鋭化させたような世界観である。伊藤計劃の遺稿を、円城塔が完結させた『屍者の帝国』（二〇一二年）は、フランケンシュタイン博士の屍体蘇生技術が実用化された十九世紀を描く

『水晶宮の死神』書影

歴史改変SF。歴史上の人物に加え、ヴァン・ヘルシング、ワトソンなどのキャラクターも多数登場する。舞台はめまぐるしく移り変わるが、クライマックスはロンドン。十九世紀ではフィクションにおいても、ロンドンは世界の中心なのだ。

　漱石の「倫敦塔」から約百二十年。ロンドンへの幻想は数多くのフィクションを媒介として、我々日本人の中で大きく育ってきた。一人の作家のロンドン幻想が別の作家の幻想を引き出し、また新たなロンドン像が生まれる。そして乱反射する怪奇幻

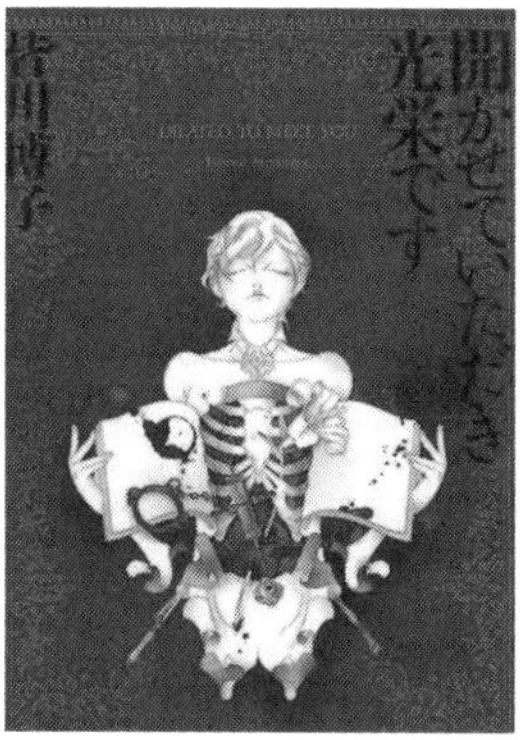

『開かせていただき光栄です』書影

想の中心には、私たちが愛してやまないあのヴィクトリア朝の景色がある。

　こうした流れは今後も止まることがないだろう。吸血鬼や人造人間、人狼、切り裂き魔や探偵が入り乱れる、異形の世紀末ヨーロッパを描いた青崎有吾の話題作《アンデッドガール・マーダーファルス》（二〇一五年〜）を読んでいても、つくづくそう思う。

『アンデッドガール・マーダーファルス 1』書影

ロンドン・ミステリーゾーン：スローン・スクエア

# 街外れの奇跡

Miracle in Suburbia

トマス・バーク

Thomas Burke

伊東晶子訳

地下鉄スローン・スクエア駅（1950年代）

【場所】スローン・スクエアは、ケンジントン・アンド・チェルシー王立区にある公園。ヴィーナス像の噴水で有名だが、本作が発表された一九三〇年にはまだない。そこから一人の男を追って若者が行ったピムリコ・ロードが、現在は画廊や骨董店が並ぶ名所として知られているのは、偶然ではあろうが、古物を巡るこの物語に似つかわしい。

【著者】トマス・バーク（一八八六―一九四五）は、ロンドン、クラパム・ジャンクション出身の小説家。幼くして父を失い、十六歳で事務員として働きはじめる一方、文筆活動も始めた。貧困層が暮らす地区ライム・ハウスを舞台に、労働者たちや中国人たちの生活に目を向けた物語を集めた*Limehouse Nights*(1916)が注目され、小説家として知られるようになった。作品には怪奇味をもつものも多く、推理小説の古典として知られる「オターモゥル氏の手」（一九二六）も、霧の夜に徘徊する扼殺魔を描いた、サイコホラーの先駆的な作品と言える。

　本作は一九三五年に上梓された短編集*Night-Pieces*に収録された。魔法使いのような老人から依頼を受けた若者の、奇妙な冒険の顛末やいかに？

ロンドンのテムズ川南岸に今も多く残る古い家々の中の一軒、そこの奥の部屋で、老人と若者がテーブルを挟んで互いの顔を見ていた。老人は鳥に似た横顔と探るような目を持ち、テーブルの上で組んだ両手は大きく、白く、ほっそりしていた。若者の顔に特に目を惹くところはなく、その手はほっそりしてもいないし、白くもない。ただ大きくて赤い。そのことが若者を落ち着かなくさせているようだ。一度か二度、老人のくつろいだ態度を真似てテーブルの上に両手を出した。そこで老人の手との違いに気づいたようで、自分の手を引っこめた。その後も何度か、若者の両手は場にそぐわないことを忘れたようにテーブルの上に現れては、組んではほどきを繰り返した。

　部屋も、若者を落ち着かなくさせているようだった。奇妙な部屋だ。川沿いのそのあたりの家には似つかわしくない。他のどこでも、こんな部屋は見たことがなかった。若者は博物館の収蔵品を見たことがある。この部屋にあるものはどれも、博物館で見たようなものではないが、かといって日常的な家具調度とも言えない。風変わりなものばかりだ。そのせいで博物館の一室のように感じるのだ。それらの品々がなんと呼ばれるのか、若者にはわからなかった。わかっているのは大英博物館でもサウス・ケンジントン（サウス・ケンジントンにあるヴィクトリア&アルバート博物館）でも見たためしがないということだけだ。見るからに気味の悪いもの。奇妙な形の壺。木製の杖。円形のもの。三角形のもの。くねくねした文字のようなものが書きつけられた黄色い紙。どれも好きになれなかったが、室内をさまよう若者の目は、そうした品々の上に戻っていった。

　老人は若者の落ち着かなさに気がついた。「何か飲むかね？」食器棚の前まで行き、酒瓶を何本か出しかけた。

　若者は急いで言った。「いや、いいです。おれ、喉は乾いてないんで」酒が苦手なわけではない。仲間と飲むのは好きだ。だが、この部屋で、この老人とは飲みたくなかった。理屈ではなく、無意識ですらない深いところから、ここでは飲むな、ここには長居するなと警告されているのを感じた。テーブルが警告した。壁に掛かったものたちが警告した。窓のカーテンが警告した。遠くで鳴る太鼓の音に合わせてこの部屋が呟いているようだった。部屋にあるものすべてが何かを投げつけてきて、それが若者の内奥の本人も気づいていないところにぶつかり、こう言っているように感じた。「この場所とは関わりをもつな。間に合ううちに出ていけ」

　だが、いきなり逃げ出すほど愚かではない。老人にも部屋にも、そこまでする理由は今のところない。とりあえず酒を断ることで不安な気持ちをなだめた。酒には用心しなくてはならない。何かを入れることは容易《たやす》い。だが、今すぐ出ていかなければと感じたのは、神経がぴりぴりしているだけだ。老人はまともな人間に見えたし、部屋にも不適当なものは見当たらない。危険などどこにもない。若者を脅《おびや》かす者など誰もいない。老人が襲ってきたなら話は別だ。そうなったら出ていく理由になる。だが、単に「気がする」だけで逃げ出すのは馬鹿げている。この部屋に妙な気持ちを覚えるのは、こんな部屋をこれまでに見たことがないからだろう。そんな気持ちに負けてたまるか。老人は儲けになる仕事の話があると言っていた。若者はそういう話が切実に必要な状況にある。「気がする」程度で仕事をふいにするわけにはいかない。

「そうかね。きみが飲まないのなら」と老人は言っていた。「話を続けよう。さきほどコーヒーショップで声をかけたのは、私がやってほしい仕事にきみが適任だと思えたからだ。簡単な仕事だ。報酬ははずむ」そこで老人は咳払いをした。

「仕事はほしい。もう一年近くあぶれてるんだ。毎日歩きまわって探しちゃいるが、何ひとつ見つからない」

「ふむ。そんなことだろうと思った。それでだね、ちょっとしたことをしてほしいだけなんだが、ふつうに働いて半年分の収入に相当する額を支払おう。きみなら一、二時間でやれる仕事だ。報酬は五十ポンド（二〇二三年の貨幣価値に換算すると四千五百五十ポンド相当）」

「五十ポンドだと？・」

「五十ポンドだ」

　若者は五十ポンドという大金をイメージしようとした。即金で五十ポンド。その絵面《えづら》と、それだけ稼ぐ苦労を思い浮かべ、眉間にしわを寄せた。怪しく思えてきた。「五十ポンドだって？　そんなに出すってことは、何かまずいことがあるんじゃないのか。五十ポンド……良くないことに決まってる」

　老人はにやりとした。「そうやって用心するところはいい。たいしたものだ。だが、報酬の額にひるむ必要はない。きみの疑問に対する答えは、ある意味、イエスでもありノーでもある。つまり、厳密な法解釈に従えば不正行為と呼べることが些か含まれている。だが、きみが厄介事に巻き込まれるような行為ではない。単に」ここで老人は声をあげて笑った。「ある者からあるものを取ってくるだけだ。まあ、聞きなさい！」老人は、反論しようとする若者を手で制した。「盗んだ者から取り返すんだ。恥じる必要など全くない行為だ。しみひとつない道義心を持つ者の多くが、進んでやろうとするだろう。まあ、それなりに若く機敏ならだがね。だからこそ私は五十ポンド支払おうと言うんだ。私にとってはどうということのない金額だが、その金がどうしても必要な者もいるとわかっている。私には信用できる若い男が必要だ。五十ポンドで沈黙の誓いを守れる者がだ。だからきみを選んだ。そういうことだ」

　老人は椅子の背にもたれ、相手をその場につなぎとめるように見つめた。込み入った話を理解しようと、若者はまた眉間にしわを寄せた。「私が関与している博物館から非常に貴重な遺物が持ち去られた。そのことを公《おおやけ》にしたら二度と取り戻せなくなるだろう。海外に流出してしまうからな。だから世間に知られたくないし、スキャンダルも避けたい。取り戻したいだけだ。誰が持っているのか、どこにあるのかはわかっている。機敏な若者なら何の苦労もなく手に入れられるはずだ。社会の役に立つ仕事でもある――そのうえ、いかなる危険もない」

「うーん……」若者は考えこんだ。真っ当な話のようだったが、この老人の口を通して聞くと、それほどまともとは思えない。正直な若者で、金に困っていようと、犯罪には、それがどんなに軽いものでも、手を染めるつもりはなかった。だが、この老人の目と声が若者を迷わせた。求められているのは、真っ当だがまともとは言えない仕事で、報酬はたっぷり、どんな危険にも巻き込まれない、ということらしい。真っ当な仕事だというなら、五十ポンドは五十ポンドだ。その破格の報酬がなければ、いくら社会の役に立つ仕事だと言われても断るだろう。英雄になりたい性質《たち》ではないし、他人の厄介事に巻き込まれるのもごめんだ。一方、真っ当な仕事でないなら、たとえ千ポンドの報酬と百パーセントの安全を保障されても、けちな盗みなどする気はない。この老人がよくわからなかった。この話はまともじゃないという気持ちが大きかったが、この男の視点に立って考えると間違ってはいないと感じた。公共の財産をめぐる私的な争いらしい。そういうことなら、なんであろうとその品物を取り戻し、本来の持ち主に返すのが正当な行為だと若者の倫理観は告げていた。それでもまだ、一つか二つ気になる点があった。

「だけど、まともで真っ当な仕事で、あんたが言うように簡単なら、なんでそんな大金を出すんだ？」

「言っただろう。きみには五十ポンドが大金に思えるだろうが、この遺物の歴史的価値に比べればたいした額ではない。それよりなにより、その仕事のためだけに金を払うのではない。それだけの金を出すのは、前にも言ったように、依頼する相手が誠実であること、沈黙を守ることに対してでもある。この件は誰にも話してはならない。細心の注意を要する問題だ。他国とのトラブルにつながりかねない。わかるかね？　だから、この件に関して何も知らない人間が必要なのだ。仕事が終わったらさっさと忘れられる人間。その仕事について、仕事の目的がなんであったかを決して口外しない人間だ。そう、特にその点だ。その遺物がどういうものか、一切口にしてはならない」

「おれはべらべら喋《しゃべ》るほうじゃない」

「それはコーヒーショップできみを見ていてわかった」

「それより、厄介事も危険もないってのはどういうことだ？　そんなはずがあるか？　よそのやつから何かを取ろうとしたら、そいつは当然、そうはさせまいとする。それだけじゃない、お巡《まわ》りに見られたらどうするんだ？」

「たとえ奪うところを見られたとしても、誰もきみに危害を加えることはできない。きみは守られている。自由に相手に近づき、自由に立ち去ればよい。私にはきみを守る力があり、その力は常にきみと共にある」

「力？　それって、あんたの側の――そのブツを気にしてる有力者ってことか？」

老人はにやりとした。「わかっていないようだな。まあ、わからないほうがいいだろう。そのほうがこの仕事をうまくやれる。この世には手足を使う力とは別の力があるのだ。脳を使う知力とも違う。霊的な力だ。それがきみを守ってくれる」

「ふーん……けっこうなことだな。いろんなことに効きそうだ。だけど、あんたにそんな『力』ってもんがあるなら、自分で取り戻すのも簡単じゃねえか。こう言えばいい、『今すぐ、ここへ来たれ』って、奇術師みたいにさ」若者は忍び笑いをもらした。この老いぼれは酔っ払ってるんじゃないのか？　誰かから何かを取ってこい、霊の力で守ってやるなんて。

「わかっていないのだな。信じてもいない。この力は自分自身に使うことはできないのだ。我々の手足となる人間を通して使うしかない。そうすることで効果が現れる。手足となった人間にはいかなる危害も加えることはできない。我々の守護力でその人間を包みこむことができるのだ」

「どうやったら、そんなことができるんだよ？　ブツを持ってるやつがおれに刃向かってきたら――」

「そうなったとしても、きみに危害が加えられることはない。きみは信じていないし、実のところ信じてもらう必要もないのだが、納得させることはできるだろう。いいか、今、私の力がきみを包みこんでいる。きみの中にある力を呼び出している。そら！」

　老人は座っていた椅子を後ろに押しやると、まっすぐに立ち、若者を見下ろした。数秒間、二人は見つめ合った。老人の体は、立ち上がった瞬間に部屋いっぱいに膨れ上がり、今にも部屋からあふれ出しそうだった。炉棚の上のランプが壁に二人の影を大きく映し出した。影は老人と若者の動きを真似、無言で良からぬ取引を交わす別の二人組になった。若者はかすかな空気の乱れを感じ、次に自分自身の変化を感じた。自信が生まれ、自分は強いという確信が生まれた。

　初めは、老人が何かを自分にかぶせたように感じた。腹が立ち、いいようにされてたまるかと思った。酒を飲まなくてよかったとも思った。だが、自信が強まるにつれて腹立ちは収まった。こいつはいい。前に聞いたことのある催眠術とは違う。若者は老人の言いなりになる僕《しもべ》ではない。対等だ。自分がこれまでにしてきたことはなんだってできる。それだけでなく、これまで想像したこともなかった能力もあると感じた。老人にはそれがわかっていたのだ。これまでの自分はがんじがらめに縛られていた。口のきき方も知らない能無しの若造だった。それを、この老人が解放してくれたのだ。若者は両手をテーブルの上に広げた。もうその手を恥じてはいなかった。椅子の背にもたれかかり、老人をじっと見た。

「感じているかね……そうだ……私の力がきみの力と出会っている。混じり合い、きみを包みこんでいる。きみは私の言葉を疑った。無理もない。こういうことを知る者はわずかだからな。だが、今きみは、疑った自分を疑い始めている。私の力がきみを覆っている。気づいているんだろう。さあ、それでは、とことん納得してもらうとしよう。この仕事をしてくれるなら、きみはあらゆる危害から守られるのだ。見ていろ！」

　老人はひらりと壁のほうへ向きなおると、鞘に入れずに掛けてあったトルコの新月刀をつかみ取り、長い柄を持って頭上で旋回させてから、全力で若者の右手首に振り下ろした。

　若者は叫んだ。「わっ、おい！」

「痛かったかね？」

「いや。驚いただけだ、というか、あんたがそんなことをするとは思わなかった」

「はは。その刃先を見なさい。触れてみなさい」

「うわっ！　まるで剃刀《かみそり》だ」そこまできてようやく、若者はとんでもないことが起こったと気づいたようだ。声がうわずり、悲鳴になった。「これ――でも――あんた

――そいつで力一杯おれの手首を切ったよな。あんた――あんた――こんな刀で切ったらテーブルだって真っ二つだ。なのに、あんた――」

「そうだ。手首を見なさい」

　若者は自分の手首をしげしげと眺めた。「何もない。あざ一つない」

「当然だ。私の力がきみを守っていると言っただろう。そこの暖炉の脇の箱から丸太を一本取ってくれ」

　若者は直径が三十センチばかりもあるオーク材の丸太を持ち上げ、テーブルの上に載せた。「ほら、見ていなさい。私の力はその丸太を守ってはいない。だから――」老人はまた新月刀を振り上げると丸太の上に振り下ろした。丸太は真っ二つに割れた。

　若者は目を剝《む》いた。「すげえ《ジー》！」

「この刀はきみが言ったようにテーブルだって切り裂くだろう。だが、きみを切り裂くことはできない。何もだ。何もきみを傷つけることはできない。危険ときみの間に私の力が立ちはだかっている。だからきみが、私の、ああ、それと僚友のためのちょっとした仕事をするにあたって冒すリスクは、ここからきみの家まで歩いて帰る際のそれより小さい。これで納得したかね？」

　若者の顔はぽかんとして無表情だった。だが、五感と脳は興奮で湧き立っていた。「あ、ああ。こんなすごい奇跡を見せられたら……」

「奇跡ではない。少なくともきみが考えるような奇跡ではない。事実だ。一般に奇跡と呼ばれるものは、知識を応用した結果生じる事実にすぎない。さあ、このちょっとした仕事をやってくれるかね？」

「まあ、絶対に真っ当なことだっていうなら――やるよ。だけど、おかしなことに巻き込まれるのはごめんだ」

「絶対に真っ当だ。いろいろと事情があってそれを証明することはできないがね。私の言葉を信じてもらうしかない。きみが危険から守られることについてはすでに証明済みだ。恥ずべきことなど何一つない。貴重な遺物を本来の持ち主に戻すだけで……」

「それで、おれは何をすればいいんだ？　そのブツはなんだ？」

「その遺物は――」そこで老人は声を低めた。大きく見えていた体が、ほんのわずかの間、縮んだように見えた。「磁器《じき》の酒杯《しゅはい》だ」

「ジ――なんだって？」

「磁――焼き物の杯《さかずき》。焼き物のただの杯だ。だが、とても古い。そして歴史的価値が非常に高い。きみはそれを相手から取り上げて、ここに持ってくるだけだ」

「取り上げてって……向こうはどう出る?」

「それなりに抵抗するだろう。だが、その男が何をしようときみを傷つけることはできない。その点はわかってもらえたと思ったのだが」

「ああ……うん……まあ……そうだな。つまり、やりあっても、おれはさっきみたいに守られているから、そいつの武器は、あの刀みたいに、おれには刃が立たない。そういうことだろう?」

「その通り」

「簡単には信じられない話だよな。夢みたいじゃないか」

「だが、きみはあの刀による証拠を見たではないか。これからさらなる証拠を目にすることにもなるだろう。では、これから言う指示に従ってもらおう……今夜、十一時半に一人の男がスローン・ストリートの家を出て、スローン・スクエアに沿って歩いてくる。眼鏡をかけた小男で、黄褐色の外套を着て、山高帽をかぶっている。書類鞄を持っているはずだ。鞄を持っていない場合、酒杯、いや、杯は外套のポケットに入れているだろう。地下鉄ディストリクト線の駅の脇の狭い通りに入っていく。ピムリコ・ロードに向かうはずだ。男がその通りに入ったら、近づいて鞄をひったくるか、ポケットから杯を取って私のところに持ってくるんだ」

若者は、この大胆不敵な計画に興奮し、へっと笑った。

「簡単そうに言うじゃねえか」

老人は腕を組み、若者を冷ややかに見た。「簡単なはずだ」

若者が立ち上がった。「ああ、そうだろうな。この部屋で起きたことも全部、あんたは信じさせたんだからな。理屈はわからないけどあの刀でやったことを見れば……」

「よし。信じたな。私が望むことをできるとわかったんだな。ほら——」老人は上着の隠しに片手を差しこみ、札束を取り出した。「五十ポンドある。数えてみるといい」

若者は目を見開いた。「げっ! おかしいだろう。何もしないうちに払うなんて。仕事を片づける前だってのに」

「きみはやる。私の誠実さの証にこれを渡す。きみの誠実さは仕事を遂行することで証明するんだ」

「だけど、おれが獲物を持ってずらかったら?」

「きみは獲物を持ってずらかったりしない。ひとつには、きみはそういう人間ではないからだ。私にはわかっている。それに、獲物には五シリングの値打ちもない。酒杯——あの焼き物の杯に商品価値はない。売ろうとしても売れないだろう。だが、私なら――」わずかの間、老人は若者の存在を忘れ、再び部屋いっぱいに膨れ上がったように見えた。「私は、あの酒杯によって、あらゆる美の支配者となる。あのブール博物館の酒杯があれば、私はすべてをこの手に――」

「あんたの手がどうしたって？」

　老人は冷静さを取り戻した。「うむ――その杯を取り戻すことは立派な行いだと言ったんだ」

「だけど、たとえばおれがバスに轢かれたら？」

　老人は舌打ちをして苛立ちをあらわにした。「何度言えば気がすむんだ。この件に関わる限りきみは保護されている。今も、これからも。この件に起因するいかなるものもきみを傷つけることはない。今だろうと、いつだろうと。私がきみを守っている。さあ、覚悟はできたかね？」

　若者は一瞬だけためらった。それから言った。「ああ、やってやるさ」

「よろしい。今十時半だ。スローン・スクエアまで行く時間は充分ある。指示は与えた。間違いは犯すな。十二時過ぎには戻ってこられるだろう」老人は部屋のドアを開け、廊下を通って玄関まで案内した。

　若者は軽い足どりで肩を揺すりながら歩き出した。まっすぐ前を見据え、しっかりした足どりだ。若者の顔には、この一時間の間に、はっきりした個性が現れていた。彼自身はそのことに気づいていない。気づいているのは気分がいいことだけだ。ポケットにある五十ポンドのせいなのか、あの部屋で目撃したことのせいなのか、あるいは別の何かのせいなのか、若者にはわからなかった。いい気分であること、言いつけられた用事をしにいくこと、それだけわかっていれば充分だった。

　歩を進めながら、ひとり考えにふけり、忍び笑いをもらした。「すげえ《ジー》！　奇跡の時代かよ。あんなのを見たなんて誰かが言ったら、しかもこのあたりで……あいつはカリガリ博士（一九二〇年に公開されたドイツ映画の登場人物。夢遊病者を使って連続殺人を犯させる）だ。びびるよな、ふつう、あんなものを見せられたら。だけど、そうじゃない。おれは全然そんなふうに感じてない。追いはぎをして逃げる。だけど真っ当な仕事だ。盗っ人から取り戻して元の持ち主に返すだけだ。ほんとにあいつらのものなのか？　でもまあ、あの爺さんは信じてよさそうだ。それに、真っ当な仕事じゃなかったら手を出さないってはっきりさせたしな。後ろめたいところはない。五十ポンドも手に入れた。途中でうちに寄って置いていこう。厄介なことが起こって、うまくいかなかったときのために。そうしとけば、うちの連中はこの金でなんとかやれる。だけど、うまくいくさ。あの爺さんとなら何もかもうまくいく気がする」

十一時半には、地下鉄ディストリクト線スローン・スクエア駅そばの暗がりで待ちかまえていた。十五分前からそこにいて、もう怯えてはいない。バスを待つよりも落ち着いた気分で十一時半になるのを待っていた。もうこれからやる仕事についてあれこれ考えてはいなかった。現実の外側にいて、半分眠っているような気分だ。深く考えなくなっていた。その男が現れたときでさえ、心拍数は変わらなかった。

男は、十一時半を三分過ぎたころに現れた。スローン・ストリートから公園に向かってきた。眼鏡をかけた小男で、黄褐色の外套を着て山高帽をかぶり、書類鞄を手にしていた。足音を立てず、用心深い顔つきで舗道だけを見て歩いていた。目を上げることなく若者を追い越し、脇道に入った。若者は、自分もその方向に行くつもりだったというように、さりげなく後に続いた。

だが、道の半ばの、街灯が薄暗くなっているところまで来ると、若者は足を速めた。二、三歩で男のすぐ後ろにつき、目にもとまらぬ速さで男の手首を片方の手でつかみ、もう片方の手で鞄をひったくった。

簡単だった。次に何が起こるかわからなかったが、若者は素早く向きを変え、走ることなくスローン・スクエアへ向かおうとした。だが、これはそう簡単ではなかった。三歩も行かないうちに小男が後ろから羽交いじめにしてきた。これほどほっそりした男からは想像もつかない、鋼のように強靭な二本の腕が身体をしめつけた。若者は後方によろめいた。鋼の腕の片方が若者の腕を下へと伝いおり、鞄をつかもうとした。若者は鞄の持ち手を握りしめ、激しい勢いで片足を後ろへ蹴り上げた。相手の向う脛に当たり、その衝撃で締めつけていた腕が一瞬緩んだ。その隙をついて相手の腕をすり抜け、かがみ込んだ。

鞄を持っているのとは反対の腕を小男の膝の後ろに引っかけ、もろともに倒れた。互いのあえぎ声だけが聞こえる中、二人は無言のまま舗道の上で取っ組みあった。小男は殴りかかってはこなかった。ただひたすら鞄を持つ手を剝《は》がそうとした。何がなんでも離すまいと抗《あらが》いながら、若者は起き上がろうともがいた。次の瞬間、小男がふいに動いたかと思うと、若者は相手の下になり、首を縁石につけた状態で仰向けにされていた。不利な体勢を逆転しようと必死にもがいたが、幾らもたたないうちに無駄だとわかり、喉がからからに干上がった。

薄明りの中で小男の手がさっと外套に伸びるのが見え

た。次にその手が上がり、そこにあるものに薄暗い灯りが反射した。開いた剃刀の刃だ。

　若者の左手はまだ鞄の持ち手を握りしめていた。右手で小男を押しのけようとしたが勢いは弱く、相手の強い左手が若者の腕を押し戻した。剃刀が振り下ろされるのが見えた。本能的に目を閉じた。剃刀が喉を切り裂くのを感じた。首の両側にまで深く食い込んだ。ごぼごぼという音が出て、気が遠くなりそうだった。

　まぶたが開いたのは筋肉の反射にすぎなかったが、そのときになって、忘れていたことを思い出した。おれは守られているんだ。開いた目に映った相手は半ばしゃがみこみ、体を引いて、若者を、その首を、恐怖の色をたたえた目で見つめていた。今度もまた反射的に若者は首に手をやった。首はなんともなかった。傷はない。痛みもない。小男は開いた剃刀を手に、ほうけたようにその刃を見ていた。一点の曇りも汚れもなかった。

　鞄をつかむと、若者は体を回し、立ち上がった。小男は若者にすがるようにして身を起こし、手を伸ばした。

「おい――鞄――私の鞄だぞ」それは命令というより懇願だった。若者はそれを無視した。その場を離れようとすると、腕っぷしの強い相手が弱々しく手を伸ばして引き留めようとした。「鞄――私の鞄だ」

　一人の警官が角を曲がって現れた。二人の男の埃まみれの服とちぎれた襟を目にした。「どうしました?　何があったんです?」

　若者が答えた。「なんでもないよ。ちょっとしたいざこざだ。もう終わりにして行くところだ」

「それがいい」

　小男が何かを言おうとした。「やつ――やつが――そいつが――」それ以上の言葉が見つけられないようだ。

「はい、この人が何をしたんです?」

「やつは――こいつは――こいつは――」

「ほらほら。いいかげんにして家に帰んなさい。で、たっぷり水を飲みなさい」

　若者は「そうだな」と答えると、書類鞄を手にさりげなくスローン・スクエアの方向に進んだ。背後で小男が「だめだ、だってあいつは――やつは――やつは――」と言っているのが聞こえた。それから警官がこう言うのも聞こえた。「ほらほら――歩いてください」警官が小男に手を振ってピムリコ・ロードのほうに向かわせ、小男がそれに従うのを目にした。

　地下鉄ディストリクト線の駅のホームで若者は東行きの列車を待った。待っている間に四回「すげえ《ジー》!」と口に出して言った。笑いたい気分ではなく、畏れを感じていた。少し吐き気もした。怪我をしたからではなく、怪我をしなかったからだ。

　三十分後、若者は老人に鞄を届け、家に帰った。寝床に入るとぶっきらぼうな祈りの言葉を一言だけ口にした。

「ジー《Jee》！（ジーJeeはジーザスJesusから派生した感嘆詞）」

　それから一週間、若者の暮らしは順調だった。五十ポンドという莫大な蓄えから使ったのは、一度に半クラウン貨か五シリング貨を何枚かだけだ。半端仕事で得た金だと言って母親に渡した。家族の夕食用にと美味いものを買って帰った。妹に前から必要だった靴を買ってやった。前途は洋々だ。あの金が尽きるまでには必ず仕事が見つかるだろう。ほんの少しの幸運が次の幸運につながるのはよくあることだ。あるいは、あの金を元手に小《こ》商《あきな》いを始めてもいい。十ポンドか十五ポンド出せば、露店の共同経営者になれるだろう。

　とにかく、彼は再び自分の足で立っており、すべてはうまく収まった。自分をあの「とんまな爺さん」と同等だと思いそうにすらなった。「とんまな爺さん」というのは、コーヒーショップで会った老人の話をフレッドとするのに使った呼び名だ。だが、あんなことがあったあとでは、もうそうは呼べない。少し怖かった。雷鳴や稲妻を嘲笑《あざわら》うようなものではないか。もっと敬意のこもった呼び方が必要だが、あれほどの力をもつ人間にふさわしい言葉は思いつかなかった。あの晩の出来事について彼が思いつくのは、小学校の宗教の時間に聞きかじったことくらいだ。太陽を止めた（旧約聖書ヨシュア記第十章　ヨシュアが主に「日よ、ギベオンの上にとどまれ、月よ、アヤロンの谷にやすらえ」と願うとその通りになった）とか、溶鉱炉の中を歩いた（旧約聖書ダニエル書第三章　ネブカデネザル王の像を拝むことを拒んで溶鉱炉に投げ込まれた三人のユダヤ人は神とともに炎の中を歩いた）といった話だ。だが、ありふれた街外れの、通り三つ隔てたところに住む老人をそういう存在と同格に扱うわけにはいかない。学校で聞いたのは聖人の話だったが、あの老人は聖人ではない。とはいえ、驚嘆すべき人物であることは間違いない。若者は、なんとか折り合いをつけるため「すげえ爺さん」と呼ぶことにした。

　その週、首に小さな痛みを一度か二度感じた。だが、鏡に映して見ても何もなかった。しみ一つない白い首だ。ふだんと変わらない。あの小男が切りつけようとして首をつかんだとき、小さな骨が軽くねじれたんだろうと思った。そういうことはたまにある。土曜日にフットボールをして、次の週の半ばになるまで痛みに気づかないなんてことはしょっちゅうだ。二度目に痛みを感じてからはもう気にしないことにし、ひたすら金の使い道を考えて楽しんだ。

　あのちょっとした冒険から九日後、ニシンの燻製が二切れついた夕食を七時にとった若者は、四間きりの小さな家の客間に行った。夕刊と、公共図書館で借りた本を読むつもりだった。難しい本だが、どうしても読まなくてはならない気がしたのだ。古代の魔術に関する本だ。

　三十分後、友人のフレッドが訪ねてきた。若者の母親は玄関の扉を開けた。「いらっしゃい、フレッド」

「こんちは、おばさん。ジョーはいる？」

「ああ。客間で新聞を読んでると思うよ」

「ちょっとしたニュースがあるんだ。あいつ、ハリーのコーヒーショップで会った爺さんのこと話してなかった？」

「いや。聞いた覚えはないね」

「そうか。さっき爆発音が聞こえただろう？」

「そうだったかね。かもしれない。そういや、聞こえた気がする。だけど、このあたりじゃいつだってその手の音がしてるじゃないか。トラックが大きな音させたりさ。いちいち気にしてられないよ」

「それがさ、その爺さんが自分で自分を吹っ飛ばしたんだ」

「自分で自分を吹っ飛ばした？」

「ああ。実験かなんかやってたらしい。それで、家も自分も木っ端みじんにしたんだ。建物の前のほう全部がそっくり吹っ飛んだ。この目で見てきたところだ。野次馬が集まってる。すげえ数だ。ジョーも見にいきたいだろうと思ってさ」

「ああ。あの子ならあっちにいるよ。あたしは洗い物の途中だから」

　フレッドが客間のドアを開けて中に入り、話しかけた。「おい、ジョー、あの――」次の瞬間、ブラウン夫人の耳に悲鳴が聞こえた。あわてて廊下に出ていく。「どうしたんだい、フレッド？　何があったんだい？」

　フレッドが後じさりをして廊下に出てきた。顔色は真っ青で口がぽっかり開いている。片腕を出して夫人を制した。「中に入るな。こっちに来るな。そこにいろ」

「なんで？　どうして？　なんだい？　なんだっていうんだよ？」

　だがフレッドに言えたのはこれだけだった。「だめだ、中に入るな。あいつの喉！　喉が！」

ロンドン・ミステリーゾーン：ウェストミンスター宮殿（国会議事堂）

# 哀れなる友

My Poor Friend

ロバート・エイクマン

Robert Aickman

植草昌実訳

ウェストミンスター宮殿（1920年代）

【場所】ウェストミンスター宮殿は、ロンドンの中心、テムズ河畔に中世から位置している。現存するもっとも古い箇所は赤顔王ウィリアム二世（在位一〇八七―一一〇〇）によるものと言われている。議会の場としては十三世紀から用いられていた。一八三四年の大火で大部分が焼失し、建築家チャールズ・バリー（一七九五―一八六〇）の設計によるゴシック様式で一八六七年に完成。現在も貴族院・庶民院を共に擁する国会議事堂として機能している。

【著者】ロバート・エイクマン（一九一九―八一）は自作を怪奇小説ではなく「奇妙な物語」と呼んでいた。『幻想と怪奇10』所収の「眺望」などの既訳作品をお読みの方は、ふさわしい呼び方だと納得されることだろう。つかみどころのない奇妙な物事が恐怖を引き起こす過程は、三冊目（単独では二冊目）の作品集 *Powers of Darkness*（1966）に収録された本作でも、見事に描かれている。語り手は「内陸水路協会」を設立し運河と河川の保護をしてきたエイクマン自身を反映しているのかもしれない。それにしても、イギリスの政界を舞台としたホラーは珍しいのではないか。すぐに思い浮かぶのはモームの「マウントドレイゴ卿」くらいなのだが。

発電のための地域河川活用を目的とする協会に雇われていた頃のことだ。このような団体にはよくあることだが、その協会も熱意ある個人が始め、不思議なことではあるが、ほどなくしてその収入のほとんどを、成功の可能性が高い企業との合同事業に依ることになった。創設者のウィクリフ・ベセマーは恰幅のよい、赤い髪が薄くなりかけた中年の農業技師で、イギリスの未来は比較的小規模で、自給自足の可能な〈農村〉という共同体の復権にかかっている、という確信を持っていた。その一方で、人間らしさに欠ける電力事業カルテルや、揉め事を起こしがちな公共事業の請負業者に、活動資金の大半を依存しなくてはならないことに悩んでもいた。

　時がたつにつれ、先を読む才覚はあるが鈍重なベセマーは、皮肉にもさらに重荷を負うことになった。彼の他の職員が都市部の出身者であることには、彼もすでに気づいていた。かれらのほとんどが、国家の未来よりも発電技術の細部について飽かずに議論するほうに熱心であることは、私もとうに気づいていた。ベセマーもまた、自分では気づいていなかったが、発電技術に通暁していた。結局すべての発端は、彼が個人的な趣味を自分の義務にまで拡大解釈したところにある、と私は思っている。

　私はイ《I》ンペリアル・ケ《C》ミカル・イ《I》ンダストリーズ（一九二六年に設立された化学企業グループ）を退社後、協会に入った。三度目の転職だった。シェル・メックス（石油会社シェルが一九一九年にメキシコのイーグル石油会社を傘下に収めて設立した会社）とも、ジョン・ルイス・パートナーシップ（一八六四年から始まる大手小売事業会社）とも折り合いがつけられなかったのだ。当時の妻ヴァージニアは私に、もっと小さな会社で働けばもっと楽にできるのに、と言った。家鴨《あひる》は体に合わせて池を選ぶもの、と。二、三週間を見込みのない応募と面接に費やしているうちに、〈デイリー・テレグラフ〉に募集元の名前はなく私書箱番号だけが記載された求人広告が目に入った。その広告主がベセマーだと知ったのはあとのことだった。ある全国規模の公共団体が事務書記官を求めている、という広告だった。

　あとでベセマーから聞いたが、応募書類は六百通に及んだという。その中からなぜ私が選ばれたのかはわからない。思うに、彼は選ぶのが億劫になったのではないだろうか。給料はＩＣＩの頃の半分を少し超えるくらいで、何の手当もつかなかったが、ヴァージニアに言わせると、私は商業主義の轍《わだち》から抜け出すチャンスを摑んだらしい。彼女自身、考えられるかぎり最大の犠牲をはらった、と考えているようだ。双子の娘については何も言わなかったし、夫が本当に求めるものを見抜いている、と思っている節があった。そうにちがいない。新しい仕事は経験したことのないもので、もどかしくもあったが、これほど性に合う職場は初めてだった。

　事務書記官の仕事は、あらゆる雑用である。ほとんどすべてのことをしなくてはならない。他に雑用をさせられそうなのは、パートタイムのタイピストくらいだったが、まるで気のまわらない既婚女性だったり、若いというよりは幼いような娘だったりで、雑用を頼めそうになかった。タイピストは私の在職中に、十六、七人は交代したのではなかったか。

　ベセマーは農業関係の仕事に専念しており、ほかのことに時間を割く余裕はなさそうだった。彼が仕事の報告をする週はほとんどなかった。たまに、彼の妻が行間を詰めてタイプ打ちした、協会の名入りの便箋に五、六枚の報告書を渡された。内容にはだいたい、三つの要素が混じっていた。ベセマーの友人である職員たちが、私に隠れてか、あるいはわざと私を外して彼に伝えた、不満やひどく非現実的な提案。ベセマーが日頃の仕事を把握していれば出すこともなかった、あれやこれやの指示。そして、ベセマーが日頃から自分の哲学と称している、その実はおおむね放言や不平不満にすぎない、長い段落。協会の事務所が、グレイズ・イン・ロード（カムデンにある通り。司法と学術の関連機関が集まる）の外れにあるビルの二階にあったことは、特に書いておかなくてもいいだろう。タイピストのことを気にせずに済むのであれば、しばらくのあいだ、もっと稼ぎになることもできたことだろう――たとえばセイリングとか、〝努力しないで出世する方法〟とかを教える通信講座などを。

　などと考えずにはいられない職場ではあったが、そんな胸中を誰にも気取られないよう、私は気をつけていなくてはならなかった。その必要はなかったと、今は思うが。私には理想主義からの脱却が必要だった、というヴァージニアの考えは正しかったし、ベセマーの理想は説得力があり、理解しやすく、論拠もしっかりしていた。私見だが、ベセマーの計画を実施すれば、われらが大英帝国はよりよい国になるだろう。ベセマー自身にその仕事を任せようとしても周囲の理解は得られないだろうが、先駆者は行政の幹部ほどには理解されないものだ。私もそれをすぐに実感することになった。私が疑念を抱き、最後には辞職したのは、国会、それもあらゆる公共事業、あらゆる理想、あらゆる人格とあらゆる希望を検分する庶民院（貴族院とともに両院制議会を構成する議会）との接触ゆえにだった。

　私の考えなど誰が知ろう。私はヴァージニアを相手に何時間も、何カ月か続けて話したが、妻に話したからといって、家の外に出てしまえば何の意味もなさない。だが、ウォルター・エンライトが凡百の議員とは違っていたことだけは明言せずにはいられない——その後どうなったかはさておき、どういうわけか、私が親しく付き合った議員は、彼一人だけだった。私が友と呼ぶのは個人的な付き合いのある相手で、仕事など私的でない相手は、付き合いがあっても友とは呼べない。議員という人種は例外なく、公的な付き合いの相手だ。かれらは友人にはできない。

　私がこの協会に雇用されたのは、評議会がウェストミンスターでの事業のための〈議会内委員会〉の設立に手を着けた頃だった。評議会は、めったにお目にかかれないような有名人ばかりで占められているにちがいない、と思っていた。だが、そうではないとすぐに気づいた。ホームカウンティ（ロンドン周辺の諸州）の一つの、革新派の元市長と、かなり著名だが高齢でもあるナチュラリストの二人を除くと、世間で名を知られている人はいなかった。関心を惹くことのなさそうな評議会だ。最初の会議から一年ほど経っているというが、評議員の三分の一ほどしか出席していない。議会内委員会に関することを除いては、ほとんどベセマーが一人でしゃべっていた。その内容は誰もが重要と考えていることのようで、委員会の発足が近いことを付け加えた私も注目を浴びることになった。それは、南アフリカに行った前任者が片付けていってくれた仕事の一つだったが、人が作った道をたどるのは自分で道を開くよりも難しいものだし、自分の発言が称賛されたようには思えなかった。

　協会の仕事を辞めるまでに、何度も議員内評議会は傍聴し、国会の傍聴もしたが、それもすべての評議会に出席したのが私だけだったからで、本来それは協会の代表者がすることだった。議会内の〈地域電力委員会〉は私の辞職後も開かれ、ベセマーが事故に遭い協会が解散するまで続いた。

　もちろん、国会も続いていた。

　国会議員は自分では投票先を決められず、上から指示される——というのは、今となっては悪い冗談としか聞かれないが、かれらが議員生活のほとんどのあいだ議論していられるのは、自分が決定権を持ち、それゆえに議論に参加できる、という前提があるからだ。国会のことをいくらか知っている者たちの中には、議論すること自体が悪い冗談だ、という者もいる。自分とかかわりのない議題のときにはいつでも、不意に議場を出ていって、下院の控え廊下をぶらぶらしている議員たちがしばしばいるからだ。さらに、かつては生まれながらに権力を用いるよう訓練された者たちによる政治があったというのに、その希望を私たちが捨てたことや、政治家たちが権力を得るために闘争や中傷、非難や甘言、操作や賄賂《わいろ》や陰謀を駆使し、権力を維持するために闘い、中傷や非難の応酬をし、甘言を弄し、操り、賄賂を渡し、陰謀を巡らせなくてはならなくなっていることこそ悪い冗談だ。という連中も少しはいる。もっとも、権力に固執する者は男であれ女であれ、少なくともある特定の、明らかに望ましくない共通項を持っているが。政府は――あらゆる政府は、と言いたいところだが――きわめて不完全なものなのだろう（だから、小規模であることが望ましい）。それでも理想は掲げていたいものだが。

　政治は世襲制によるものか代議制によるものか、このような一般化はよく話題にのぼる。だが私は、実際に政府がどのように機能するかが気になって仕方がなかった。

　長いあいだ、政府は目に見える形をとらないまま運営されている。だが、大英帝国において重要なのは、広報活動の迅速な展開である。役割を理解している公的機関は、議会内の批判者や反対者を排除せず、放牧場よろしく居場所を作った。したがって、反逆者になることはほぼ不可能になった。反逆者は放牧場で飼い慣らされ、組織に組み込まれるようになった。自己主張ができるようになれば、辛抱強く耳を傾けてもらえる。その主張を文書で提出するように要求される。合同委員会への出席を認められる。批判が建設的なものであれば、叙勲されるかもしれないとそそのかされる。「私たちの反逆者コレクションを御覧ください。私たちが強く、重要であり、正しい道を進んでいることを証明するものです」スピーカーズ・コーナー（自由に演説できる場所。ロンドンではハイド・パークにある）ではおなじみの話法だ。きわめて英国的で、見事に順応性があるが、中身は何もない。それに直面していたのに、ベセマーは何も知らず、十九世紀の伝道師よろしく出てきた。地雷火を十分に深く埋めるまでもなく、自分が放牧場に囲われることに気づかなかったらしい。彼の批判的な主張が、柔道よろしく敵を有利にしているとはわからなかったのだ。悲しいことではあるが、政府の手管に打ち勝つ望みが得られるのは、実際に政府にダメージを与え得る力によってだけだ。

　議員というものは、私が先に挙げた条件を満たす人材――何をおいても闘いに、さらに圧力、賄賂や陰謀に堪えられる人材――だが、かれらは権力を得た結果、非人間的な機械になってしまった。内なる葛藤に、わずらわしい日常生活が、さらに〈選挙区調整〉が加わり、立法のために闘うはずの議員は、有権者相手に補完年金や手術器具を調達する者になりさがる。こうなると、もう手の施しようがない。候補として選ばれる前にはそうでなくても、退化は避けられない。仕事に慣れた〈政治屋〉に特有の主張は、給料の増額と、都合に合わせて（自分に有利になるように、ではなく）午後から始まる議会を朝から終日やるようにという要求だ。

　いかにも、私は皮肉を込めて言っているが、それというのも、ベセマーと共に放牧場にいたのは私だけだったからだ。もちろん、いくらか知っていることもあるが……その話はよそう。それよりエンライトの話をしよう。エンライトは特別だ。

　初めて会ったときから、彼が特別な人物である――少なくとも私にとっては――とわかった。彼と知り合ったのは、ウェストミンスター宮殿で幽霊たちのあいだにいたときでなく、ヘイヴンゴア夫人のパーティでのことだった。ヘイヴンゴア夫人は、地域発電しか頭にない私にとっては、特に興味を覚える相手ではなかった。彼女は大柄な中年婦人で、ライチェスターの豪邸に住み、毎日を狩猟をして過ごしていた。頻繁に開くパーティに招待する名士たちは、地域発電に関心を持ってはいない（狩猟を通して知り合ったのだから当然か）というのに、夫人は十分ほどのスピーチをしろと、私に強要してきたのだ。前に押し出される私に向けたヘイヴンゴア夫人の目は津々たる興味に輝き、顔は上気していたが、他の客たちには私などいないも同然だった。かれらの知識は私を軽く上回り、その態度は辛辣さを秘めていた。このような反応には（他の多くの機会と同様）、最初にパーティに出席したときから気づいており、その後も顔を出し続けていたからといって、私の演説への関心が増しはしなかったが、夫人だけは例外だったのだろう。パーティが終わると、私はロンドン行きの最終列車をつかまえにメルトン・モーブレイ（レスターシャー州の町。チーズとポークパイで知られる）の駅に急いだが、それというのも鉄道の運賃が協会が交通費として認める上限額だったからだ。

　ウォルター・エンライトは、レスターシャーは彼の選挙区からは遠いというのに、その前の週のパーティから出席していたという。そのときは一人で来ていて、終始ヘイヴンゴア夫人に捕まっていたらしい。国会は休会中だったが、無礼とはどういうことか知り、喧嘩さえ選択肢のうちに考えている夫人は、どのような状況にあっても彼を捕まえたことだろう。社会活動をするには有益な才能だ。

　エンライトは部屋の奥にある、褪せた更紗《さらさ》の覆いをかけた椅子に座っていた。彫りの深い顔はきちんと髭を剃ってあり、髪は驚くほど丁寧に整えていた。珍しい銘柄の煙草を喫っているのと、あいだの狭い青い目が輝いているのが目を惹いた。彼は痩身に灰色のスーツをまとっていた。

　私の形ばかりの短いスピーチには、彼は興味を示しはせず、自分の抱える問題で頭がいっぱいのようだった。他の客たちからの礼を失した接触を避けようとしているのが見てとれた。すぐに立ち上がるとドアのそばに移り、人込みからは離れたまま、落ち着かなさげなそぶりをしていた。

　ヘイヴンゴア夫人は、社交辞令の輪の中から私を引っぱり出すと、かの客人の前に連れていった。

「この方は本当に、大きなことをしてくださるでしょう」夫人は言った。「グローヴァー＝ステイシーさんのお話、すばらしいものでしたわね」

「実に良いお話でした」エンライトは床に目を落としたまま言った。「敬服しました」

「ありがとうございます」私は答えた。

「このお話を議会でもしてもらえるようにはできないかしら」夫人は懇願する口調になった。

「考えておきます」エンライトの返事はそっけなかったが、他の客たちのもの言いから感じるような悪意はなかった。

「この人を首相に御紹介いただけて？」

「燃料動力省の幹部のほうがいいでしょう」

「そこからなら首相まですぐ伝わると信じてます」ヘイヴンゴア夫人が言った。

「いずれにせよ、次の議会まで待たないことには」

「どうぞお二人でお話しになって。あなたは納得したら実現させる人だと、わたしは知っていますから」

　ヘイヴンゴア夫人は退屈そうな群衆の中に去っていった。実際的だが興味の持てない話題は敬遠されるものだ。

　エンライトはようやく私に目を向けたが、また床に目を落とした。

「次の選挙に出るべきか否か」彼は言った。「まだ決めかねています」

「きっと最善の選択をなさることでしょう」言ってから、何も即座に答えなくても、と自分を咎《とが》めた。私はヘイヴンゴア夫人の客の一人でしかなく、彼女の真似をする必要はないのだから。

「そのつもりですが」エンライトは言った。「ちょっとした、しかし重要な決定があるもので」と言うと、精緻だが古めかしい細工をした金の煙草入れから、長い煙草を取った。

「お勧めせず失礼。自分用のブレンドで、他の人の好みには合わない煙草なもので」

「おかまいなく。私は煙草を喫《の》みませんので」私は答えた。

「私もこれ以外はやりません」ベストのポケットから円柱形の金色のライターを取り出し、音もなく小さな緑の炎を点した。唇のあいだに収まった煙草は、木製の造形物のように見えた。もちろんそれは煙草でしかなく、先端の火は赤ではなく黄色に光っていたが、煙は立ち上ってはいなかった。議場用にちがいない。煙草をふかしているエンライトの目は澄んでいた。

「なので」何の説明もなく、エンライトは続けた。「心機を一転させるようなものを探していたのです。あなたの提案は、まさに私が望んでいたものでした」

「私の話がお役に立てたようで、何よりです」

「閣僚からこのような話が聞ければいいのですが」

「同感です」

「議会内委員会を立ち上げましょう」

「委員会はすでにあるのです」

「仕事ぶりはどうですか」

「見てきたかぎりでは、良いとは言えません」

「どのくらいの頻度で開かれていますか」

「もうずいぶんのあいだ、開かれたとは聞いていません」

エンライトは興味をもったようだったが、そのそぶりも見せなかった。「そういうことなら、はっきり申し上げて、その委員会はすでに機能していません。国会には大学と似たようなところがあります。常にあらゆる問題が取り上げられ、そのたびに話題になるが、政府がそれに取り組まなかったり、その問題自体が耳目を惹くほど大きく取り上げられなかったりすれば、世間は忘れてしまい、他の問題に目を向けるものです。委員長は誰ですか」

「ビグルスさんです」

「その人が知り合いかどうかわかりませんが、何をすればいいか助言はできます。私としても、今後のために新たな仲間を得たいと思っています。次の選挙にまだ立候補してはいませんが、何かしなくてはなりませんね」

「ありがとうございます」俗人どもで込みあう部屋でも、私にはエンライトの煙草の香りがわかった。

「もちろん、詳しいことを教えていただく必要があります。会期が終わったら会ってお話ししましょう。外国に行く用向きもあるので、すぐにとは言えませんが。帰国した頃に一度、電話してください。お願いします」

「もちろん」私は答えた。「こんなにありがたいことはありません」

「くれぐれも御内密に。お忘れなきよう」

「とんでもない」私は言った。「忘れませんとも」

「ヘイブンゴア夫人にもお礼しておいてください。そろそろ失礼します」

「どうぞよろしく」

彼はすばやく、静かに去っていき、私もここにいる理由を失った。


エンライトは私に電話番号を教えてくれなかったし、電話帳にも記載はなく、自宅住所が載っているヴァッカーの『国会要覧』にも彼の名はなかった。焦って知り合いの議員に電話してみたが、その頃の二、三週間は助手がついていなかったので、焦りが治まったあとでも、もはや手紙の他に連絡のすべはない、と決め込んだかもしれない。国会の会期が新たに始まる前の週になって、エンライトの方から電話をよこしてきた。最初はなぜ電話をくれなかったのかと尋ねてきたが、私の話を聞いて、その晩ヴィクトリア・ストリート裏の彼の家に招待してくれた。私は六時に訪ねた。

そこは煉瓦造りの大きな屋敷で、建てられた一九〇五年頃にはあまりなかった建築様式のものだった。エンライト自ら、私を迎え入れてくれた。彼が着ているのが、ヘイヴンゴア夫人のパーティのときと同じ細身のスーツだったのと、顔色が青いことが妙に気になった。

「あのとき煙草をすすめなかったのは」彼は言った。「あのブレンドは誰の好みにもあうというものではないからなんだ」

「覚えていますよ」

「では、まずは一献」それ以上は何も言わず、彼はエドワード朝のデキャンターからウイスキーをグラスに注ぐと、ソーダサイフォンのレバーを押した。炭酸水が少し、音をたてて噴き出したが、すぐに止まった。

「駄目だな」エンライトが言った。中身が半分ほどのグラスを差し上げた。「これで許してもらえるかな」

「もちろんですとも。ありがとうございます」

「家のことは母がしているが、カートリッジを替えるのを忘れがちでね。したくないのかもしれない。何年か前に、交換するとき指を傷《いた》めて以来、慎重になりすぎているようでね。私は今は飲まないが、気にしないでくれたまえ」

「お気遣い、恐縮です」

「まあ、そこに掛けて」

広いばかりのその部屋は、目を惹くほどに乱雑だった。風に飛ばされたか、議会の書類が床にも家具の上にもまき散らされ、いたるところに子供の玩具が転がっていた。事務所を出る前に名士録で、エンライトは既婚者で息子が二人いることは調べていた。私は書類をまとめて大きな灰色のソファの真ん中に寄せ、端に座った。

　エンライトは書類の束を手に、部屋の中を行き来していた。

「きみの話を聞いたのが良いきっかけになったよ。海外出張のあいだにある本を読んだ。行かなければならない用向きだったが、そのあいだに、私にできることがある、と考えた。テシガーとかいう人の本だ。きみも読んでいるかもな」

「ベセマーの本ですね。私の直属の上司で、協会の設立者です」

「きみはどう思うかね」

「協会を、ですか」

「あの本をだ」

「最適の例示をしていると思います。あなたのお考えに近ければいいのですが」

「この件を国会の議題にすべきかな」

「私よりも、あなたのほうが適切な判断ができるのでは」

「ビグルスにも会って話したよ」

　この一言にはさすがに驚いた。国会議員がこのように動くことはもとより、聞いた名前を記憶していることすら、想像してもみなかったのだから。多忙にまぎれて覚えておくことも覚束ないだろう、と思っていたのだ。

「何と言っていましたか」

「これは私の印象だがね。ビグルスは別人になったようだった。知り合った頃の彼ではなくなっていた。すぐには誰か気づけなかったよ。まちがいない、酒がすぎたせいだろう」

　今度は驚かなかった。他の人たちからも聞かされていたからだ。

「哀れなやつだ」エンライトが言った。

「まったくです。地域発電の仕事はできそうにありませんね。おっしゃることはごもっともですし、ベセマー会長も同じように考えていることでしょう」

「気にすることはない」エンライトが言った。「きみが気を遣わなくてもいいことだ。一人でしたことだし。だが、気持ちは決まった。私が何をすればいいか、わかったのでね」

「会長も喜ぶことでしょう。議会内委員会はどんな様子か、つい先月も尋ねてきたくらいですから」

　エンライトは行き来していた足を止めた。こちらに向けた目は、怒っているようにも見えた。

「酔ってはいないかね」

「ぜんぜん」

「もう一杯どうかな」

「お気遣いなく。十分頂戴しました」

「炭酸水はないが」

「ありがとうございます。これで結構です」

エンライトはまた行き来しだした。

「一緒にこの件に取り組むのだから、妻のことも伝えておこう。遅かれ早かれきみに訊かれることだろうから、早いに越したことはない」

この言葉を聞いたときの私は、地域発電よりも興味深い話題を得たように見えたことだろう。

「妻とは別居している。もちろん一時的にだが。彼女に非はない。原因は私にあるのだし、そのうえ子供が二人いるものでね。一人だけでも大変なのに、二人だよ！まあ、どんな女性でも私と結婚すれば、ときどきは夫を忘れるために別居したくもなるだろう。見たまえ」

エンライトは床から、木製の赤いおもちゃの機関車を拾い上げた。もう一方の手で、下部の台枠についたいくつかの印、正確には小さな穴を指し示した。その穴は三日月を描くように並んでいた。

「こっちもだ」

エンライトは機関車の向きを変えると、今度は円筒形のボイラーの側面に、似たような穴が並んでいるのを見せた。

「歯だよ」そう言うとエンライトは、機関車を床に落とした。「ただの噛み痕だ」

私はどう答えればいいかわからなかった。

「お子さんたちに何か問題がおありなのでしょうか」

「あいつらは人間じゃないんだ。生かしておくわけにはいかない。だが、妻はそうは考えていないようでね」

「今より良い環境でお育てになるのがいいかもしれませんね」

「あいつらを置いておけるような場所はない。それは不可能だ」

それ以上は子供たちの話をしたくなかったので、私は「お気の毒です」とだけ言った。

「私が国会議員になったことは間違いだった、と妻は言うんだ」

「信じられませんな」

「妻に会えば信じられるだろう」

「国会議員の何がいけないんでしょう」

エンライトは床に落ちていた玩具の一つを蹴飛ばした。それは部屋の反対側まで飛び、分厚く製本した議事録が並ぶ書棚に当たると、ガラス戸が罅《ひび》割れた。

「家庭もない。愛もない。生活さえない。悲しいかな、それが真実だ。まったく信じがたい。堪えられない」

「次の選挙は立候補を見送るかもしれない、とおっしゃっていましたね」

「ああ、そのとおりだ」エンライトは声を高めた。「だが、そうもいかない。少なくとも、周囲の賛同がなければできないことだ。私に望みはないね」

「党規には抗《あらが》えない、ということですか」

「きみにも累が及ぶかもしれない。政治に限らず、今どきは政治に限らず、どの仕事もかくの如くだろうがね。私など手もなくひねられるだろう」

「知名度が高いほど加害されやすい、と聞きますが」

「まちがいない」エンライトは言った。「もっとも、私の場合は妻が手を回していた。私に不利なことを広めようとしてね」

「私にはよくわかりませんが、別居なさったのは良い選択のようですね」

「その一方で、わが友よ」エンライトは急に私の隣に座った。「こうは言いながらも、妻がいなければ、私は生きていけない。一杯つきあってくれ。それから有意義な話を始めよう」


　私は同意したが、ウイスキーは少しにとどめた。エンライトは落ち着いてきたようだった。そして、話題は地域発電のことになった。この問題への彼の取り組みように、私は大いに感心した。「するかしないか」の前に「どうするか」を語るような、凡庸なまねは決してしなかった。彼はいかにも議員らしく、議会で正確にものごとを運ぶことの重要さを、言葉に迷わず、時間をかけず私に教えた。半時間の話のあいだに、少量のウィスキーの追加もあって、この安定した語りの技術は飴にも鞭にもなる、と私は思いはじめていた。

「夕食につきあってくれるね」自分とのあいだに何らかの貸し借りのある議員の名を挙げていた彼は、急にそう尋ねた。

「お邪魔にはなりませんか」

「まさか。母にも紹介しよう。まだいけるようなら、遠慮なくウィスキーを注いでくれたまえ」

　ウィスキーはあまり好きではないのだが、好意は受けておいたほうがよさそうだ。

　部屋を出ていったかと思うと、エンライトは足早に戻ってきた。

「なんたる失態。今日は採決があったのを忘れていた。まだ間に合うだろう。すぐに戻って食事にするから、待ってくれたまえ。それまでは母がお相手するよ」そして、足早に出ていった。

エンライトの御母堂は、痩身で灰色の髪をしていた。髪だけではなく、目の色も顔色も、着ているものも灰色で、表情さえ乏しいように見えた。

「こんばんは、グローヴァー＝ステイシーさん」彼女は灰色の声で言った。「部屋着で失礼します。普段は食事の支度までは休んでおりますので。ウォルターはいつも、議会が終わってから、十時頃に食事にするのです。息子に合わせると疲れてしまいます」

「エンライトさん、わたしはもう失礼するつもりでした。どうぞおかまいなく、ご親切に甘えはしません。食事は帰って妻に頼みますよ」

「そうはおっしゃらずに、グローヴァー＝ステイシーさん。お帰りいただいては、ウォルターがわたしを許さないでしょう。お客がいらっしゃるのは選挙のときくらいですし。ウォルターは、あなたとお知り合いになれたのは結婚以上の幸運だ、と申しておりました。どうぞそのままお掛けになって、奥様のお話をしてくださいな」

「お話しするほどのこともありませんが」

私はしぶしぶ掛けたまま、四杯目のウィスキーの残りを飲み下した。

「息子は普段の暮らしでは、悲しい思いしかしていないのです。悲しいことばかりです」風になびく草原のように、声が震えていた。

「知らなかったふりはできません」私は答えた。「今しがた、息子さんからうかがったばかりですし」

「今となってはご存じない方はいないことでしょう」エンライト夫人は言った。「あの女は戯女《たわれめ》でした」

返答に困る言葉だったが、それでも人間扱いしないよりは、まだ理解できる。

「息子さんは、お子さんたちをずいぶん厳しく言っておられました」

「神のお許しからはあまりに遠いものですから」エンライト夫人の疲れた声は、目に見えるものなら灰色をしていたことだろう。

「神のお許しなどとは、また大げさな」

「お許しなど望めないと言いたかったのです。とても無理です」

私の言ったことへの返事としては妙だった。だが、それがどういうことか、知りたくもあった。

「もし差し支えなければ、ウォルターのお子さんたちがどうしているか、うかがえませんか。今、どこにいるのですか」

エンライト夫人は何も言わず、灰色の親指で私の背後の壁を指し示した。その指はいやに大きく、骨張って見えたのは、ここにいるあいだに落ち着かなくなっていたせいだろう。

「隣の部屋に?」

エンライト夫人は重々しくうなずいた。その仕草が少々気に障った。

「何も聞こえませんね」私は言った。

「ほとんどの時間は眠らされていますから。そうでないと、息子は議員としての仕事ができません。グローバー=ステイシーさん、あなたにはお子さんは?」

「おります。双子の娘が」

「おいくつ?」

「七カ月になったばかりです」

「見分けがつかないでしょうに」

「あと一人欲しいという気にはなりませんね」

「そうでしょう。子供はみな同じようなものですし。双子でなくてもどれがどの子かわからなくなります。でも、ウォルターの子供たちは違います。バスルームをお使いになったら、お手をお洗いになるとき、何が違うかはおわかりいただけるかと。バスルームだけでなく、この家のどこを見てもお気づきになるでしょう。ここから引っ越すとなったら、私たちはひと苦労するでしょうね」

続いた言葉には、私は彼女の顔をまじまじと見るほかなかった。

「お確かめになるのがよろしいかと」

この時代の間取りのお約束で、私たちがいた部屋は、長い廊下の先にあった。廊下にはドアがいくつも並んでいた。エンライト夫人は廊下に出ると、緑のドアの一つを指さした。私は歩み寄った。

そこはバスルームだったので、拍子抜けした。とんでもなく混沌とした部屋を覚悟してドアを開いたのだが、見たかぎりでは何の変哲もない、ただのバスルームでしかなかった。電灯を点けたときはたしかに、何の変哲もない、と思い、エンライトも母親もちょっとおかしいかもな、と考えもしたが、窓の周囲に妙な跡があるのに気づき、その考えを抑えた。四角いガラス板がはまり、蝶番《ちょうつがい》が上にある窓が開かれていた。その窓を囲むように、絵を描いたようなひっかき傷があった。さほど目立つものでもないが、かなり深く彫りつけてあるようだ。先端の鋭い鑢《やすり》でも使ったか、不規則に重なりあい、深く刻まれている。もっとも大きいものでも四分の一インチほどだが、窓を囲むようにびっしりと傷がついているのに気づき、驚いた。鋭い爪をもつ、小さな飛ぶ生き物が、外に出ようとして掻きむしった痕跡のようだった。いや、他に説明のしようはいくつもあるだろうが、一度そう思ってしまうとそのさまが目に見えるようで、それが飛び交う羽ばたきや、窓にぶつかり爪を立てる音が聞こえるような気さえした。いや、それではなく、それらが。

「おわかりになりましたね」

　エンライト夫人は私の背後の戸口に立ったままでいた。そのとき、窓がとても高い位置にあり、自分がバスタブの縁《へり》に立って、傷を近くで見ようとしていたのに気づいた。私は平静を装いつつ下りた。

「修理費を請求されるほどのものではありませんよ」つとめて落ち着いた口調で答えた。

「あの子たちは、ほんのちょっとのあいだにしてしまうんです。一、二分もあれば」

　あの乱雑な居間に戻る頃合だろう。

「何かあったのですか」

「あの女《ひと》は、息子を動転させるために、子供たちを外に出しました。部屋に戻すのが大変で。息子宛の特別郵便の袋とか、古い軍用の毛布とか、着古したレインコートとかを使いました。二人で怖ろしい作業をしているあいだずっと、あの女はろくに身なりを整えもしないで、ただ立ったまま、けたたましく笑っているばかりでしたよ」

　このあたりで、その夜の会話のあらましを書いておくのがよさそうだ。私は日記だけは詳細につけるようにしている。帰宅して間をおかずに書き記したことはまちがいない。

　もうこれ以上、エンライトの家にはいられない、と私は肚《はら》をくくった。

「エンライトさん」私は言った。「そのお話を私に聞かせたのは、なぜですか」

　互いになぜか座ろうとせず、立ったまま向かいあっていた。彼女は目を逸らした。

「お話ししたかっただけです、グローヴァー＝ステイシーさん。余計なお話をして、ごめんなさい」

「もうお暇《いとま》します。息子さんはきっと遅くなるでしょう」

「この頃は出ていくたびに帰りが遅くなるようです。帰ってこない日もあるくらいで」

「ええ、私も新聞記事でよく見ますし、他の議員から聞いたこともあります」

「息子の他にも議員のお知り合いが？」

「何人かは」

「議員たちはよくうちに来たものでしたが、それもあの女がいるあいだだけでした。息子と共に仕事をしている人たちなのに、今となっては誰も来ません。悪評が立ってしまった議員は敬遠されるものですが、息子には何もないのに、伝染病にかかったかのように扱われています」

　立ったままなのに、終わらせるのが難しい話になってしまった。

「お考えほど悪くはありませんよ。息子さんから聞きましたが、辞職するつもりだったのを友人たちが止めてくれたそうですから」

　エンライト夫人は笑みを浮かべた。言うまでもなく、灰色の笑みだった。

「一人だけ罰を免《まぬか》れさせるよりは、手元に置いておきたかっただけでしょう」

　比喩表現に悪意がこもるのは、日頃の生活ゆえにだろうか。

「これで失礼します」私はきっぱりと言った。「こう言っては失礼かもしれませんが、あなたや息子さんがお考えになるよりも、ものごとは良いほうに運んでいくように願っています。今は残念なようですが」

「もちろん」エンライト夫人は私を引き留めるように言った。「あの女《ひと》は綺麗でした」

「きっと今もお変わりないことでしょう」

「国会議員夫人の中でもひときわ美しいと書いた新聞もあったくらいでした」

　今度は私が笑みを浮かべる番だった。奥方が美しいと言われる国会議員は珍しくない。

「記事に書かれたとおりでした」

「失礼。帰りが遅くなりますので」

「御覧になって」エンライト夫人は、中に電気ストーブを収めた暖炉の上の、大使館や任意団体からの書状や広告といった、議員であれば避けられない大量の郵便物をあさりはじめた。「すぐに出せますから」

　その手にあったのは、なんとも美しい髪の、太い束だった。彼女はその両端を指先でつまんでいたが、そのまま左右に引き伸ばした。二フィートほどの長さで、一見するとケーブル線のようだ。

「結婚したときは、二人とも天使のようだと言われたものでした。どちらもこんなに綺麗な髪で、目は青くて。結婚式はもちろん、地下のセント・メアリー・アンダークロフト礼拝堂で挙げました。この髪は、そのときのまま艶々しています」

　真面目な話、私にはその髪が人工的な光を放っているようにさえ見えた。燐光を帯びた銀色の髪。たしかに天使の光輪のように光っている。

「どうぞお手にとって」

手を伸ばさずにはいられなかった。髪の束を受け取り、エンライト夫人がしていたように持つ。夫人がじっと見ているので、何かしなくては、と思い、束の両端に目をやった。一方の端には数限りない髪の先が見えた。もう一方には、気味の悪い褐色の染みがついていた。大げさに言うつもりはないが、どう見ても血のようだった。

私は髪の束を灰色のソファに置いた。髪は切ってからどれだけたっているのか、束のまま固まってしまったようで、重かった。

私はようやくエンライト夫人に別れの挨拶をし、家路を急いだ。


私は帰ってから一部始終を話したが、ヴァージニアにはまったく信じてもらえなかった。私がどこにいたかを疑ったわけではない。だいいち、妻に嘘などつけるものではない。妻は私の率直さは信じても、起きたことには懐疑の目を向けていた。

「問題は、若いほうのエンライト夫人が」スポンジケーキにスプーンを入れながら、ヴァージニアは言った。「生きているのか、それともすでに死んでいるのか」大学で身につけてきたぶん、彼女の方が私より話すのがずっと巧い。

「生きているさ」ケーキの層からレーズンを発掘しながら、私は答えた。「別居は一時的なものだ、とエンライトは言っていた。そう言ったときも、妙に強調するような口ぶりにはならなかったからね。別居の期間は本当ではなさそうだが、彼の言から、奥さんは生きていると考えられる」ケーキの黄色いスポンジの中に、レーズンが茶色の斑点のように散っているさまは、見るたびに不思議な気がする。

「エンライト夫人からも話を聞けたら面白いでしょうね」ヴァージニアが耳元で囁いた。

そのあと、彼女は分厚いペーパーバックを手に寝室に入り、私は以上のことを日記につけた。


翌朝、エンライトは電話をよこし、自分からもちかけた食事の約束を反故《ほご》にしたことを詫びたが（「時間がほしいときは遠慮なく言ってくれたまえ」と彼は言った）、それからの何週間かは、彼と顔を合わせても委員会がらみの話しかできなかった。ビグルスは、当然と言ってしまえばそれまでだが、委員長を辞任し、新たな委員長にはエンライトが就任した。ほとんどの委員は、はっきりした理由を告げないまま出席しなくなっていった。エンライトが新たな委員を連れてきたが、みな前任者よりも有能で活発、さらに手際もよいのが、ふた月もしないうちにわかった。さらに彼は委員会に新しい秘書を配した。郊外で家具の販売をしていた青年で、国会にかかわる仕事をするのはこれが初めてだった。彼の名はバーカーといった。いつどんなときもこざっぱりとした身なりをして、口ごもることを知らないかのように弁が立った。彼の地域発電への熱意は人一倍なようで、ベセマーを上回るほどにも見えた。もっとも、楽天的に過ぎるようでもあったが。

　私たちの成果の頂点は（この時点での話だが）、庶民院に四件、貴族院に六件の、動議の提出だった。私はすべての動議が議会でどのように審議されたかを日記につけ、報告書を挟んでおいてある。その頃、私はことに熱心だったので、審議のある日の報告書を、定期で送られてくる協会事務所分とは別に自分で購入し、一階に事務所を構える反レスリング協会に話をつけて、地下室に保管していた。

　私が傍聴した中には、休会後に開かれた審議もあった。開始が午前一時なのは、政府のものでない議題としては異例なほど早い開始時刻で、審議は四十分ほど続いた。私の他に傍聴者は十一人おり、地域発電で損害を受けそうな業者の代理人たちか、どこにも居場所のない不幸な人たちかに分けられそうだった。議場には議員が九人もいたが、しぶしぶ参加している様子を見せる者は一人もいなかった。議会を見慣れていない向きにはごく小人数に見えることだろうが、このような議題では多いほどだったし、エンライトが協会のために力を尽くしていることもわかった。まずエンライトが実に雄弁に、地域発電がわが国にもたらすものを概説したが、そのときには自分の選挙区のことも抜け目なく言及した。続いてバーカーがごく短時間のスピーチをしたが、これは議会のしきたり（どういうものかは忘れたが）に則《のっと》ったまでのことで、何かを付け加えるほどではなかった。討論の時間のほとんどは、私たちが戦争前に提出した公式な声明の要約を、政務官が読み上げることに充てられたが、そのあとは、時代が変わったのでこの議題を現状に当てはめることは困難で、危険でさえある、という方向に移っていった。だが、一人の侵入者によって、議論は思わぬ中断をすることになった（とはいえ、こういう場に慣れた者には意外でもなんでもなかった）。見事な禿頭をした貴族の老雄が、一九〇〇年代初頭に友人たち――残念なことに、彼を残してみな二つの大戦で命を落としたが――と行った発電実験について、議場で詳細に語りはじめたのだ。いずれの実験も結論に至らなかった。今ならば結論が出せるのではないか。もちろん、小川や水路のような小さなものではなく（と言ったとき、貴族の老雄は悪く聞かれないよう気をつけていた）。小川や水路での実験は子供の頃にしたのだから。そう言って彼は笑ったが、むしろその話は現実感がないように聞こえた。

　真面目に取り組む人がいると物事がどう運ぶか、私たちはみな知っていたが、質問が続出して議会が紛糾しても、休会中に討論会が開かれても、それがエンライトの並外れた手腕を示すわけではないこともわかっていた。だが、この頃から彼は変わりはじめていた。それに気づいたのは、中央ロビーでのことだった。

　国会議事堂の中央ロビーは、ウィリアム・ホガース（一六九七―一七六四　イギリスの画家。さまざまな身分の人々を描いた風刺画で知られる）の絵を連想させるロンドンでは唯一の場所だった。そこは驚くべき光景が繰り広げられるところで、そこに一人座って静かに目を見開き、耳を澄ましていれば、フクロウやアナグマを相手にするよりは多くのことを学べるだろう。議員の夫人方も、今でこそカジノなど輸入の娯楽に傾注しているものの、当時はロビーに来ており、国会議員が正義を求める以上に女を求める者であることを知ったものだった。Rという老人が（ここに来る者はみな彼を「じいさん」と呼んでいた）、所得税の廃止を主張するパンフレットを配るために、来るたび違う変装をして紛れ込んできたが、入るたびに一隊の警察官にあとをつけられては追い出されていた。菓子の売り子も入ってきていたが、ほとんどは傷痍軍人で、松葉杖をついていたり、目立つ傷痕があったり、中には心に傷を負ったらしい者もいた。重たげな十字架を下げた白衣の司教たちも目にした。議会の開会時には毎日、護衛と聖職者を伴った議長の行列が通るが、そのときは鐘が鳴り、警察官が静粛を呼びかけた。タイピストやウェイトレスのふりをしているコールガールたちもいた。国会よりは社交界が似つかわしい面々が、洒落た帽子を見せに来たかのように、しばしばテラスでお茶を飲んでいたもので、ときにはパーティかと思うほどの大人数だったこともある。伝統に則るならば、かれらも議案を提案できるのだが、その中の誰かから重要な議題が出されたことがこれまでにあったかどうか。まずないだろう。かれらは国会議事堂の花のようなもので、色鮮やかに咲いているのは、それだけ肥やしがきいているということだ。

　そしてもちろん、ここには聖なる犠牲《いけにえ》もいた。当時の首相はレーニンの髭を薄くしたようなクレメント・アトリー（一八八三―一九六七　労働党の政治家。四五年から五一年まで首相在任）だった。心因性の病気で議員を辞職したスタッフォード・クリップス（一八八九－一九五二 労働党の政治家）が、持病に堪えながら財務大臣の任についていた。司法長官ハートリー・ショークロス（一九〇二－二〇〇三 労働党の政治家）の身なりは朝日のように颯爽としていた。女好きは議場右側の、お稚児《ちご》さん好きは左側の席に着いたが（というのは、他人を見た目で決めつける議員特権だ）、酒浸りはどちらの席にも大勢いた（何の不思議もない）。もちろん高潔な人士もいたが、男であれ女であれ、常に指責め螺子《サムスクルー》で痛めつけられている気がしていたことだろう。そして選挙運動に苦労したためしのない貴族たちは、中央ロビーを南に向かっていたが、ぐるっと回って北に戻るばかりだった。

エンライトと一週間ほど顔を合わさずにいた、ある午後のことである。彼自身の選挙運動のさなかではあるが、これほど長く会わないでいることはなかった。そのとき彼は、予定から二、三十分は遅れて現れた。いつものことだ。中央ロビーはいつも混雑しているし、国会議員の仕事が私生活で時間を守ることを不可能にしているからでもある。私は地域発電に希望が見えないことに鬱々としながら、イースト・サセックス州から来た中年女性の一団が、保守党の枢密顧問官が通りかかるたびに、膝を曲げて一礼するのを見ていた。

エンライトが急に目の前に現れた。彼は私の腕を摑み、挨拶もせずに言った。「大いに不満だ。まったく納得できない」

「大臣の答弁に、かな」

「まさに。あのちびを蹴り飛ばしてやりたいよ。私は考えていたんだが、きみ、腹を決めたよ。もう後戻りはしない」議員たちが非難を怖れ、議会では何でも早々に決めてしまう中、私たちは「ウォルター」「ジョスリン」と呼び合う間柄にはなれないままでいた。彼の発言はおそらく、私たちのあいだに本当に友情があったことを示す一つの証拠になることだろう。

「来たまえ」エンライトは続けた。「話したいことがある」

彼は人込みから私を引き出すと、階段を上り、長い廊下を渡って、さらに階段を上った。ようやく〈財務記録室〉と表示された部屋に着き、ドアを押し開けた。中には制服の男がいたが、帽子に手を当てて一礼すると、出ていった。この部屋を使おうと、エンライトが押さえていたのだろうが、こういうことには私も慣れてしまっていた。

「掛けたまえ」エンライトが言った。「これから話すことを口外したら、きみは皮を剝がれるような思いをするだろう。もちろん、私が手ずからするわけではないが」

「わかった」私は答えた。

なので、彼が何を話したかはここには書けない。重要な、かつ私が明らかにしてもよさそうな点は、私たちが軽視されていると感じた彼が、いくつかの特別な提案をすると決めたことだけだ。その中には、彼がこの先見込まれる、庶民院院内総務（内閣と庶民院の間に入り、議会での法案の扱いなどを調整する役職）の座を危うくするものも、議員としては自殺行為ばかりか社会的な破滅になりかねないものも、さらには私がこれまでに会ってきた議員の誰一人として想像もしなかった提案もあった。だがその中には、荒唐無稽なものや、革新的なものはなかった。あるのは譲歩を容れない姿勢と、不評を負う覚悟だった……。

「実にすばらしい」私は言った。「協会職員は全員、感謝するよ。だが、一つ聞きたいことがある」

「なんだね」エンライトはぴったり合った靴を履いた左足を伸ばし、ゴシック様式の椅子に置いていた。曲げた膝に肘をつき、手先は木彫のような頭を支えている。

「私見だが、地域発電が重要なことはたしかだが、これらのリスクを正当化できるものかどうかは、確信できない。十分な規模でできるかどうかも」私はふと、ベセマーの肥満した姿を思い浮かべた。

エンライトは熱のこもった目を私に向けた。

「おそらくは、どちらにも及ばないだろう。いや、まちがいなく及ぶまい。だが、どこかで始めなくてはならないんだ」彼は椅子から足を下ろし、立ち上がった。明るい灰色のスーツを着た彼の姿が、わずかに日の差す窓のガラスに映り、甲冑に身を固めたアーサー王の騎士のように見えた。「国会議員でありながら、自分の感情や思考、あるいは理想や、真の創造性と呼びうるものを持つとどういうことになるか、きみにはわからないだろう」

「想像はできるさ」私は言った。

「ある程度までだが、きみにならできると思う事案がある。そのうえ、きみは私の友人だ——今は唯一の、ね。そう言ってかまわないだろうか」

「もちろんだとも。光栄だよ」

「たいしたことじゃない。私はもはや役立たずで、付き合うとむしろ害が及ぶような男だ。だからこそ、このことに真剣に取り組んでいるんだ。まったく無駄で失望するほかないことは、きみには想像できないだろう。いや、これでは言葉が足りないな。もっと悪いこともある。ほとんどの人が感じることもなくなってしまうことだ。思い出されもしない。きみが私と、今ここにいる——私たちが共にいるのは、たしかなことだ。あらためて感謝するよ、友として惜しみなく力を貸してくれることに」

　彼が私のどういうことに感謝しているのかは、よくわからなかったが、地域発電は実際どこに持っていっても有益であると信じている、と答えた。


　人生のうちにはよくあることだが、エンライトからもたらされた新たな信頼は、翌日には薄れてしまった。

　国会議員は誰も、一度や二度は協力を申し出てきたが、協会がかれらの要求を全面的に呑むという条件付きがほとんどで、その中で実際に会費を払って協会に参加してくれたのは一人、チョークマンという議員だけだった。それに不満を言いはしない。議員は自分の賛同する事柄に金銭的な協力をするわけにはいかないし、したとしてもそれが協力にならなくなることも多いのだから。チョークマンは会費を払ったものの、私たちにそれ以上は関わることなく、議会での派手な論戦に傾注した。彼は頻繁に協会事務所を連絡もなく訪れては、長居した。そうするようになったのは、エンライトが再選された日のあとからだった。

　チョークマンは太った男で、いつも息を切らせ、それ一着しかないのか、同じ古いスーツをだらしなく着ていた。事務所ではあれこれ持ち上げてはその下を見たり、職員が書いたメモや連絡の控えを読んだりして、だらだら時間を潰していた。

「気にしないでくれ」と、彼はいつも言った。「仕事の邪魔はしないから」

　言うまでもなく、チョークマンは協会が実際に何を目指しているかも、国会やその他の場所でどのように運動を行っているかも、把握していなかった。彼は来るたびに尋ねては、同じ説明をさせていた。説明と、彼の質問に答えるのとで、いつも一時間はかかっていた。そして、答えを聞き終えると、チョークマンはいつもかならず、まとめるように言った。「私の座右の銘をお伝えしよう。肝心なのは市民を信頼することだ」そして、よたよたと――話が終わればすぐに――感謝も述べず挨拶もせず、去っていった。

　こんな男を相手にすることはない、と思われるだろうが、チョークマンが市民を信頼しているところでは、市民もまた彼を信頼しているのだろう、と思わせるだけの力を持っているのはたしかだった。富める者も貧しき者も、病める者も健やかなる者も――そして、地域発電の未来さえもが、彼に信を置いた。

「この協会には誰が付いているのかね」と、チョークマンが尋ねたことがあった。

「エンライト議員です」私は答えた。「地域発電協会の会長をビグルスさんから引き継いだことはご存じでしょう。秘書はバーカーさんです」

「バーカーは有能だそうだな」チョークマンが言った。「それにしても、よくエンライトを連れてこられたものだ」

　チョークマンが国会について知っていることは二つだけ、手続きの規則と、議員の誰が誰に寄り、誰を避けているか、個々の立ち位置だった。

「エンライト議員は長らく協力してくださっています」

「そうか。ところで、彼を連れてきたのは誰なんだ。きみはどこで彼と知り合った？」

「前にもお話ししたと思いますが。ライチェスターの協会員、ヘイヴンゴア夫人のパーティでした。エンライト議員は夫人と親しかったもので」

「前にも話した気がするが。社交の場で知り合っただけの議員から申し出があっても、応じてはならない」

　チョークマンの言うことはおおむね正しいが、それを聞いて気が沈んだ。

「そうは言わない人もいるようです」相手の気に障らないように答えた。

「たしかにそうだろう。だが、私は長年の議員生活からそれを学んだ。そうでもなければ知ることはなかった。私は国会に三十四年と五カ月を捧げてきたが、それでもまだ毎日が勉強だ。だから言うが、エンライトと組むのは感心しない」

　さらに気が沈んだ。

「彼は他の議員たちがしたよりも多くのことを、協会にしてくれました」

「それは間違いない」

「彼に何かあるのですか」

「彼に重用する価値はない。国会の慣習や伝統を覆したり回避したりできると考えているようだが、それは議員がおちいりやすい誤りだ。彼は自分の力を過信しているが、長い目で見れば国会で重視されるのは堅実さだけなのだ。私に言わせれば、選挙も同じだがね」

　そう言うと、チョークマンは大きなハンカチーフを口元に当て、何度も激しく咳き込んだ。

　私は沈み込んでいた。チョークマンの言うことは明らかな真理だが、彼はエンライトの個人的な問題については何も言ってはいない。議論するのは無理だ。

「協会の体制を変えたほうがいい」息を切らせながらチョークマンが言った。

「エンライト議員は会長を辞任したがっている、とおっしゃりたいのですか」

「そうではない。前に言ったように、彼は有権者には知名度が低いが、失脚するようなことになっては、私たちにも望ましくはないから、見守っていようじゃないか」

「どういうことでしょう」私は率直に尋ねた。何を言われたのかわからなかったからだ。

　チョークマンは老賢者のような笑みを浮かべた。

「勝てないときは敵方につけ、と言うだろう」私はうなずいた。「それと同じで、信頼できないときは相手に摑まれ、さ。国会とはそういうところだよ」

「わかりました」

「さて」チョークマンはどんよりした目を私に向けた。

「話してくれたまえ。ちゃんと理解できているか、我ながら心許ないのでね。きみの協会が本当は何をしようとしているかを」


　一度でも疑念を抱くと、意識していなくても相手を避けてしまうものだ。また、財務記録室でエンライトが話したときの口調は、次の一歩を踏み出そうとしているようだった。彼に電話をしてロムジー（ハンプシャーの古い町）の書記官から今しがた届いた手紙を読み聞かせるのは、私の役目なのだが、どうにも気が進まなかった。エンライトはそのとき、私に説明はしたものの、単独で進めたがっている様子が見られたからだ。

　その次に中央ロビーに行ったのは、ジュポンという議員との面会があったときだった。今は忘れられているが、彼はチョークマンのようにまるで無名なのではなく、当時は名の知れた議員だった。ジュポンは上昇志向の強い男で、労働組合会議に派手な抗議をして脱退した労組のリーダーでもあったことから、陰では日和見主義者と呼ばれていた。なので、チョークマンの言葉を聞いたあとで会う相手として妥当かどうか、自信が持てなかった。だが、彼の手紙は礼を尽くしたもので、地域発電の構想には小学生の頃から心惹かれており、変わったもののように見える理念にはそれ自体に価値があると考え、もし時間が許すのであれば話をしたい、と書かれていた。なので、私は中央ロビーに来た。

　ジュポンは予定の時刻から大幅に遅れて現れた。真面目な話、とうに立ち去って「残念だが私も忙しいのだ」と手紙を書くつもりでいたところに、向かいのベンチに座る黒いドレスの女性が目に入った。立ち去るのを思いとどまるほどの美女だった。

　男なら誰でもするように、私は彼女を見つめた。ごく淡い金髪で、漆黒のドレスが白い顔をさらに白く見せていた。生死にかかわる知らせを待つかのように、緊張している様子だった。だが、中央ロビーではそういう人をよく見かけるものだ。

　それから十分もしないうちに、ジュポンが現れた。顔を合わせるのは初めてだった。彼は遅れた理由を詳しく説明したが、それだけで十分以上は費やした。出会ってすぐ、あの手紙どおりの男だとわかった。今になっても、彼について思い出せるのは、奔流のような言葉だけだ。溺れないように抵抗したが、言葉の波は高く、濃くなっていく一方で、暗緑色の水のように私を捉え、沈まないようにするには目を凝らしているほかなかった。ジュポンの謝罪に圧倒され、黒衣の女がいなくなったことにさえ私は気づかずにいた。私たちはスナックバーに向かい（まだ若かったハロルド・ウィルスン（一九一六―九五、労働党の政治家。第六七、六九代英首相）が、フィッシュ・アンド・チップスの皿を前に座っていた）、この時刻になっても込みあうロビーの中、彼女のいた緑のベンチだけが空いていた。

　あの黒いドレスの女性がエンライトの妻かもしれない、と最初に思ったのはいつだったか。根拠は彼女を見た場所と、髪の色しかないのだが。だが、何度も見かけるうちに、さらにたしかに思えてきた。庶民院の傍聴席で、もっとも退屈な議論（とはいえ、退屈さを比べることに意味はないのだが）に耳を傾けているさまには、議会への影響力があるようにさえ見えた。おそらく、本当は議論など聞いていないのだろう。彼女をもっともよく見かけたのは中央ロビーで、いつもベンチに掛けていたが、いつ来ていつ帰っていくのかは、目にすることがなかった。通路では、いつも混雑しているだけに、後ろ姿しか見えなかった。書いているうちに、新たな、そして最大の手がかりを思い出した。着ているのはいつも同じドレスだったのだ。それに気づいて、あの女はどこかおかしい、と私は思った。そして、いつ見かけても一人だった。そのせいか、いつも悲しみに打ちひしがれているように見えた。

　私が定期的に議会に通っていた三、四週間のあいだ、その女性の姿は頻繁に目にした。ジュポンに付き従っていた期間だ。たしかに彼は新進気鋭の議員だったが、自分が聞き手に回るのは不得手だったのだろう。聞く側はつねに努力を必要とし、理解力なくしては勤まらず、自分の力を知り、相手が誰であれ敵対したり競ったりしてはならない。私と同様におめがねに掛かった者でさえ、ひと月で、あるいは六週間で去っていくことに、彼は堪えなくてはならなかったに違いない。その中には、高額な治療を要する者もいたことだろう。だが、私はあの女性の出没に心を奪われていたので、実際にはジュポンの言葉を傾聴することを免れていた。私は議会に新たな興味を見いだしていたが、あの朝から彼女に引き寄せられていった。

　議会に招集されたとき、ジュポンはエンライトとは向かいあう席に着くのだが、彼と数週間を共に過ごし、一人の人間が議会に傾注するより多くの時間と労力を費やしたばかりか、それ以上のこともしたというのに、当のエンライトは彼の姿が目に入らないようで、ただ沈黙していた。一方、私はその朝、エンライトからの手紙を受け取った。「グローヴァー＝ステイシー殿。小生、仕事ができなくなっているわけではありません。貴君にはまだお伝えできない、新たなことを進めるべく、準備しているところです。そちらから手が離れたらお目にかかりたく。順調に運ぶので御安心を。貴君の忠実なるＷＥ。追伸。奥様によろしく」エンライトがヴァージニアに会ったことはないが、よく気遣ってくれていた。

　手紙を読み終えるや、私はエンライトと会う約束を取り付けた。そのときは法案検討委員会が開かれていて、数日のあいだ参考人を招致しては小声で聞き取りづらい議論をしていた。国会というよりは修道院のようだ。おかしなことと誰もが思うのだが、自分の足音が回廊に響くときや、観光客で犇《ひし》めいていないウィリアム二世の広間から古《いにしえ》の謀反と悲劇が見てとれるとき、そして、テムズ川を行き来するタグボートのサイレンが、飾り格子を通って人気のない廊下に響き、建物が半透明で実体がないように見えるとき、ウェストミンスター宮殿はひときわ美しい。そんなときの宮殿は、夢見がちな訪問者には、崩落する水晶や流れ落ちる水でできているかのように見える。中央ロビーの喧噪さえも舞踏曲《サラバンド》のように聞こえるのだ。

　その朝、私は中央ロビーのベンチに座り、清掃係が王冠を描いたカートにごみを積み込んでいるのを見ていた。エンライトはこれまでと同じように遅れていた。わたしはいつものように、地域発電のことを考え、さらに国会について夢想していた。国会はわれら国民の母、古よりあり、共に仕事ができないほど目まぐるしく動き、四王国の象徴として彫刻と色ガラスに飾られ聳えるさまは、あまりに美しい。今、東洋の演劇の黒衣《くろこ》のような清掃係を除けば、ウエストミンスター宮殿にいるのは私一人だった。中央ロビーで一人になったのは初めてのことだった。大時計が時を告げ、宮殿全体が震えると、清掃係たちは一斉に自分の腕時計に目をやった。外は土砂降りだった。はるか頭上の、彫刻の施された窓を、雨が叩いていた。
　鳥が一羽、飛び込んできたのかと思った。向こうの石造りの天井の、吹き抜けの下に、何かが円を描いて飛んでいるのが見えた。その日は雲が厚く、真鍮の装飾灯が点るまで中央ロビーは暗かったので、私にはその鳥がよく見えなかった。だが、それが立てる音ははっきり聞こえた。翼を小刻みにはためかす、ばさばさという耳障りな、乾いた音だ。大きな鳥で、狭いところに入って羽ばたけずにいるのだろう。窓にぶつかる青蠅のようでもあった。考えているうちに、あろうことか、それは私のそばに降下してきた。羽ばたきの音が近く、はっきりと聞こえたが、同じくらいはっきりと、別の方からも聞こえてきた。それはよく見えないまま、頭上ではげしく羽ばたいているようだった。

　清掃係も見ているはずだ。だが、一人として目を向けないばかりか、私がいることにさえ気づいていないようだ。この空飛ぶ妙なものを追い出すのは規定の料金に入っていないにちがいない。彼らは作業を終え、昨日のごみをうず高く積み上げたカートを押して去っていくところだった。私を見舞っている事態は契約外らしい。この宮殿には清掃係の安全を守る取り決めがあるのだろう。

　清掃員がゆっくりと去っていき（ごみを積んだカートはたしかに重そうだった）、私はふたたび天井を見上げた。まちがいなく、二羽の鳥がいた。中央ロビーは広かったが、騒然としている場所は二箇所あり、音も二倍になっていた。飛ぶ生き物が建物に迷い込んできたら、中にいる者は動転するものだ。実際に怖いし、怖がるのは恥ずかしくもある。私がただ身動きも取れず座り、そのまま立ち上がる気力もなくしていたことは、認めざるをえない。嫌悪と恐怖が身の内から湧き起こり、体じゅうに広がっていくのを感じた。子供の頃にも、従軍していた頃にも同じように感じたことがある。天井近くにいるものは、さらに騒ぎ立てていた。乾いた羽ばたきはさらにはっきりと聞こえた。色鮮やかなステンドグラスの窓から出られないと気づいたそれらは、床近くまで舞い降り、私を追いやろうとするかのように旋回していた。

　南西の風が嵐雲をテムズの川下に流していたが、それでもまだ空は暗いままだというのに、黒いドレスの女性が目に入った。一般出入口側、セント・スティーヴンス・ホールの反対にある、ゴシック様式のアーチ天井の下に、おぼろな姿が立っていた。薄明かりの中、その顔は常より白く、荒《すさ》んで見えた。彼女は私に気づいているばかりか、こちらをじっと見ていたが、笑みを浮かべてはいなかった。笑顔は陽光の下、人とともにあるとき、子供たちといるとき、地元の結婚式に出席したとき、そして法案の勅許を女王陛下から得るときのものであり、このような出会いのときにはふさわしくない、とでも言いたげに。そう、ここには二人しかいなかった。薄明かりの下、着いてこいと言うように女は首を動かし、私はあとを追った。

　彼女に続いて中央ロビーを出た。サー・ヘンリー・テイラー（一八〇〇－一八六ダラム出身の詩人、劇作家）の詩を刻んだ陰鬱な長方形の石碑を過ぎ、際限なく階段を上った。薄暗い階段でよろめいたとき、距離を置いてあとを着けているのか、鳥たちの羽音がした。長い廊下を渡り、ドアの下から明かりの漏れる集会室をいくつも過ぎるあいだ、低く呻《うめ》くような声が途切れず聞こえていた。かつての自分たちに遠く及ばない者たちに撤去された、過去の偉人たちの像の脇を通った。さらに階段を登攀した。私たち市民を支配する権力を得るために闘争や中傷、非難や甘言、操作や賄賂や陰謀を駆使し、得た権力を維持するために同じことを繰り返している議員が、そのうえさらに大きなものを求めるのは、信じがたいことだ。気づくと、すでに軒にまで来ていた。

　女は足を止めた。私の数歩先で、廊下に限りなく並ぶドアのひとつの前に立っていた。予期してはいなかったが、私は近づいていった。女はまたもうなずいて、中に入るのを促したように見えた。そのとき、鳥の立てる音はなく、聞こえるのはゴシック様式の窓を強く叩く雨の音ばかりだと気づいた。ウェストミンスター宮殿は静まりかえっていた。

　あろうことか、そのドアは閉じているだけでなく、施錠されていた。私は中世風のノブをひねったが、動かなかった。宮殿には過去五十年、誰も入っていない部屋があり、その数は膨大だということは、場所を要求する議員たちがかねがね口にしている。薄暗くても、自分の手が錆《さび》と埃《ほこり》に汚れているのが見えた。だが、それ以上に不可解なのは、あの淡い金髪と白い顔の黒衣の女がどこに行ってしまったのかだ。

　廊下は静まりかえっていた。これだけ広ければ人があまり来ないところもあるだろうが、ここに人通りがまったくないとは信じがたかった。さらに汚れるのもかまわず、私はノブを握り、荒々しく動かした。ノブが室内から強く押さえられているのに気づいた。突然ドアが軋《きし》みをあげて開き、中にいた者が見えた。ウォルター・エンライトその人だった。

　ひどく暗いので細かいところは見えなかったが、彼は古風な服装で、なおかつ汗みずくのようだった。ピージャケットは襟元近くまでボタンが止められ、シャツは見えなかった。トラウザーズの裾は丈の高い、大ぶりなブーツに入っていた。そして、その左手にあったものを、私はたしかに見た――おもちゃほどに小さな鋸《のこぎり》だった。

　彼と私は見つめあったが、互いに驚いた顔をしていたことだろう。やがて彼は、私の位置からは角しか見えない、埃をかぶった大きなテーブルに、鋸を置いた。

「グローヴァー＝ステイシー」彼は声をひそめた。「わが友よ、私が約束を忘れていたとは言わないでくれ」

「言わないさ」私は答えるのにふさわしい言葉を探した。「だが、そろそろ約束の時刻だ」

「知っているとも」それ以上は言ってほしくない、と言いたげに、彼は額に触れた。「議員ともあると、面倒な仕事が手に余ってね」実際に何か持っているかのように、彼は両手に目をちらと落とした。

「電話でもくれれば、直近の情報を伝えられたのだが」

　木彫りのようなエンライトの顔に、感謝の表情がはっきりと浮かんだ。感謝から力を得たように、彼は落ち着きを取り戻した。

「そのつもりはあったさ」彼は言った。「思い出してくれてありがとう。雑務はまだ終わらないが」言葉はあとになるにつれて力をなくしていった。

　彼はピージャケットのポケットから、古めかしい造りの金の煙草入れを取り出した。震える手で開くと、私に差し出しかけた。「おっと、きみはやらないんだったな」彼がそのまま倒れるのではないかと私は懸念した。だが、彼は火をつけない煙草を手にしたまま、黙ってその場に立っていた。だが、呻き声をあげて煙草を取り落とし、両手を顔に押しあてた。廊下から口笛と、鳥の羽ばたきが聞こえた。

「すぐここを出ろ、グローヴァー＝ステイシー」これまでに聞いたことのない声でエンライトが叫んだのを、私は今も忘れはしない。「頼む！」

　彼は石造りの床に縮み込むように身を屈めた。攻撃を避けようとする仕草だったが、私には屈み込んだ彼のほかには何も見えなかった。

「行け」彼の声が甲高くなった。「何も聞くな。今すぐ行け！」

　またも奇妙な音がした――あえて言えば、叩き、引きずり、引っ掻くような音だ――が、エンライトが激して叫ぶような、彼に危害を与えるようなものが立てる音とも思えなかった。ここにいるのは、縮み込んでもさらに小さくなろうとする、彼の哀れな姿だけだった。

　私は呆然と立ちつくしながらも、目を凝らし、耳を澄ましていた。私はもちろん、誰がいたとしても、彼を安心させられはしなかったことだろう。

　聞こえだしてさほど間を置かずに、その奇妙な音が止んだのに私は気づいた。聞こえるのは、中世風の窓を叩く雨の音ばかりだった。

　石の床にうずくまっていたエンライトは、身じろぎをしだしたかと思うと、やがて立ち上がった。顔からは血の気が失せ、あいだの狭い青い目には敵意が浮かんでいた。

「次に同じことがあったら、私の言うとおりにしたまえ」そう言ったきり、彼は黙り込むと、私を部屋から押し出し、ドアを閉めた。友人が苦しみに堪えているあいだ、私はただ見ていただけだった。その思いだけが長く胸に残った。


　私は果てしなく続く廊下と階段をたどり、下りていったが、ちょうど休憩時間でどこも込みあっていたので、誰も私を気に留めはしなかったことだろう。私の様子はかなり奇妙に見えたにちがいないから、むしろ好都合だった。走るほど足早なので怪しまれるかと思ったが、誰からも声をかけられることなく、中央ロビーを通って聖セント・スティーヴンス・ホールに出た。

　仕事が残っていても協会事務所に戻る気にはなれなかったが、帰宅してもヴァージニアが先に帰っていて、私がどこにいるかの事務所からの電話に答えることだろう。打つ手はなさそうだ。結局、体調が悪くなったことにして帰宅し、ベッドで横になっていた
　私はエンライトの件については、他のさまざまなことについても、だいたい同じように扱ってきた。何があったかを人に話すことはなかった。ヴァージニアにさえも。

　ヴァージニアが帰ってくると、私はこの数カ月のあいだ、国会に関わるうちに身辺に及んだ変事を、彼女に語った。ヴァージニアは私の様子から何かあったと気づいていて、話を聞いてくれた（彼女は離婚するまで私を理解してくれたし、離婚後も続けてくれた）。私は唐突に、もうこれ以上堪えられない、また転職したい、と告げた。彼女が示したのは同意だけだった。

　私はこの信じがたい出来事を前に、冷静で常識的に行動したと思っている。今になっても自分の経験を信じることができない。ここまではあらましだけを書いてきたが、実際に何が起きたのかを、少し、ほんの少しだけ、書いておくことにする。

　広大なウェストミンスター宮殿の、名もない屋根裏部屋のことも、遅かれ早かれ何らかの証拠が見つかること

だろう。そこに這い込んだ恐怖は、時がたつにつれ薄れていくのではなく、育っていく。恐怖は自らを糧《かて》とする。私が経験したことは、今もどう理解すればいいのかわからない。私の話を誤解したヴァージニアの解釈が、何が起きたのかを知る手がかりになった。社会的な排斥に加えて、死後の報復を信じる者が策を巡らせたのだろう。私は怖ろしくて、それを誰にも語ることができず、二年のあいだ身を縮めるようにして過ごしてきた。人生のうちで、これより悪い経験はないと信じている。

　二年が過ぎ、私はそれに堪えられるようになった。永遠に地獄につながれた罪人《つみびと》は苦しみに慣れてしまう、と言ったのは、サミュエル・バトラー（一八三五―一九〇二　ノッティンガムシャー出身の小説家。ユートピア小説『エレホン』で知られる）だったか。私の些細な経験など、地獄に比べればものの数でもないだろう。結局、あの経験の一部は（あれは本当に怖ろしい出来事だったのか？）実際には起きていなかったのではないか、と思いはじめている。夢ではないだろうが、相性の良くない相手と国会議事堂で頻繁に会っていたことに起因する、幻覚のようなものではなかったか、と。

　そう考えれば自分にはいくらかの慰めにもなるが、それとは別に、わが哀れなる友エンライトの身に起きたことを考えなくてはならない。寡多の差こそあれ、人々の記憶に残ることだから。あの異様な出来事以来、彼からの連絡は絶え、会うこともなくなった。そして、その八、九日後、彼は帰宅の途中、スミス公園で倒れたという。雨が強く降る日のことで、そのとき公園にいた三人の人々が、それぞれ違う場所から、彼が両手を振りまわして頭上のものを追い払うような仕草をするのを見たと、検視審問で同じように証言した。その中の一人、年嵩の女性は、駆けつけたときにはエンライトはすでに死んでいたと言った。検視では、彼の顔から上半身にかけて、無数の切り傷がついていたが、検視官の見解では、自分で傷つけたものとされた。検視官もときどき恣意的な判断をする。

　怖ろしい事件だったが、エンライトのそんな最期を知って、私は恐怖よりも落胆を覚えた。あの日、別れてからずっと、少なからぬ犠牲を払ってもエンライトを救うべきだったのではないか、打つ手はあったのではないか、と考えていたからだ。今、彼に関わった自分も同じ最期を遂げるのではないかと、私は怖れている（彼を救わなかったと非難を浴びることは怖れていない）。感じるのは、友人を救えなかった無念さばかりだ。そこから生まれてきた逃れようのない憂鬱が、私とヴァージニアを引き離した。黒衣の女のあとを追ったあのとき、何が起きたのかを、なんとしてでも明らかにしたいと望んでいる。それも時間が解決してくれるものだろうか。不安でしかない。

あの日、エンライトがいたあの階に、誰かが行ったという話はいまだ聞かない。国会議事堂の中とはいえ、人の出入りを把握する役職もないし、誰か行ったとしても記録もされないだろう。記録されているのは議員の出欠席くらいなものだ。

わたしはあの日以来、ウェストミンスター宮殿に足を踏み入れてはいない。だが、公正であるために、最近になってウィンストン・チャーチル（一八七四－一九六五　オックスフォードシャー出身の政治家。第六十一、六十三代英首相）のものと知った、一つの卓見をここに引用しておこう。「民主主義は不可能と思われる。他の政治形態を吟味してみるまでは」神の恩寵を失った一人の男もまた、同じように考えていたに違いない。

ロンドン・ミステリーゾーン：リヴァプール・ストリート駅発……

# 霧の無人駅

Lost in the Fog

J・D・ベレスフォード

J.D.Beresford

植草昌実 訳

リヴァプール・ストリート駅（絵葉書、年代不詳）

【場所】『幻想と怪奇』のロンドン巡りも最終話となりました。シティ・オブ・ロンドンの東北、英国でも指折りの規模と一八七四年開業の歴史を誇るリヴァプール・ストリート駅から、グレート・イースタン鉄道に乗って次の町へとまいりましょう。ロンドン名物の深い霧が、名残を惜しんでいるようです。車窓も行く手も真っ白に包み込んで……ところで、行く先はいったいどこなのでしょう？

【著者】Ｊ・Ｄ・ベレスフォード（一八七三―一九四七）は、日本では恐怖小説の傑作「のど斬り農場」の作者として知られている。が、邦訳はまだ少なく、Ｈ・Ｇ・ウェルズの研究者や、草創期英国ＳＦの作家の一人である面はまだ十分に知られているとは言いがたい。また、奇妙な味わいの短編も数多く手がけている。本作は一九一六年に書かれ、最初の短編集 *Nineteen Impressions*（1918）に収録されたもの。乗り換えを誤った語り手は、どことも知れぬ無人駅で、待合室にいた男から信じがたい話を聞くことになる……。

# I

ロンドンから出たはいいが、霧からは出られず、列車は気の滅入る白さの中を走っていた。私は夜霧の重さと、その中に閉じ込められた惨めさに打ちひしがれていた。この冬のあいだじゅう、晴れた空と広々とした眺望を、そして水平線を、目のあたりにしたくてたまらなかったというのに。だが、その望みも列車の遅れに阻《はば》まれ、開放への願いは果たされないままになっていた。白い霧は中部地方《ミッドランズ》まで覆いつくしているのだろう。車窓の外を見たところで、窓に曇りガラスがはまっているのと変わりはなかった。

　急行列車がようやく分岐駅のバーンウェルで停車し、私が降りると、フェルソープ行きの支線が発車するのは五番ホームだと、ポーターが教えてくれた。少し——とはいえ、十五分ほど遅れて着いたのだろう。焦って急ぎ足の移動は快いものではなかった。だが、私はたぶん、三番ホームから列車に乗ってしまったようだった。そのあとうっかり長々と眠っていたら、この日の遠征は散々なものになっていたことだろう。だが、目が早く醒めたはいいが、今度は霧の中に目を凝らすという無駄な努力に疲弊することになった。列車が減速し、どこかの駅に着いたときには、すっかり眠気は消し飛んでいた。

　窓を開けてみたが、白く冷たい霧の向こうにはお化けよろしき灰色の影がおぼろに透かし見えるばかりで、どこにいるのか皆目見当もつかない。ドアを開いてはみたが、ホームに降りたものか、逡巡しながら立っているばかりだった。何も見えないが、足音に続いて、侘《わび》しげな咳が聞こえ、それから急に、すぐそばに車掌が姿を現した。

「ここは？」私は尋ねた。

「バーデンです」車掌は言った。

「フェルソープからは遠いのかね」乗る列車を間違えたことには、私はとうに気づいていた。

　車掌はさらに近づいてきたが、私に向けた顔はなんとも嬉しげだった。

「違う路線にお乗りになったんですな」私の落胆を面白がっているような口調だった。黒い顎髭についた水滴が、ミルクのように白く見えた。「バーンウェルにお戻りになるほかありません」断言するのが楽しいのだろうか。

「どのくらい待つことになる？」私は尋ねた。

　彼は時計に目をやった。「五十分」と言ってから、私のささやかな安堵に水をかけるかのように、こう付け加えた。「おそらくは。ですが、今日はめったにない遅延をしています。一時間は超えるかと」

　そう言ってから、彼は自分の職務に戻ることにしたようだ。気の進まぬ様子で笛を甲高く鳴らし――吹くと一日の楽しみが終わってしまうとでも思っているのか――嗄《か》れた声をあげると、私が乗っていた客室のドアを閉めた。

　私は下がって、列車が唸りながら霧の中へと消えていくのを見送った。それから振り返って、頭上の駅名表示を見上げた。

「バーデン、か」と口に出してみた。「いったい、どこの駅なんだ」

〈重荷《バーデン》〉というその駅名に、私は言葉にできない悲しみを覚えた。

　なんとも惨めで、孤独だ。

　ホームの寒さはひときわ厳しく、霧はさらに濃くなったように見えた。

## Ⅱ

　人の声ひとつしなかった。ポーターも駅長もいないようだ。ここは無人駅と呼ぶよりはむしろ単線の停車場だということは明らかだった。静けさの中、私は一人きりだった。世界から取り残されてしまったような気がした。だが、ホームには箱ほどに小さい待合室があり、中で男が一人、火に向かって身を屈めているのが見てとれた。

　待合室に入ると、男は不意をくらったかのように、肩越しに警戒の目を向けてきた。が、私を見るや、その表情は安心したものに変わり、何か言いたげでさえあった。

「何か持ってきてくれたのかな」力ない笑みとともに、男は尋ねた。

　相手がいるのが幸いと、私は今の苦境を打ち明けた。

「それはまた！　あんたはどうやら、自分がどれだけ幸運か、まだ気づいていないようだ」男は答えた。

　彼が何と言ったか、よくわからなかった。「今日フェルソープに着くのは諦めなくてはならない」我が身の惨めさを紛らわそうと、私は続けた。「ロンドンに戻れるなら……」

「たいしたことじゃない」男はそう言うと、物憂げに溜息をついた。「たいしたことじゃないさ」

「バーンウェルに戻る列車はひどいもので、何時間か遅れているらしい」私は続けた。

　彼はまた力ない笑みを浮かべ、火に目を凝らすと両手をこすりあわせた。「昔話を聞いているみたいな、不思議な感じがする」と、物思わしげに言った。「世界はすつかり変わってしまって、外がこれまでと同じように続いていることなんか、あり得ないと思っていた。でも、もちろん、あるんだろうな……」溜息をつくと、彼はかぶりを振った。「ある意味では」

その声や口ぶりには、今日の災難に固執していた私の心に響くものがあった。そんなものは些細なことだと思わせるほどの、怖ろしい現実に触れたような気分になった。私はあらためて、男に目をやった。彼の顔が窶《やつ》れ、掛けている椅子には一対の、粗末な作りの松葉杖が立てかけてあるのに、はじめて気づいた。

「列車を待っているのですか」私は尋ねた。この男の手助けをしてみたくなったのだ。

彼はかぶりを振った。「いや、まさか。ちょっと休んでいるだけさ」と言った。「早く戻らなくては――体力が戻り次第ね。することが増えているだろうから」目を上げて、またあの悲しげな笑みを浮かべると、続けた。

「あんたにはわからないことだ。だいいち、バーデンでどんな厄介事が起きているかを知らないだろうから」

うなずく彼の視線を追って目を向けたが、その先の汚れた窓から見えるのは、白い海のような霧ばかりだった。

「バーデンでは何が？」私は尋ねた。

こちらを見上げた彼の表情を、どう言葉に表せばいいか、今もわからない。私に何かを願っているようにも、警告しているようにも見えた。「あんたの世界のことじゃない」彼は言った。「おれの世界からは離れていたほうがいい――生きるには厳しいところだからね」

私は軽率な愚か者よろしく、声をあげて笑った。「いやあ、おっしゃるとおりにしますとも」と答えた。「神に誓って、ここを出たらもう戻りません」

「ああ、神に誓って、ね」他のことを言うかわりに、私の言葉を繰り返したように聞こえた。それから、口を切った。

「始まってもう二年になる。あいつらは村の真ん中に住んでいるんだ。いろいろ便がいいからね。来たときから信用しなかったし、今も信用などしてはいない。だが、気にすることもない、と思った。通りをはさんでいるから安全だ、と思っていたんだ」

何のことか尋ねようとしたが、男の顔は不意に険しくなった。「あいつらはベイツ家の庭に踏み込んで」と早口に言った。「ベイツ家の者を一人残らず追い出した。親父が言うとおり、おれたちには何もできなかった。もしタートン家が村の外れでロイズ家と戦いはじめるということなら、おれたちは両家の正々堂々たる戦いぶりを見ていればよかっただけだろう。村のそっちの方はロイズ家の地所だったしな……」

いざこざを起こしたのはタートン家かと推測したが、男は私も一部始終を知っているものと思っているようだった。私に質問ひとつ差し挟ませることなく、彼は沈んだ低い声で続けた。

「だが、やつらが踏み込んだのはベイツ家の庭だったが、目的はフランク家だった。そのときにベイツの子供二人を殺したがな。それから……」

「待ってください」私は声をあげて彼を制した。「子供が二人も殺されたのですか」

「そう、やつらは子供たちを殺した」男は顔を上げ、妙な笑いかたをした。「最初に起きたことだから、みんな忘れかけているがな」と続けた。「そのあと、村人の半分は殺され、生き残ったやつらも重い傷を負った」

「警察は止めなかったんですか」私は尋ねた。

男は肩をすくめた。「自分たちで警察の代わりをしていたからな」と言い加えた。「それに、隣村には警察を邪魔するやつがいて、両家ともに内通していた。我が身には累が及ばないようにしてね」

当惑するばかりだった。その男は気が確かなように見えたし、与太話でからかおうという様子もなかった。「それは本当ですか」私は尋ねた。「あなたの村で、二つの家が闘い、殺し合いをしているというのですか」

「途方もない話としか聞こえないだろう」男は言った。「もっとも、おれたちは慣れっこになっていた。大なり小なり、こういった揉め事は続いていたからな。今ほどじゃないが、けっこう酷《ひど》いこともあった。親父が覚えていたのは……」

「それは毎日続いていた？」

「ああ、毎日な」男は言った。「とうとう包囲網みたいになった。タートンはフランクとロイズの地所をすっかり手中におさめた。ベイツの地所は狭いから、とうに押さえていた。小作人の家がいくつかあって、どいつも荒っぽいからいつも仲間割れしていたが、小作人でも何が起きたか気づいたやつらは、タートンに付いた。今は、自分たちが奪い取ったものにタートン家の連中が執着しだしたから、おれたちは奪い返そうとしている。まったくもって厄介で、こっちはもう嫌気がさしているんだがな」彼はしばし黙ったが、こう繰り返した。「もう嫌気がさしているんだ。疲れ果てて、もう死にそうだよ」

「停戦の合意はできそうにないかな」私は尋ねた。

「ああ、タートンの方から条件が出ている」彼は言った。「合意すれば、隣人たちの土地を返すと言うが、しかし……」

「しかし？」私は促した。

「やつらは信用できない」彼は断言した。「土地泥棒だからな。だが、ロイズとフランクの両家とは、おれたちや他の何人かが手を組んでいるから、やつらも思うにまかせない。ここで一応の決着をつけたところで、来年か再来年に同じことを起こすのは目に見えている。そのときは猟銃でなく、ライフルを持ってくるだろう」

「ならば、きみたちもライフルで迎え撃てばいい」私は言ってみた。

「そんなことをしてどうなる？」苛立ったように、彼は声を高めた。「畑を耕さなくてはならない。これまで以上に働く必要があるんだ。ライフルを片手に、一分ごとに振り返りながらできることじゃない」

「だったら……」私は言いかけた。

「そうさ、やつらを叩きのめしてやらないとな」彼は言いつのったが、椅子に立てかけた松葉杖にくやしげな目を向けた。「やつらに思い知らせてやって、おれたちの条件を呑ませるさ。簡単なことじゃないがな。やつらはいつも、おれたちの上に立ちたがる。土地の割り当てでいちばん得をしたからって、親父にナイフを向けたくらいだからな。まあ、昔話だが」

「で、どうするつもりだね」私は尋ねた。

「そこさ。おれたちは勝つ——遠からずな。親父は恨みは残さないと言っている。もともと根に持つほうじゃないがね。だが、こんなことは間違っても繰り返さないようにしなくちゃならない」

私たちはしばらく黙り込んだ。外をうかがうと、霧は少し薄らいできたようだった。窓の向こうに、一本の葉のない木の影が浮かんだが、その向こうのバーデンの村は、まだ牛乳のような濃霧に覆われたままだった。私は村で起きているという、憎悪と殺戮を想像してみた。白い霧の向こうは、赤い血で濡れ光っているのだろうか。地上の雲をかきわけて歩いていくと、道に横たわる柔らかいものにつまづき、この白い世界から真っ赤な血だまりに放り出されるのだろうか。

空想は揺らいで消えた。汽笛がかすかに聞こえ、続いて汽車の走る音が、心臓の鼓動のように遠くから響いてきた。

私は跳ぶように立ち上がった。「一時間かそこらの遅れで済んだようだな」

男は音に気づきもしないようだ。ただ消えかけた火をじっと見ているばかりだった。

「何か役に立てることはあるかな」私はおずおずと言った。

「あんたは運がいいな。ここから離れられる」彼は言った。「汽車に乗れるからな」

甲高いブレーキ音をあげながら、汽車がこの小さな駅に入ってきても、私はまだ躊躇していた。何かこの男の役に立てないだろうか。煮え切らない思いがあとを引いた。だが、私の意志は、自分の知っている世界に戻るほうを選んだ。

## Ⅲ

あれから時がたっても、あの男の話は本当だったのか、と思い返すことがある。知られることがないまま、小さな村で男たちが闘い、殺しあっているなどということが、ありうるのだろうか——それとも、あれは霧が迷い込ませた、別の世界の出来事なのか？

この問いに誰が答えられるだろう？

創作〈新陽物語〉

# 獣の骨

西聖

新陽《しんよう》半島の東岸、陽泉《ようせん》海岸を望む入り江には、たびたび出処不明の骨が流れ着いた。うちあがった骨はどれも原型をとどめているが、頭骨だけは一度として見つかったことがないらしく、そういうわけで、入り江には首のない亡霊があらわれるのだそうだ。

　星川楠木《ほしかわくすのき》が友人から聞いたのは、そんな話だった。

　友人は入り江を見下ろす岬の家に暮らしていたが、たびたび亡霊がやってくるので気が滅入ってしまった。星川は素朴な善性をもつ人間であったので、その話を聞くやいなや友人を説得し、岬の家を借り受けることにした。古い木造二階建てをリノベーションしたおもむきのある家だ。日当たりのいいテラスや広々した採光室があり、家具一式が揃っているのもよかった。鞄ひとつの引っ越しを終えると、星川は同居人たちへの挨拶から始めた。

　友人がしばらく留守にしていたからか、亡霊は家まで入り込んでいた。リビングのソファに腰かけたり、ダイニングで食事を待つようにしていたり、二階の寝室では窓辺から外を眺めていたり、壁を向いてなんとなくうつむくものもあった。亡霊は壁をすり抜けたり、宙を浮かんだりできない。どうやら採光室のドアを閉め忘れていたようだった。

　星川は悩んだ。手続きを踏んで借り受けた家とはいえ、先客をむげに追い出すのは気が引ける。くり返しになるが、星川は素朴な善性をもつ人間だった。そこでひとまず、すみません、と声をかけてみる。しかし反応はなく、考えてみれば亡霊には頭がない。耳がないのだ。目も、鼻も。どうしたものか。星川はいったん目をつむることにした。亡霊たちはひとところに居場所を定めるとそこを動かないらしく、さしあたり問題にはならない。さらに増えるようならまた考えよう。

　家の問題が片付くと、入り江へ行ってみようとなる。星川は犬を連れていくことにした。当然、犬には頭がない。しかし首輪を残していたし、背中を撫でると尻尾を振り、リードを引くのにもせっせとついてくる。犬とはまだ出会ったばかりだ。テラスで寝そべっていたのだ。すぐに名前はつけなかったが、そう遠くないうちに必要になるのかもしれない。

　岬を入り江へ続く道には砂利が敷かれている。靴や車輪で踏み固められているが、人通りもないためか周囲の草叢に浸食されつつあった。腰丈ほどの黒い草叢のそこかしこには亡霊がおり、かれらは一見その場にたたずむらしく見えるのだが、よくよく観察するとさまよっているのだとわかる。足を置き、数十秒して次の一歩を踏み出す。目にうつる範囲では数十体の亡霊が、風もないのに揺れる低木のようにぽつぽつ。それは居心地のいい場所を探すのかもしれなかった。たとえば星川の家のような。

　十分ほどかけて岬をくだると、陽泉海岸に出る。陽泉海岸は幅二百メートルほどの砂浜海岸だ。玄武岩混じりの黒ずんだ砂浜を南北に突き出た岬が囲んでおり、岩礁になった岬の下では灰色の波濤が絶えず上がっている。南の岬の奥には大小計三十六の人工島から成る新陽《しんよう》新島群《しんとうぐん》があるのだが、この日は陽泉山《ようせんさん》を下りた霧で見通しがきかなかった。それは黒白あいまいな濃淡をもった海と空がつらなり、境目をうしなってどこまでも続いていくような眺めだった。

　それだから余計、海辺をさまよう亡霊たちは目を引いた。

　首をもたない亡霊が、汀《みぎわ》にたたずんでいる。ある亡霊は枯れ葦のそばにぼうっと立ち、ある亡霊は浜辺で膝を抱え、波打ち際に足先をひたしたり、腰まで海に浸かっているものもいる。入り江を見渡すまでもなく、数えれば百では足りないだろう。男性も女性も、老人も子どももいる。人間ほどの数ではないものの、犬や猫、馬、鶏や蛇らしい亡霊もいる。首のないかれらが霧の流れるに合わせて姿をあらわしてはまた消える、それはなにか、黄泉の海原を思わせるような眺めだった。

　星川は、浜辺に腰をおろしてみる。

　隣には、首のない犬が付き添っている。

亡霊たちのほとんどは動かなかった。なかにはさまよう、もしくは波間に揺れているものもいるようだが、ごくわずかに見える。動かない亡霊がなにをしているのかといえば、どうも北の岬を向いているらしい。首はなくとも体を見ればわかった。

岬には、星川の家がある。

やはり家を、安住の地を求めるのだろうか。だとしても、首のないかれらにどうしてその場所がわかるのだろうか。この考えがそもそも誤っているのかも。なにか別のものを求めているか、単なる偶然。

こたえは出なかった。

そうしていると、入り江に流れ着いた骨に気付く。

汀の骨は波にもてあそばれていた。人間の、大腿や上腕を支える太い骨に見えるが、大型の獣のものかもしれない。星川はあまり骨を知らなかった。

寄せては引く骨を眺めていると、波間に暗い影が見えてくる。海原を浮かんだ影はやがて、ゆっくりと首から姿をあらわす。

男性のようだった。

亡霊はみな、首の千切れる位置がそれぞれ異なっているのだが、彼はずいぶん頭に近かった。がっしりした首は、他の亡霊がそうであるようになまなましく筋肉や血管の断面を露出させており、いまにも拍動に合わせ黒く血を噴くかと思うほどだった。

波打ち際から砂浜へのぼり、亡霊は草叢へ消えた。

あたりが暗くなる前に家へ帰った。

亡霊たちは微動だにすることもなく同じ場所にたたずんでおり、星川はなんとなくかれらを気にしながらビーフシチューをつくった。食べるかと思い皿を置くのだが、ダイニングテーブルの亡霊も、犬もまたいっさい口をつけなかった。つける口がないのだから、当然。星川は余ったシチューを鍋に戻し、寝支度を済ませると読みさしの本を終わりまで読んだ。引っ越しの疲れもあってすぐに寝床に入ったが、眠る前に犬に名前をつけた。ちょうど読んだ本に白い小さい犬がいたのだ。モモという名前だった。

そういうふうに入り江に通って日々を過ごしていると、岬の崖下になにかがあるらしいと気付く。

潮の引く時間、亡霊の心を追って北の岬を眺めていると、岩礁を削って造った小道のような構造物が見えてくる。太平洋に面する陽泉海岸は潮汐変化が大きく、季節によって海面は二メートル近く上下した。小潮が近付き、干潮の時刻になると道はあらわれるらしい。
その日はまだ潮が下がりきっておらず、進んでみるには危険そうだった。潮見表によると小潮までは三日ある。星川はその日を待ちながらモモと暮らしたが、家にいると足もとが気にかかった。あの奥になにがあるのか。しかし三日後には、折悪しく訪れた低気圧が新陽に雷雨をもたらした。次の機会まではまた半月を待たなければならない。

亡霊たちをひきつける、なにかが。

夜毎ベッドの下を覗くような日々をおくり、とうとう半月が過ぎた。さいわいその日はよく晴れて、潮もじゅうぶんに引いていた。崖下の道は海藻で滑りやすく、すぐ道を外そうとするモモを抱えて歩くのはむずかしかったが、どうにか岩礁の内まで入り込むことができた。そこは海蝕洞になっているようだった。波と時間の形成した洞窟を進んでいくと、ほどなくたどり着いた最奥では人間や動物、さまざまな生き物の頭骨が山積みになっていた。

頭骨の山に懐中電灯の光をあてると蟹や船虫がぞぞっと這い回る、その中心にはごぼごぼと潮の音を噴き出す穴が見える。それは海へとつながるのだろう。星川はこんな推測をした。

陽泉海岸の近くに流れ着いた死体が、複雑な地形の形成した海流に引き寄せられる。死体は波と岩礁によって損壊され、脆《もろ》い首を離れた頭部が海中の穴を通ってこの洞窟までたどり着く。残された体は海のもくずとなるか、入り江に漂着する。

亡霊たちは、自分の頭を感じていたのかも知れない。

骨の山のさらに奥を照らしてみると、壁際に木組みの祭壇が見つかった。腐蝕してぼろぼろのそれが祭壇とわかるのは、両脇に重ねられた平たい石にこびりついた蝋や、壇上に座した二体の像のためだった。

像には首——頭部がない。

対となった像が、互いの手を取り合っている。

首をもたない像は金属製らしく腐蝕は進んでいるものの、仏像のように両の足背を腿に乗せた姿勢は保たれている。しかし、その脚は牛のものだった。脚は人体に接合されていた。結跏した後脚と、横へ広げた前脚。首はなく、互いの手を取り合っている……。

星川は覚えず身を引いた。すると懐中電灯の光輪に入ってくるものがある。像の真上、でこぼこした岩壁に浮かんでいたそれは頭骨だった。三対六本の角をもつ、牛の。

すぐにでも洞窟を逃げようとする衝動をおさえ、星川は頭骨を見つめた。眼窩《がんか》から白い蟹がこぼれる。像は星川の背丈ほどで、骨はさらに人ひとりぶん高い場所にあった。浮かんでいるように見えたのは、壁に吊るされていたせいであるらしい。

対になった像の、右のものにしか頭骨はなかった。元々は両方にあったらしく、左の祭壇下に砕けた骨が散らばっている。右も無事というわけではなく、あまり海水の影響を受けない高所にありながら風化して穴だらけになり、脱落したらしい下顎は壁際でばらばらになっていた。

角は他のものから接いだと思われるのだが、強く光をあててみても、接合部に不自然なところはない。

星川はモモを抱きしめる。

これはなんだというのか。

自然に首を集めるこの場所になんらかの神を見出したか、あるいはその逆、神がいるために首を集めるようにした。

骨の穴がまたごぼごぼと音をたて、モモが身をちぢこめる。

いや。

いずれにせよ、かつてこの場所になにかがいたとしても、この荒れようではとっくに去ってしまったことだろう。

そう自分に言い聞かせ、骨の山からまだ原型を保った人間の頭骨をひとつ拾いあげると、星川は洞窟をあとにした。持ち主がいるかと思ったのだ。しかし合うものはそう見つからない。形状から女性とは思われるものの断定には至らず、片端から首にあてていくよりほかないが、そもそも亡霊たちはそこかしこを動き回っているのだから持ち主がまだ近くにいるかもわからない。

数日を費やしたものの、頭骨の主は見つからなかった。

くたくたになって家へ帰った晩、星川はいつものように寝室でやわやわ日記をつけていた。日記帳には、出会った亡霊たちの特徴が書きつけてある。背格好や性別、首の千切れた位置、どの生物であるか。数えれば数百に及ぶ。名前をつけることにしている。

目の疲れをこらえられなくなったら記録は終わりだ。星川は日記帳を閉じ、ライトを落とした。それでも部屋は明るかった。月のおおきな夜だったのだ。寝室に降りる明かりが、窓辺にたたずむ亡霊を透かしていた。それで気付いた。亡霊はこちらを向いている。

いつも見ていた背中ではなく、亡霊の胸が見えた。筋肉の厚い、がっしりとした輪郭だ。星川は体を起こした。

かれが近付いてきた。星川は思った。そういえば、かれのことを知らない。

亡霊は手を伸ばす。

星川のほうへ、親指を上にしててのひらを広げ、それは握手を求めるようなかたちだった。だから星川はかれにこたえた。広げたてのひらを重ねると、手を握った。かれもまた星川にこたえた。

そうして、星川は亡霊と手を取り合った。

それは不思議な感覚だった。存在しえない亡霊の肉体がそこにあるようだった。やけになじんで感じられ、心地良くさえある。少しばかり冷たいものの、どうにも手を離すのは惜しまれて仕方がない。

どれくらいそうしていたかわからない。

やがてどこかから音楽が聞こえてくる。

そしていつの間にか、朝を迎えていた。

星川はベッドを起き上がる。窓辺の亡霊はいつものように外を向いていた。夢ではないとわかっていた。

机の上で、主のない頭骨が粉々に砕けていた。

朝の支度を済ませた星川は外に出て、亡霊たちの手を取っていった。かれらのさわり心地はひとりひとり違っていたが、誰も差し出される手を拒まなかった。全員にそうしようと決めている。しるしを賜《たまわ》ったような心地だった。亡霊は大勢いたし日ごと増えていくが、一度手を取った相手を忘れることはなかった。

そうしていると、やがて亡霊同士が手を取りはじめる。それは汀や草叢の中、星川の家であったりする。二人や三人、それ以上、人間が馬の背に手をあてていたり、犬を抱きかかえていたり、牛に乗っかった蛇が体を伸ばしていたりもする。新しい骨が流れ着くと、かならず誰かが手を差し出す。

そういうふうにして、数ヶ月もすると亡霊たちはみな手を取り合うようになった。

星川は安心して自分の生活に戻った。目を覚ますと食事を済ませ、仕事をして、夕食を終えて本を読むと、日記をつけてから眠る。ある晩、星川はことの顛末を友人へ——今ならこの場所の眺めを気に入ると思う。もしここでの暮らしに戻るようなら明日にでも身を引くよ——手紙にしたためて送った、そのあとのことだった。

星川が命を落としたのは。

友人は知らせを聞いてすぐに警察署へ向かった。身寄りのない星川の、遺体を確認してほしいというわけだ。そこで友人が見たのは、切断された星川の首だった。もちろんコースメニューのように——こちら当店自慢の

――頭と体を別々に出されたわけではない。しかしそれは明らかだった。目を閉じた星川の頸部には、あざやかな切断痕が刻まれていた。

遺体の確認を済ませると、聴取が始まった。

担当の刑事は日記帳をめくり、星川の精神状態についてたずねた。つまり、彼は狂っていたのではないか、ということだ。それもそのはずだろう、日記には異常としか言いようのない日々が書き残されていた。もちろん、首のない亡霊については友人も承知していた。しかしその詳細な数や生態、首のない犬、海蝕洞の神像、手を取り合う亡霊たち……そしてなにより刑事をうたがわせたのは、星川の奇異な死に方だった。

星川は自死をしたのだという。

天井にかけた鋼線で首をくくった。

しかし、日が経って腐敗をしたのならまだしも、ふつう体重をかけたくらいで人間の首は落ちない。刑事は前置きをした。ここからはいやな話になる。友人は了承した。いやな話しかされていない。それで聞くのは、こういうことだった。

星川は鋼線で首を挽《ひ》いたのではないか。

重みで千切れたのではなく削り切られたような痕跡から、星川はのこぎりでするように、鋼線でみずからの首を落としたのではないか。

問題になるのはそんなことが、やすりで鉄板を切断するような行為が自分ひとりで可能なのか、ということだったが、他人が関与した証拠も残っていない。もちろん捜査はまだ途中だが、星川はそういうことをするような人間だっただろうか。

友人は、わからない、とだけこたえた。

しばらくして、友人は証拠品として保管されていた星川の日記帳を受け取った。結局、星川の死にだれかが関わった証拠は発見されず、その異常な死は自死として処理されたようだった。

たしかに友人から見ても奇妙な日記ではあるが、自死をするような兆《きざ》しはうかがえない。

そこで友人は、岬の家へ行ってみることにした。

家に着いてすぐ星川は見つかった。首のないその亡霊が星川であることは背格好や服装、なにより忘れえない切断痕でわかった。ちょうど、首のない犬を連れて散歩に出るところだったらしい。

声をかけてみるが、耳がないのだから当然、星川には聞こえない。

友人は勇気を振り絞り、手を取ってみた。星川の手は冷たかった。ぞっとするほど冷たく、しかし同時に手放しがたい感覚があり、振り切るようにしなければその手を離れられなかった。

茫然となった友人を置いて、星川は岬をくだっていく。

友人はどうにか、その背中を追いかける。

岬を入り江へ続く道は黒い草叢に囲まれ、草叢には数多の亡霊が立っている。星川の手紙にあったようにかれらは手を取り合っているが、そうでないものもいる。いや、孤独に立つもののほうが多いように思われる。それは海岸についても同じだった。

星川は砂浜に、犬とともに腰をおろす。

友人は周囲を、入り江の景色を眺める。

雲の厚い日のことだった。灰色の海岸はどこもぼんやりと薄暗かった。

汀の亡霊たちはみな、岬のほうを向いている。手紙にあった通りだ。友人は岬の崖下を見た。するとそこには道が見えた。岩を削ったらしい、人工の道。しかし手紙と違うのは、この日が小潮ではないということだった。

岩礁の奥、洞窟へ続く道が見える。

海蝕洞が、その暗い口を広げている。

友人は星川を見た。星川は友人のほうを向いていた。友人に向かったまま、その手を伸ばしていた。指の先で、海蝕洞を示すように。

友人はまわりを見た。

汀の亡霊は、枯れ葦の亡霊、入り江の亡霊たちがみな友人に向かいながら、洞窟を指でさしていた。

どこかから音楽が聞こえてくる。

友人はその場を逃げ出し、岬を去ると二度と新陽へ戻らなかった。岬の家は誰の手にも渡らないまま朽ちてゆき、いつか崩れ落ちて自然へ還った。

そういうわけで、新陽半島の東岸、陽泉海岸を望む入り江には首のない亡霊がいまでもあらわれるのだそうだ。

創作

# 銀の球

粕谷知世

文明と科学がいかに進もうと
自らがつくったわけでもない星に
自らが望みもせぬのに生まれてきたからには
不安こそ、我が友

銀座の大通りを横切ろうとして、路面電車の行き過ぎるのを待ったとき、それに気づいた。煉瓦づくりのビルディングの上、曇天の空に、それは浮いていた。

雲ではない。

明らかに人工的にしつらえられた、完璧なる銀の円球であった。

雲に隠れているはずの太陽から光を受けて、その一部が輝いている。

係留広告気球であった。

道行く者は物珍しげに空を見上げた。客を下ろしたばかりの俥引きなどは、少年に戻ったかのように口を半開きにして首を傾けている。

だが、それはほんの一瞬のことで、路面電車が行ってしまうと、僕の周りにいたパナマ帽の紳士たちは足早に道路を渡っていった。

しかし、僕は動けなかった。

銀の球が、僕を見据えていたからである。

確かにアドバルウンには違いない。だが一体、この気球は何の宣伝をしようというのか。広告気球というからには、この球にとりつけられる垂れ幕こそが重要であるはずなのに、この銀の球には垂れ幕がついていない。何も宣伝せず、ただ宙に浮かんでいる。

**――準備はできたか。**

声が聞こえた。

銀の球はあいかわらず、そこに浮かんでいた。

微動だにせず。

広告気球が口をきくはずはないのだから、語りかけてきたのは、僕のなかのもう一人の僕であるはずで、ではなぜ、もう一人の僕がこのような問いを投げかけてきたのかといえば、僕にはその答えが分かっていた。

聞かれているのだ。

もはや、この世を離れる覚悟は決まったのか、と。

「しかり」と答えるなり、この銀の球は、ただちに僕の魂を吸い取るだろう。道行く人たち、この大正十二年五月の緑輝くあたたかな日差しのなか、柳並木の道を行き交う人々は、痩せた男が一人、心臓発作か何かを起こして、街路に倒れるところを見るはずだ。

僕は、その男が倒れるところを、羨望をもって眺めた。生が、僕にとって重荷としか感じられなくなってから、はや三年が過ぎていた。

夜は眠れず、胃は常に鈍痛を訴えてくる。

不意に訪れる死、完全なる休息の、なんと甘美に思えることか。

しかし、僕は答えた。

「まだだ」

黒光りする車にホオンを鳴らされながら、僕は大通りを渡り終えた。商業ビルの下に入ったために、銀の球は僕の視界から消えた。

元来は、僕はそこまで不眠の質ではない。眠れなくなった当初、僕はむしろ喜んでいた。原稿の注文はひっきりなしで、その注文に納得のいくように応えようと思えば、読まなければならない資料、考えなければならない事柄はきりなくあった。眠らずにいられるなら、それだけ時間を余計に使えるわけだ。しかし、そんな呑気な心持ちでいられたのは僅《わず》かの間だった。床に入り、目を瞑《つぶ》っても、体が変に熱く、こめかみのあたりに痛みがあって、頭の中では明日やらなければならないことが渦を巻く。忘れてしまうのが怖いから眠れないのだ。そう思うから起き出して紙に書きつけ、そうして、もう一度、床に就く。眠ろうとする。眠れない。次から次へと、ろくでもない想像が湧いてくる。このまま、一生、眠れなかったら、どんな悲惨なことになるか、とか、不眠の末のぼんやりした頭では明日も仕事が進まないであろうとか。

考えれば頭が過熱して余計、眠れなくなるのは道理であるから、思考を止めようとするのだが、その止めようとするのも思考の一種には違いない。思考によって思考は止まるものではない。そうかといって、まったき闇を想像してみたり、あるいは西洋の風習にのっとって、羊を一匹ずつ数えてみたところで、神経が疲れるばかりで、意識のない状態に移ることはできないのだった。

それでも、朝方近くには、悪夢と意識的思考が融合した気持ちの悪い眠りに落ちていて、階下で伯母や妻の文《ふみ》が朝餉《あさげ》の支度をする音で目を覚ます。

「あら、お父さん、おはようございます」

文が努めて明るい声で挨拶してくれるのへ、「ああ」とだけ答えるのが精一杯だ。

朝飯は、判で押したように同じく、オオトミルに牛乳と玉子。食欲のないまま、大麦粥をそろそろと啜ってみるものの、喉の内側が腫れ上がっているのか、なかなか飲み込むことができない。食べたいという意欲がないとき、食べ物はただの異物だ。飲み下すことを体が拒否する。それでも栄養はとらねばと頑張ってはみるのだが、体のほうでは、そんな僕の思いやりをどう思っているのか、急に腹が張って、便所へ走らねばならぬ。ナイフで切られるような尻の痛みとともに、水のような便が噴出する。体のほうで栄養を受けつける気がないのでは、僕の咀嚼《そしゃく》の苦労は骨折り損のくたびれもうけでしかないわけだ。

「体の具合はどうなのだ」

新聞を開いたまま、養父が僕を見据える。

「何も変わりませんよ。良くもなりませんが、悪くなるわけでもなさそうです」

我が家では養父がいちばん先に新聞を読む決まりだった。以前は、その後、僕が早々に引き取って隅から隅まで嘗めるように読んだものだが、このところは必要以外の記事は読まないようにしている。政治の混乱、経済の悪化、とりわけ大陸情勢は胃に悪い。

這うようにして二階の書斎へ昇り、文机に座る。

原稿用紙の桝目が迫ってくる。かつては文机《ふづくえ》に座りさえすれば、書きたいことは自然にあふれてきたが、このごろでは、あふれてくるのは冷や汗と焦りばかりだ。そろそろ新年号の創作にとりかからねば間に合わぬのに、二社から急ぎの書評の依頼が舞い込んできた。一作は恩ある先輩の力作、もう一作は、かねて出版を念じていた新人の処女作、どちらも喜ばしく、だからこそ気持ちの入った的確な評を書きたいと思うのに、頭の中には灰色の霧がかかっている。その霧は鳥もちのようにネバネバしていて、頭のどこかに蓄えられているはずの記憶を探しにいくことができない。

　ふと気がつくと、原稿に書きつける言葉を探す頭の片隅で、ずっと同じ言葉を繰り返している。「死にたい」「死にたい」「死にたい」まるで兵隊が行進曲に歩調を合わせるように、Gペンを動かしながら、声に出さずに呟いている。

　五月に銀座で見た銀の球のことを思い出した。せっかくの誘いをふいにして、もったいないことをした、と思う。自死とは違い、突然の病死であれば、家族への責任を放棄して一人で逃げたというそしりは免《まぬか》れるわけだ。文は悲しむだろう。だが、病死なら仕方がないと諦めもつくはずだ。

　それでも、あの誘いに乗ることはできなかった。誰は知らなくとも僕自身は、僕にとっての限界はまだ来ていないと知っているからだ。

　僕の苦しみは、まだ僕の限界に達していない。そして、健康を取り戻せるかもしれないという希望もいまだ失ってはいない。

　僕の体調不良について、かかりつけの医者は言った。

「胃弱、神経衰弱、痔疾。今少し仕事を減らして真剣に療養してもらわねば、いずれ、重大な疾患につながります」

　その診断を、僕は嬉しく聞いた。

　肺病やら心臓病なら同情もしてもらえようが、下痢だの痔疾だの、しもの病気は、本人にとっては苦痛でも、赤の他人からは「その程度の不調は気の緩みからくるものだ」「気合いで直せ」と言われかねない。いや、赤の他人に言われるまでもなく、僕を不甲斐なく思っているのは僕自身だ。けれども、重大な疾患につながると医者が言うのなら、養生するのは僕の義務だ。少しばかり休んでも、誰にも文句は言われない。

　そしてまた、嬉しかったのには別の理由もあった。

　僕が病気であるならば、僕の作品が僕の健やかなる時とくらべて、少々、質が劣ることはやむを得ないわけだ。いずれ、体が回復したなら、ふたたび優れた作品を生み出すこともできるだろう。

　そう思った端から、僕は僕の甘さに舌打ちした。

　病気はつまらない作品の言い訳にはならない。つまらない作品はつまらないだけだ。

　読者には、作者の健康状態など何の関わりもないからだ。

　先輩作家のなかには「ただただ、仕事のしすぎ、頭の使いすぎですよ。一年でも二年でも執筆から離れてごらんなさい」と言ってくれる人もいた。それはきっと正しい。

だが、僕にそんな大胆なことができるのなら、悩むこともないわけだ。僕には妻子のほかにも、僕を頼りにする養父と養母に伯母がいた。一年も二年も仕事から離れた後でなお、僕に原稿を依頼するような会社があるだろうか。それに、書くことは僕が担い続けることを覚悟した唯一の義務だった。それさえ放棄することは、僕には罪悪としか思えなかった。

僕の衰弱ぶりが目につくようになると、人々は僕に対する礼儀から「お大事になすってください」と言うようになった。「体を大事にするためには書くのを辞めなければならぬのです。あなたは僕に書くなと言うのですか」そんなふうにむきになって反論して、善意の人たちを無闇に脅かすのも悪いから、僕は「なあに、原因は分かっています。煙草の吸いすぎなのです」とうそぶくようになった。嘘ではなかった。このころには、敷島やゴルデン・バットを日に四箱、消費せずにはいられなくなっていた。それで胃が悪くならないはずがない。

「人間というのは欲望には弱いものですからな」

深刻な病の話を聞かされずにすんだ人は、ほっとしたように相づちをうつのが常だった。理由もなく襲う病苦ほど恐ろしいものはないが、自業自得ならば仕方がない。それに、理由の分かっている病なら、いよいよ悪くなれば自制も働くだろうから、それほど重態にもならないだろう。そんな気持ちが働いているのが手にとるように分かる。だからこそ、僕は煙草を理由にするのだ。

「では、なぜ煙草をやめてくださらないのですか」

客人を送り出した後で、文が正座の膝に手をおいて訊いてきた。

昔の僕なら、ほがらかに「僕にだって悪徳の一つくらい許してくれてもいいだろう」と答えただろう。しかし、今の僕には余裕がない。

「煙草をやめて、仕事ができなくなってもいいのか」

そんなふうに脅して、文の口を封じ、文が僕の守りの内側へ入ってこようとするのを食い止めた。文のほうでは僕の嘘を見抜いているのだが、気の毒なことに、文は僕ほど弁がたたないものだから、それ以上は追及できない。

そうとも、僕が煙草をのむのは、煙草をやめれば仕事ができなくなるからではない。僕は仕事ができなくなったから、煙草を余計にのむようになったのだ。

学生時代の僕にとって、作品は心のままに幾つでも湧いてくるものだった。それはもちろん、仕上げに苦心はしたけれど、書きたいことは鉱泉の泡のように、幾らでも浮かんできた。学業の合間に筆をとっていては、その泡のすべてを書き記すには時間が足りず、僕は専業作家になることを夢見た。

そして、僕の夢はしごくあっさりとかなえられた。それも最高の形によって。今となれば何かの罠だったのではないかと思うほど、僕の作家生活の滑り出しは順風だった。

大正五年には仲間たちと出した雑誌に載せた『鼻』を夏目先生に絶賛され、翌六年には初の短編集を上梓することになった。その次の七年には文と結婚して鎌倉で水入らずで暮らすようになり、八年には寄稿作家の立場で大阪毎日新聞社に入社が決まり、海軍機関学校教師を辞することができた。

時間の拘束から解放された日のことを、僕ははっきりと覚えている。

鎌倉の海が僕を祝福していた。

僕は自由だった。

僕ほどの幸せ者がこの世にいるだろうか。

これからは、書きたいものを書きたいだけ書いて暮らしていける。

僕は至福の四年間を過ごした。出版社から稿料を前借りするように、僕は人生の賃料を天から前借りしてしまったのだった。

暑気の抜けぬ九月、牛乳とパンとで昼食をとっていると、障子がかたかたと鳴りだした。いつもの揺れかと思ったが、いつまでも木造家屋の軋《きし》みがやまない。文が二階で寝かせていた次男のもとへ駆けた後、下から突き上げるような大きな振動がきた。伯母は「文さん、文さん」と妻の名を呼び続け、僕も二階へ行こうとしたが、揺れが激しすぎて身動きがとれない。揺れのおさまったところで、外へ出てみると、石灯籠が倒れ、屋根から落ちた瓦数枚が割れていた。

大正十二年九月一日、僕にとっての関東大震災はそのようにして始まった。

夜、二階からは火が見えた。僕は手すりから身を乗り出すようにして、一面の炎を見た。巨大な溶鉱炉のようだと思った。金粉を散らしながら、火龍が天へと昇るようでもあった。赤々と紅に染まった天は美しかった。

画家であれば絵筆をとるところだ、と僕は思った。

僕の「地獄変」の主人公、絵師良秀《よしひで》は、屏風絵の参考にするため、生きた女を牛車とともに燃やすことを所望する。その願いがかなえられた時、燃やされたのは罪人の女ではなく良秀自身の愛娘であった。娘に火がついた時、良秀は火消しに走らなかった。苦しみもだえる娘の顔を睨《にら》みつけ、筆を動かし続けた。絵の完成後、良秀は自ら縊《くび》れて死ぬ。

　僕は、僕にも良秀に通じる一面があると自覚していればこそ、この話を書いた。良い小説を書くためなら、家族への情愛などくそくらえ、そう強がる心なしに、専業作家などできるものではない。だが一方、僕自身は決して良秀ではないと思っていればこそ、この話が書けたのでもある。僕は家族を大事にするし、小説のために生け贄を求めたりはしない。友人知人にも礼を尽くすから、狷介さゆえに嫌われて、娘を殺されるような嫌がらせを受けることもない。だから、僕は自ら首をくくったりしない。

　けれど、あれを書いているとき、僕は気づいていなかった。

　良秀の娘が苦しみ、良秀が娘の苦しみをともに苦しみながら描いている間、それを心の目でみつめながら文章によって描写していた僕の全身には、動物的エネルギイがみなぎっていた。考える間もなく文章は湧き出た。あれを歓びと言わずして何と言おう。

　僕は、僕の小説のために、良秀と良秀の娘の苦しみを必要としたのだ。

　そうであるなら、僕は良秀とどこが違う？

「龍之介、何をしている。これを持て」

　階下から声がかかった。

　下りていくと、養父が竹刀《しない》を押しつけてきた。

　上野方面から多数の避難者が官憲の誘導により逃れてきている。そのなかには不逞の輩《やから》も混じっているだろうと養父は言う。

「お養父《とう》さん、悪い奴が本気になったら、老体と病身の僕ら二人では、とてもこの家を守り切れませんよ」

　僕の弱気は、幕末を経験した養父には到底、受け入れられないものだった。

　僕はその夜、竹刀を抱えて玄関を守る羽目となった。

　実父の家や妻の実家その他の安否を確かめて回ると、幸い、僕の縁者はみな無事だった。しかし、被災地の悲惨は想像以上だった。どこでも家屋が焼け落ち、道には片付けきれない死体が残っていた。黒焦げの死体を見るのも焼けた肉の匂いにも慣れてしまったが、あどけない女の子の寝顔のような死に顔には胸をつかれた。

　いや、この子はもう二度とこのような地獄図を見なくてすむのだから、こうなったことは、この子にとって、むしろ幸いだ。

　そう思い直したとたん、僕は僕の頭上に、銀色に輝く球体が現れるのを見た。

　誰が、今の帝都に、広告を出そうとするだろう?　だから、あの物体はアドバルウンではない。

　僕は、潰れた家の屋根瓦や放置された自転車、散乱する瓦礫《がれき》の上に、球体の影を探して発見できなかった。とすれば、この銀の球は、実体をもつものですらない。僕にだけ見える、僕の幻覚なのだろう。

　正体を見破られたためか、頭上に浮かんでいたはずの銀の球は、いつのまにか、僕の手の届くところまで下りてきていた。間近で見ると、銀というよりは水銀のようだ。滲むように光っている。その表面が微妙に波打った。何かを催促するように。

　その動きを、僕は「これで決心がついたか」と読んだ。

　この世はあてにならぬ。定かなるものは何もない。踏みしめた大地は覆《くつがえ》り、亀裂を発して人を奈落へ突き落とす。

「見くびられたものだな」

　その程度のことを僕に知らしめるためになら、これほど大げさに家を焼き、人を殺す必要などなかったのだ。この世がろくでもないものであることぐらい、こちらはとうに知っている。

　生まれてこのかた、幾つの不幸を見聞きしたことだろう。死をともにしようとまで愛し合った二人は仲を引き裂かれ、待ち望まれた赤子は発熱で死ぬ。僕のささやかな経験を引き合いに出すのはバツが悪いが、正気をなくした母から引き離されて、よその家で肩身の狭い思いで生きる。これだって不幸の一つと数えたっていいだろう。

　この世に未練など、すでにない。

　わずかに望んでいるのは、やるだけのことはやったという満足感だ。自分のことを卑怯者と思わずに苦しみを終わらせることのできる結末だ。僕が僕の限界を極めたなら、僕は自分が楽になることを許せることだろう。

　僕の目の間で、銀の球は少しずつ小さくなっていき、やがて空中の塵となって消えた。

　戒厳令がしかれた。新聞社も被災したために、災後しばらくは、何が起こっているのか、事実を知ることができなかった。口伝えだけが頼りのなか、「社会主義者が国家転覆をはかっているそうだ」「朝鮮人が井戸に毒を入れたらしい」という噂があった。災前であれば流言飛語を相手にすることを恥じただろうが、今このときには真に迫って聞こえた。

本所の被服廠《ひふくしょう》跡では、四万もの人々が猛火により焼死した。隅田川は溺死者焼死者圧死者であふれ、浅草では凌雲閣が倒壊した。麹町区の官庁街、オフィスビルも崩落、炎上し、日本橋、銀座界隈も焼失した。被害は東京ばかりでなく、横浜も壊滅。僕の勤めていた海軍学校のあった横須賀軍港も大きな被害を受けた。

いきつけの丸善は崩壊し、帝大図書館は焼け落ちて、神保町の古本街も壊滅した。

何もかもが燃えてしまった。

僕の知人でも、職場を失い、地方の親戚を頼って居を移す人が幾人もいた。江戸風情を残した街が消え、家の老人たちは「ご一新でも焼けなかったのにねえ」とぼやきあった。

奇妙なことであり、口外を憚《はばか》ることでもあるが、実のところ、僕はこの震災で少し元気を取り戻した。皆が生きるか死ぬかで目の色を変える世界は、意外に僕の性に合っていたのだ。お体裁屋の常識人の僕には決して認めることができないが、腹の底の底で、野蛮人であるもう一人の僕が「そらみたことか」と喝采をあげていたのだと思う。

だから言わんこっちゃない。

ちまちまと世間体をとりつくろって、良い人ぶって、言いたいことも言わず、やりたいことも我慢して、安全第一、小さく縮こまって暮らしたところで、少しばかり大地が身震いしただけで、家は焼け、人は殺され、食うにも困る。

江戸の昔と何が変わったというのか。

それまで、僕がこんなにも不安になり、恐怖を覚えるのは、僕が意気地なしだからだろうと思い悩んでいたのが、嘘のようだった。頭がおかしいのは、不安を感じる僕ではなく、こんな世の中を平気な顔で渡っていける他の奴らのほうだ。こうなってみれば、みなが明日を案じて嘆く、ご同輩じゃないか。

しかし、世間の逞しさは、僕の想像力を超えていた。

遺体が回収され、配給が開始され、上野や日比谷の公園には、たちまちバラックが立ち並んだ。被災後一ヶ月もたたぬうちに三越は本店跡で生活必需品を売り出し、学校は授業を再開した。新しく市営バスが走り出し、新しいアパアトメントも建てられた。

地獄を見てさえ、人は生きていたいのだ。

生を求める人々のエネルギイは、僕のような厭世家すらも巻き込むほどに強かった。東京が復興をめざしている間、僕は体調不良を抱えながらも何とか生き延びた。ただし、それは所詮、借り物のエネルギイだった。僕の体の底に蓄えられていたわずかな力も一緒に使い果たされて、大正が終わった年、僕のところには以前の希死念慮が舞い戻ってきた。

昭和二年の正月、義兄の家が焼けた。

大変なことになったと思う間もなく、義兄の死を知らされた。保険金目当てで放火した疑いをかけられて鉄道へ身を投げたのだった。日頃、僕は義兄を嫌っていた。実務家の彼が、僕を口先だけの意気地なし、社会にたかる寄生虫と軽蔑しているのを知っていたからだ。悼《いた》む気持ちの起こらない相手のために、僕は葬儀の準備をしなければならなかった。その間にも、警察に呼び出された。三年前に強盗に遭った時には、著名な作家かつ犯罪の被害者として丁寧な言葉をかけてもらったものだが、このたびは詐欺師の義弟としての扱いだった。立場の違いは大きかろうが、それにしても、警察の空気は三年前と一変していた。頭から犯罪者の仲間と決めつけられて「センセイ、下手なことはせんでもらいたいですな。その名が二度と誌面に載らなくなる」と脅されたのに、拳を握って耐えるしかなかった。

羽振りがいいと見えていた義兄だが、その実、多額の借金を抱えていた。姉と姪との今後の生活が成り立つように、金目のものはすべて金に換えた。

一通りの整理がつくまでに三ヶ月かかった。

官憲、保険屋、債権者と交渉し、死亡届から相続税まで、ありとあらゆる種類の書類を作成する。僕は、最も嫌いな男のために僕の最も苦手とする仕事をこなした。僕は義兄に「どうだ、参ったか」と言ってやりたい気分だった。こうした交渉、書類作成は、弁護士であった君の仕事だ。そして、君は、そうした実のある仕事をしていないからと僕を馬鹿にしていた。しかしね、僕とて、その気になれば、そして健康でさえあれば、君程度の仕事はできるのだよ。結局、君は、生活能力がないと馬鹿にした僕に、尻拭いをさせたんだ。

以前から僕は、ワイマル公国の宰相であったゲエテや陸軍軍医の森鷗外に憧れていた。創作だけでなく実務においても名をなした彼らは超人だろう。

たった三ヶ月であったが、僕は彼らと同じく、実務においても力を尽くすことができた。家族のために、なすべき義務は果たされた。

もうこれで、十分ではなかろうか。

あとは好きにさせてもらおう。

僕は水妖を書いた。人間ではないのだから、彼らが何を言い、何をおこなっても、責められる筋合いはない。僕の描く人物を「頭でっかちの人でなし」と罵る人々も、そもそも人でないものを人ではないと責めることはできないだろう。

水妖の暮らす社会は僕の頭の中だけにあったから、古今の歴史に材をとったる場合のように調べ物もいらず、僕はただ自分の頭の内側だけをみつめてペンを滑らせた。

それほど根を詰めて書いたのは久しぶりだった。書いている間、僕は僕が僕であることを忘れた。思うように回転しない頭脳を呪うこともなかった。

もはや、これを書いたら人からどう思われるか、作品の評判はどうか、といった世俗の反応を気にする必要がなかったからだろう。

至福四年の終わった大正九年、僕は『邪宗門』を書き始めた。大阪毎日新聞への連載であり、この新聞社から給金をもらっている責任から、絶対に失敗できないと感じていた。それればかりでなく、僕自身にとっても、この作品は重い意味をもっていた。初めての長篇であり、なおかつ『地獄変』の続篇であったからだ。

『地獄変』で、良秀ばかりが娘が焼け死んだ責めを負うべきであるように読まれたのは、僕にとっては心外だった。作中で、良秀が人道に反した望みをかなえることができたのは、彼を愛好する権力者、堀川の大殿がそれを許したからだ。堀川の大殿こそ、極楽図ではなく地獄図を良秀に注文し、女を焼いてほしいという良秀の望みを叱責せぬまま、良秀自身の娘を焼かせた張本人だ。

大殿とは、人々の欲望をよく知り、それを操る術を心得ているがゆえに、良き支配者として君臨した男だ。人々は大殿を崇めた。なぜなら、大殿は人々を縛っていた因習から人々を解放したからだ。人間の欲望を肯定して、力をふるった。

『邪宗門』で、僕はその大殿に反撥する息子を主役に据えた。若殿は力の信奉者である父親を軽蔑している。力を誇示するためには弱きを押し潰して平然としている父とは別の道を行こうとする人間だ。

しかし、その別の道とはいかなるものであるか？

それを描こうとして、僕のペンはぴたりと止まった。

大殿が間違っていることは明らかだ。

では、どうあれば正しくあれるのか。

大殿に反撥する若殿を描くことはできた。

しかし、大殿亡き後、人々の前で自らの考えを述べる若殿を書くことはできなかった。

僕の若殿は、「否」としか言うことができないからだ。

権力？　ちがう。

宗教？　ちがう。

恋愛？　ちがう。

金銭？　ちがう。

すべてを否定して、けれど、僕は虚無主義者ではない。僕が求めているのは、究極の「然り」だった。しかし、それを何か形あるものに託してしまうなら、それは、その全体性を失う。

僕は社会主義も勉強した。芸術派の代表のように扱われてきた僕が、社会派に接近するのは時代に媚びているからだと言われた。それも僕は否定しないが、僕の目的は、社会主義のなかに永遠の「然り」を探すことだった。

僕のなかの若殿は、社会主義に対しても「否」と言った。

僕の若殿は、いや、僕は、社会主義であれ資本主義であれ、人間の社会そのものを肯定できなかったのだ。

そんな僕が、人間社会に向けて、何かを書くことはできない。

書かなければ、生活がたちゆかない。

書かない自分に、生きる価値はない。

書きたいけれど、書けない。書けないけれど、書くべきである。

その葛藤を続けたことが、僕の消耗のいちばんの原因だった。

だが、この世を離れると決めた今はもう、書くことそのものの快楽に浸るよりほかには、何も考えなくてよかった。僕は、独自の社会で暮らす水妖たちの動きを眺め、僕の頭のなかで交わされる彼らの言葉を筆記することだけに専念した。長年の修練のおかげで、言葉はペン先から溢れてきた。

僕は、僕に新しい思想を生み出す力のないことを受け入れたのだった。

この社会が間違っていることなら、幾らでも書くことができる。愉快に、辛辣に、どんな文体であっても。

こんなに書けるのなら、何も高い代金を払ってホテル泊まりを続けることもない。僕は田端の自宅に戻った。その夜は、睡眠薬を飲み忘れたにもかかわらず、ひさびさに夢を見ない眠りが訪れた。

次の朝、僕は二階の書斎で、いつものように僕の重みを背負ってくたびれた座布団に座って文机に向かった。普段との違いに気づいたのは、この時だった。文机の下には青い絨毯が敷いてあるのだが、その青がやたらに鮮やかだった。はてと思って、周りをよく見てみると、インク壺、硯、筆やGペン、そうした普段使いの道具がどれも、くっきりと立体的に見える。文机を夏目先生の奥様から頂戴した時、文筆で立つことができた喜びとかたじけなさとが、まるで昨日のことのように甦ってきた。

この二三年、いや、もしかすると三十を過ぎてこのかた感じたことのない、子供っぽいほどの爽やかさだった。

表からは、小鳥のさえずりが聞こえてきた。旋律は軽やかに上り下りして、迦陵頻伽《かりょうびんが》もかくやと思われた。窓へ目をやると、松が枝を広げていた。朝の光を受けて、濃い緑をいっそう色濃くした松の枝のその先に、僕は海を見た。金の鱗を輝かせて息をする大魚の腹のような海。僕は立ち上がって、窓の木枠に力を入れて開けた。

風が入ってきた。潮風のようだった。気温が上がる前独特の、暑さの予兆を含んだ、生暖かくも冷ややかでもある風が、僕の額を撫でた。風とともに、窓の外に広がる光の世界の生気が吹き込んできた。庭先で餌を探している雀たち、隣家のカラス、生け垣。そうした、普段見慣れた、何でもないようなものたちが輝いていた。カラスの羽は黒く青く光り、黒瓦もまた日の光を反射して目が痛いようだ。風に吹かれて、木々は揺れる。

田端の町のざわめきも伝わってきた。僕は散歩で見かける町の人々の様子を思い描いた。家の前を掃く老婆や、赤子を背負い、幼子の手をひいて買い物に出かける母親、煙草屋の娘さん、魚屋や豆腐売り、盆栽の手入れをするご隠居。下の階では、伯母が次男をあやしている。

なにもかも善いのだ。

大きな安堵が湧いてきた。

僕がただただ自分の身だけを案じて何年も苦しんできたことですら悪いことではなかった。この光の渦のなかにあっては、どんなことも許されている。

つんと鼻の奥が痛くなるような至福感は徐々に薄れていったが、体の隅々を潤す生気は残っていた。僕があんなにも望んできた動物的エネルギイが腹の底に満たされていた。

昼飯のために一階へ下りていった時には、何事もなかったような顔をとりつくろったのだが、勘のいい文には気づかれたようだ。

「原稿がよく進みましたのね。よかったこと」

妻を抱きしめたくてむずむずした。

心配をかけたが、今日からはきっと、なにもかもうまくゆく。

今までは、あまりにも考えすぎていたのだ。考えたところで答えの出ない問題にこだわって、無理な頭の使い方をしたせいで、頭の中の歯車が火を吹いた、それだけのことだ。

　もう大丈夫、大丈夫なんだ。


　ありがたいことに、平穏はそれから二日も続いた。

　その間、僕は体の内外から湧いてくる喜びを感じ続けた。

　おかしなことに、二日目からは、それを特別な恩寵、奇跡であるとは感じなくなった。なにしろ、胃痛は続いていたし、排便時の尻の痛みも激烈であった。ただ、痛みは痛みとして感じられるだけで、それが僕の神経を犯してくることはなかった。

　それが当たり前ではないか？

　これが普通だ。

　おそらく、産まれてこのかた、この喜びの世界だけに生きている人だって、広い世界には何人もいるのにちがいない。もしかしたら、僕が知らないだけで意外に多いのかもしれないし、あるいは、僕以外の人は皆、この世界の住人だったのかもしれない。

　そして、僕もまた、この世界を今、初めて知ったわけではなかった。

　小説家になろうと決意した時のことだ。見上げた樫の木の枝から、日の光が漏れてきていた。緑の葉と光。樫の木全体から、何かが僕に降り注いだ。

　クリスト者が洗礼を受けるように。

　その洗礼後の目で、校庭を見直したとき、僕は今と同じ感慨を味わったのだった。

　これが当たり前で、これが普通だ。

　いつもの苦痛に満ちた、あるいは退屈な灰色の世界のほうがおかしいのだ。


　潮の引くように高揚感が薄れていった最後の日、僕が窓の外を眺めると、松の上に銀球が浮かんでいた。

　どうする？

　銀球の言葉はいつも短い。だが、僕には銀球が何を問うているのか、いつでも分かる。銀球が僕自身の心の反映であることの何よりの証しだと思う。

　生き続けるのか。

　それとも、事を決するのか。

　いささか感じやすい僕の頭脳は、この二日間の歓喜が、死を決めた者に与えられた最後の晩餐であったことを悟っていた。

　もう一度、生きたいと願うなら、不安と憂鬱はふたたび僕を襲うだろう。

　この世は、無力の者に過剰の責務を負わせる場所である。善意は曲解され、愛は自由を奪う罠である。生き残りのための闘争が常であり、進む道にはいたるところに陥穽が仕掛けられている。

　その世界を生き続ける力が僕にないことは、はっきりしている。

　僕が迷ったのは、突如として、第二の道が開けたからだった。

　自らの力を恃む傲慢を捨て、赤子のように素直になれば、この世に善きことが満ちていると気づくことができる。一見、苦しみと見えることも、いずれは神の深い思慮による導きであったと知るだろう。すべての人は友であり、くつろいで喜びのなかに生きられる。

　僕にも、まだ、そのように生きられる可能性があるのではないか。

　もし、神を、大いなる摂理を信じることができさえすれば。

『カラマゾフの兄弟』で、イワンは、罪なき幼子の涙が永遠に調和した世界のための礎《いしずえ》だというのなら、そんな世界なら、その入場切符をこちらから投げ捨てる、と答えた。

　初読の折、若かった僕はイワンに同意した。

　この世に神がいるとして、赤子から、その母を精神的な死によって奪うような神は神だろうか。神がいるのなら、火を用いる昼時に大地を揺るがして何万の人の命が失われるようなことがなぜ起こるのか。そのようなことをしでかしながら、世の人の崇拝を強要する者がいた場合、その者を悪魔と呼ばずして、何と呼べばよいであろう。

　僕は、僕の武器である知力を用いて、この世を渡ってきた。その武器を投げ捨てて、神を名乗る悪魔に、この身を預けるような真似ができるものか。

　若かりし頃、僕はなんとも勇ましかった。十字架の上で「神よ、なぜ我を見捨てたもうたのか」と口にしたクリストを軽蔑したほどだった。

　だが、睡眠薬と医師とに頼り切った今の僕には「神に頼るなぞ、矜持ある人間のすることではない」という啖呵を切る力がない。神が睡眠薬よりも効果的に安らかな眠りを与えてくださるものなら、たとえ、その神が幼子を犠牲にする神であっても、神を選ぶ。

　卑怯だと言うものは言え。

　寝ても覚めても、天の落ちてくる不安、地の裂ける恐怖から逃れられない数年間を過ごした者なら、僕の気持ちを分かってくれるはずだ。

僕は、安らかな眠りを与えてくれる神を選んだ。

その神はきっと、僕の死後にも、僕の家族、養父母と伯母、妻子がこの恐ろしい世界で路頭に迷わないように養ってくださるだろう。

僕は逝く。

僕の人生は、一つの典型的な失敗例であろうと思う。けれど、僕は僕に続く人までが失敗するとは思わない。そこまで僕は悲観論者ではなく虚無主義者でもない。おそらく、僕が徹底した虚無主義者であったなら、死を選ぶことはなかったのだ。

僕は、僕の後に生きる人の、成功されんことを祈る者である。

その祈りは、神ではなく、僕の垣間見た光の世界へ捧げようと思う。

**芥川龍之介**

大正時代を代表する小説家。夏目漱石の賞賛によって世に出て、東西の歴史に材をとった技巧的な短篇を発表した。礼節を重んじ、友情に厚く、子煩悩であったという。晩年には繰り返し形を変えて、自伝に近い小説に取り組んだ。遺作となった『続西方の人』はイエス・キリストを主人公としており、自死した枕元には聖書が置かれていた。

連作《ベルリン警察怪異課》第四話

# 血の混じった泥の色

Die Farbe von blutigem Schlamm

朝松健

夫《か》の古《いにしへ》よりの悪《あ》しき者は
今は猛威を悉《つ》くして立てり
政権を以て装ひ、
邪曲の計を旋《めぐ》らす、
世に彼に當る者なし。

マルティン・ルター
内村鑑三訳

## 1

一九三〇年九月三日水曜日の午前九時であった。出勤時の街角で、男たちが激しく言い争う声が発せられた。小競り合いを始めた一方はカーキ色の制服制帽の屈強な二人の男、それに対するのは背広に派手な柄のネクタイか赤いセーターの、大学生風の三人である。

最初こそ、三対二で声を張り上げる議論だったのだが、三人組のうちの赤いセーターを着た若者が議論に熱が入り、つい制服組の一人を押してしまった。

それを見た別な制服の男がすかさず腰の警棒を抜いて振り上げた。

「この糞アカ学生が！」

怒声に力を込め、警棒を勢いつけて若者の頭に叩きつけた。ガッという鈍い音が街路に響く。通勤する者たちは誰かに操られたように振り返った。若者は呻《うめ》きを洩らして顔面から倒れ込んだ。制服の男は顔を歪ませて、さらに警棒をまた振り上げた。それを見るもう一人の顔は怒りに紅潮して悪魔のようだ。二人が倒れた若者を蹴ろうとした時、ヨハン・ヴィントは口を開いた。

「そこまでだ。もう気は済んだだろう」

　警棒を握る手が止まった。それまで見物していた野次馬の視線が一斉にヨハンに移った。

「なんだと」

　警棒の男がヨハンを睨みつけた。その眼は発情した獣のように赤く充血している。もう一人の制服が右手を警棒に流しながら訊いた。

「貴様もアカ学生の仲間か」

「いいや」

　とヨハンはかぶりを振り、通りの向こうに聳える古風なビルディングを顎で示した。

「俺はそこの者だ」

　制服と学生五人の眼がベルリン州警察を見上げた。ヨハンは静かに続ける。

「州警本部殺人課のヴィント上級刑事だ。なんなら治安警察に連絡して、お前ら全員、騒乱罪で逮捕させようか。ベルリンの治安警察はミュンヘンみたいに甘くはないぞ」

　ヨハンの言葉が終わらぬうちに。五人は五つの方向に駆け去っていた。

「何が国民社会主義労働者党《NSDAP》だ。ご大層な名前を名乗っても、尻に帆掛けて逃げる姿は学生以下じゃないか。帝政時代に憧れる馬鹿が勇ましがっても、正体は軍服フェチの集まりに過ぎん。普通、国民総選挙の十一日前なら、まともな政党ならば見せかけだけでも大人しくしているものなのにな。奴らときたら、これ見よがしに怒鳴り歩き、一般人に喧嘩を吹っ掛けて歩く。街のダニか、チンピラそのものだ」

　ヨハン・ヴィントは野次馬たちに聞こえるように吐き捨ててソフト帽を直した。そのまま通りを渡り、ベルリン州警察ビルへと進んでいく。早くも制服私服の警官でごった返す一階ホールを抜けて、昇りのエレベーターに飛び乗った。

　朝起きた時から最悪だった気分はエレベーターに乗ると「最悪以下」に変わった。エレベーターは「昇」も「降」も各階ごとには止まらない。ただ下から上へ――あるいは上から下へと流れるだけ、扉もなく、入口が開きっぱなしなのだ。ベルトコンベアに小さな箱がついているようなものである。このエレベーターに乗ると、いつも巨大な工場で組み立てられる機械になった気分に襲われる。

（人間の形をした機械か……ラングの映画のロボットみたいだ）

そんなことを考えながらヨハンは開きっぱなしの戸口から軽く跳び降りた。足が三階の床についた瞬間、頭の奥で鈍い痛みが起こる。

（まるで二日酔いだ）

ヨハンは顔をしかめた。殺人課がある大部屋に向かって廊下を進めば、一歩踏み出すごと、板張りの堅い床に踝《くるぶし》まで沈む感触がする。それと同時に、心臓が脈打つたび、こめかみに杭が打ち込まれたような痛みも起こった。

（二日酔いというより神経衰弱だな。本部長に知られたら、また病院に送られる。努めて平静でいなくてはな……）

とヨハンは唇の両端を引き締めた。睡眠不足の頭には、早朝に見た悪夢の残滓がまだこびりついている。ただし、それは夢特有の朧《おぼろ》な光景や、夢で会った誰かとの会話の断片ではなかった。

感覚と空白の悪夢である。「感覚の悪夢」は、誰かが自分を見つめているという感覚《もの》——誰かの視線を感じた時の、眼に見えぬ手で押されたようなあの感覚だが、現実の感覚と違って、彼を見る視線には感情がなかった。ただこちらを見つめているだけなのだ。無表情で無機質なその視線は、眠りかけに湧く朧な夢の中でも、ベッドで寝返りを打つ現実においても、じっとヨハンを凝視していた。

（誰だ？　俺を見るのは誰だ？）

眠りながらそう思っても、一瞬の後には思考は空白に呑み込まれる。思考の根幹——「考えているという意識そのもの」が拭われたように消えてしまうのだ。

そして、意識の消えた空白の向こうからも、まだ視線はヨハンを見つめていた。

ヨハンは眠りの深みから浅瀬へと進みながら、視線と戦い続け、彼の意識を呑み込もうとする空白に抗《あらが》い続けた。

（——お陰で昨夜飲んでもいないのに二日酔いみたいな気分のままで出勤か。おまけに朝から狂犬と学生の喧嘩の仲裁なんて。……まったくなんて朝だろう。くそっ、今日も厄日《マイン・ペヒターク》か）

眉間に皺を刻んでヨハンは殺人課へと進んだ。

と。——戸口を越えて一、二歩も行かぬうちに、視線を感じた。視線は夢ではなく、また夢で感じた視線のように無表情ではなかった。視線には感情が込もっている。——それも、馴れ馴れしいまでに親しげな感情が。

（誰だ）

ヨハンは視線を追った。視線はヨハンのデスクのほうから発せられていた。正確には彼の向かい、死んだクレープス刑事のものだった席からである。

クレープスの席には見たこともない二十三、四の男が坐り、ヨハンを見つめていた。若い男はヨハンと眼が合うと、こちらに微笑みかけ、良く通る声で言った。

「おはようございます。ヨハン・フォン・ヴィント上級刑事」

若い男は皺一つない背広を身にまとい、まだ正札が付いていそうな真新しいネクタイを締めていた。プラチナブロンドの髪は丁寧に分けられ、アイスラー出版の〈優雅な世界《エレガンテ・ヴェルト》〉といった雑誌のグラビアで美女をエスコートする男みたいな顔――早い話が気取った二枚眼ヅラをしていた。

ヨハンは眉間に皺を刻んだまま言った。

「ヨハン・ヴィントだ」

「はい？《フェルツァイウン》」

尋ね返した男の顔が一瞬翳《かげ》った。自分になにか不備があったかと思ったらしい。ヨハンはぶっきらぼうに続けた。

「フォンはいらない。ただのヨハン・ヴィントでいい」

ヨハンの言葉に若い男は安堵の笑みを拡げた。

「ヴィントさんも反貴族主義でしたか。ならば当然、反君主主義で反ユ――」

ヴィントは相手の言葉を遮《さえぎ》って言った。

「私が名前にフォンを付けられるのが嫌いなのは、単に仰々しく聞こえるのを好まんから。それだけだ」

「はっ」

「もう二つ、君に言いたいことがある」

「なんでしょう？」

「第一に、職場で政治的な話はやめろ。昨年のメーデー騒動以来、警察署内での政治的言動は厳に慎むよう申し渡されている」

「二九年の〝血のメーデー《ブルート・メイターク》事件〟ですね。あの時は自分も警棒を手にアカを――」

ヨハンはそれ以上ハンスに言わせず、

「第二に、これは殺人課上級刑事としての質問だが」

そこで相手を正面から見据えて尋ねた。

「君は誰だ？《ヴェア・ビスト・ドゥ》」

男は威儀を正し、靴の踵《かかと》をカチリと鳴らした。ヨハンは反射的に眉をひそめた。さっきの軍服フェチの二人組を連想したのだ。ヨハンの不興に気づくことなく、ハンスは兵隊のように胸を張って、こう名乗った。

「自分はハンス・ハインツェであります。本日付で──」

「クレープスの後釜だな。部長から、九月三日の朝から新しい人間が殺人課に配属されると聞いている」

「はっ。宜しくお願いいたし──」

ハンスの挨拶に被せて、ヨハンは言った。

「以後、よろしく。殺人課の仲間は追々紹介しよう。それより、ここは警察学校でも軍隊でもない。ベルリン州警察本部だ。自分は、とか、あります、といった言葉遣いはいらん。今後は、俺、お前、でいこう。いいな?」

「有難うございます」

軽く一礼してカチリと踵を鳴らしても、ハンスは直立不動の姿勢を保っている。

(こいつは……)

鼻白んだヨハンは皮肉を込めて軍隊式に命じた。

「坐ってよし《ヒンゼッツェン》」

「はっ」

ハンスはようやく席に着く。

(こいつは何の嫌がらせだ。州警のお偉方は私に恨みでもあるのか)

溜息を隠してヨハンは周囲を見渡した。

殺人課にはすでに大半の人間が出ていた。誰もが皆、書類を作り、近くの同僚と話し、電話で喚いている。空いた席の刑事は、昨夜か今朝早くより捜査に就いているのだろう。

これだけ見れば何という事もない職場──一九三〇年九月三日水曜日のベルリン州警察殺人課の風景だ。どこにも黒魔術《シュワルツェ・マギー》だの、魔宴《ザバット》だの、〈輝く闇《ルチェンス・テネブリス》〉だのといった魔女裁判でしかお眼にかかれない単語の出る隙はない。

(だが……)

とヨハンはここしばらく続けている捜査の記録ファイルを開いた。

そこに書き記されたのは儀式殺人《リトゥアルモールト》だの人身供儀《メンシェノプファー》だの感染呪術《インフェクティオーネン・マギー》だの悪魔崇拝《トイフェルザンベトゥンク》といった、おどろおどろしい単語とそれらを行った黒魔術カルトによる血《ち》腥《なまぐさ》い犯罪の記録だった。

腕や首を引きちぎられた死体や返り血に濡れた壁といった現場写真、貧しい人々の口述報告書、ルーテル派・カトリック・ユダヤ教徒の宣誓供述書などを眺めるうちにヨハンの魂と肉体に疲労がのしかかってくる。

今朝も疲労は重い。まるで死者を縛るという罪の鎖のようだ。

(これが本当に二十世紀のヴァイマール共和国で起こっ

ている事件なのか）

　と考えた時、ヨハンは不意に視線を感じた。

（ひょっとして悪夢の続きか？　俺はまだ夢の中なのか？）

　と一瞬思ったが、こちらに向けられた視線は感情を伴っている。

（詮索好きで、何でも嗅ぎまわる奴の感情――何かを探ってる野郎の感情――赤新聞の記者や、邪魔者を蹴落として、のしあがろうと企むハイエナ共が丸出しにしたあの感情だ）

　素早く視線の源に振り返れば、いつの間にか背後にまわったハンスが、背後からファイルを覗き込んでいた。

（猫かコソ泥みたいな奴だ）

　ヨハンは露骨に不機嫌な顔で尋ねた。

「なんか用でもあるのか？」

　誤魔化すような笑いを落として、ハンスは応える。

「ヴィントさん、例の一味を追ってるそうですね」

「例の一味？」

「黒魔術カルトですよ。それで、ヴィントさんは正式に悪魔祓いするのを教皇庁から許された神父を相棒にして、ずっとカルトを追い続けてると、州警内じゃもっぱらの噂です」

「俺と神父は有名人という訳か」

　ヨハンは皮肉な笑みに唇を歪めた。

「自分もカルトに興味があって調べてるんです。フュッセンかミュンヘンあたりから始まった連続儀式殺人の秘密結社。――なんでもペーター・キュルテンも仲間だったとか」

「詳しいな」

「〈ベルリン／街の眼《ベルリナー・シュタットアウゲン》〉といった大衆新聞が書き立ててますよ」

「クソ新聞《フェアダムテ・ツァイトゥンク》か」

　呟いたヨハンの脳裏にクソ新聞の女性記者の顔が浮かんだ。一時期しつこくヨハンに付きまとっていた記者である。灰色に近いブルーの眼でインタビュー相手の眼を見つめる女。（苗字は忘れたが、名は確かリーゼとかリーゼルとかいったはずだ）こちらの眼を通して、脳まで覗き込もうとしているようで、ヨハンは初対面からその女性記者に嫌悪を覚えたのだった。

　ハンスの声が頭の後ろから響いた。

「――新聞にはかなり詳しく書いてましたよ。ケルンの廃教会にユダヤの六芒星が血で描かれていたとか、六芒星の真ん中でキュルテンは人肉を食らったとか、警察は隠しているがキュルテンはユダヤとジプシーの混血で近親相姦から生まれたとか……」

「全部間違っている」

　ヨハンはハンスの長口説を止めさせた。

「だから、あの新聞はインチキ赤新聞だと言うんだ。奴らは酒場の隅で安酒を引っかけながら、聞こえてくる噂を元に記事をでっち上げているんだ。覚えておけ。

「大体、キュルテンはユダヤ人じゃない。ジプシーでもない。現場に残されていたのは六芒星《ヘクサグラム》ではなくて七芒星《ジーベンツァキガー・シュテーン》だった。忘れるな、キュルテンと黒魔術カルト――〈輝く闇《ルチエンス・テネブリス》〉とは無関係だ。それはライン州警本部の記録にも記載されてい……」

　皆まで言わせずハンスは口を挟んだ。

「この調書にも、そのカルトの名前が書いてますね。〈輝く闇〉か。……秘密結社らしくないけど、一度聞いたら忘れない名前だな」

　ヨハンは「お前の知ったこっちゃない」と怒鳴りかけた言葉を呑み込み、落ち着こうと、深呼吸をした。

（こいつは俺を妙に苛立たせる。言葉も仕草も何もかもが神経に障る。まるで俺をイラつかせようとしているようだ。まったくクレープスとは正反対の男だな。早くも、こいつと組んでいけるか、俺は自信がなくなってきた……）

　ヨハンが眉を寄せたのにも気づかず、ハンスは無遠慮に横に坐ると、調書をひったくった。

「〈輝く闇〉はドイツ南部より発生したと思われる……。そうなのか。奴らは国境を越えてフランスから流れ込んだのかもしれませんね。ジプシーだの、ロマだの、ユダヤ人だの怪しげな連中は大体フランスから入って来るから」

「そう何もかも決めつけるな。人種や職業や見てくれといった先入観に引きずられるのは、捜査の邪魔にしかならないぞ。キュルテンの事件だってフランクフルトの連中は最初、フランス人かスイス人の仕業と決めつけていたんだ。お陰で逮捕が遅くなって、犠牲者が増えた」

　ヨハンはハンスから調書を取り返した。

「もう一つ言っておくが、ドイツ人のうち五十万人近くがユダヤ人、共和国陸軍の兵士の三割はユダヤ人だ。かれらの多くはこないだの戦争で鉄十字勲章を受けた愛国者だぞ。肝に銘じとけ」

　ヨハンが言い足すとハンスは反論したそうに口を開く。その瞬間、狙いすましたように電話が鳴った。

「以上で、話は終わりだ。仕事に戻れ」

　短く命じて受話器を取れば、聞き慣れた声が届けられる。

「ヴィント刑事ですか」

　シュテファン・マスカード神父だった。神父は早口で続けた。

「動物や幼児が殺された痕跡と七芒星を追えば〈輝く闇〉に行きあたる、という貴方の指摘の通りでした。たった今、現場付近の教区司祭から連絡がありました。山羊の殺された農場の近くに、例のしるしが彫られた樹を見つけた、と」

「教区司祭から連絡があった？　場所は何処です？」

　すかさずハンスが嬉しそうに言った。

「ミッテ地区に決まってる。黒魔術カルトはユダヤ人街にいるんだ」

　ハンスが嬉しそうに決めつけた。

　ヨハンは新しい相棒を一睨みで黙らせると神父に訊き返した。

「失礼、周囲の雑音で聞こえませんでした。いま、なんと？」

「……七芒星が残されていたのは、旧練兵場教区内です。練兵場のあったあたりの複数の農家で、山羊や鶏が盗まれたり、野犬に殺されることが多発していたそうです」

「旧練兵場？　陸軍練兵場跡というと、いま飛行場のあたりだな」

　と呟いたヨハンの独り言を引き取ってマスカード神父は言った。

「そうです。テンペルホーフ空港近く。そこの農家からの報告です」

「犬や猫の被害は？」

「そちらも教区の司祭や教会に報告されていました。ペットや家畜が攫《さら》われたり、切り裂かれて殺されたと届けても、警察は相手にしてくれないので、教会に届けたそうです。それから事件の目撃者らしき青年も農場の近くで、頭を傷つけられた状態で見つかりました」

「傷の状態は？」

「医師の話では浅いようです。脅かすために額を傷つけられたらしい、と」

「会って話したいですね。今は何処に？」

「現在、当教会で保護しています」

「カルトの一味という可能性は？」

「全くありません。黒魔術カルトによって、額と心を傷つけられた不幸な青年です。だから保護していまして」

「私が話して事情は聞けますか？」

「話せますが……生まれつきなのか、ショックにするものか……普通の会話は望めませんね。とにかく、刑事に旧練兵場あたりの農家で起こっていることを詳しくお話して、青年に会ってもらおうと考えまして。それで、こうしてお電話したのです」

「成程、分かりました。神父は今、どちらに？」

「聖ゲオルグ教会に戻っております」

「分かりました。すぐに現場に向かいましょう。これから車を出して迎えに行くので待っていてください。奴らの仕業なら、必ず、神父《あなた》の助けが必要になりますからね」

　受話器を置くと、ヨハンは、ずっと会話に聞き耳を立てていたハンスに向き直った。

「お聞きの通りだ。まず聖ゲオルグ教会へ行き、そこのマスカード神父を拾って、テンペルホーフ飛行場方面に移動する」

「なんだか大捕物みたいですね？」

　ハンスがわくわくした子供のような表情を拡げたのを見て、ヨハンは面白くもなさそうに言った。

「山羊と犬と猫の殺しだ。それで良かったら付いてこい」

## 2

　聖ゲオルグ教会へは黒森《シュヴァルツヴァルト》の事件で調達したクライスラーではなく、今年配備されたホルヒ四〇〇で向かった。ホルヒ四〇〇は最新型、八気筒の警察車両である。州警内では「警邏車《ポリツァイアウト》」とか、アメリカ映画風に「パトロールカー」と呼んでいるが、ヨハンは単に「車《アウト》」と呼んでいた。

「すごい、今年から採用された車ですね」

　歓声交じりに助手席に乗ろうとしたハンスにヨハンは突き放した調子で言った。

「お前は後ろだ。助手席は神父の指定席だ。悪く思うな。現場まで道案内してもらうんだ。それに現場に着くまでの間、経緯《いきさつ》を聞くのは隣にいてもらうほうが聞きやすい」

　むっとするハンスを無視してヨハンは警邏車を発進させた。

　行く先はアレクサンダー広場駅の南西、中世風な建物が密集したあたりに位置する聖ゲオルグ教会である。

　教会の前で待っていたのはマスカード神父一人ではなかった。神父の少し後ろに粗末な身なりをした浅黒い肌の長身な青年が立っている。青年は額にガーゼを当てて絆創膏で止めていた。

　ジプシーに間違われて軍服フェチに殴られたか、とヨハンは眉をひそめた。近頃、善良なベルリン市民が国民社会主義者の突撃隊《SA》に言いがかりを付けられて暴力を振るわれる案件が多数、州警本部に報告されていたのである。

こちらを見て不安そうな表情になった青年を示して、ヨハンは神父に尋ねた。

「彼も一緒ですか？」

「はい。お願いします」

すかさず後部座席からハンスが不満げに言った。

「いいんですか、ヴィントさん。そいつはどう見ても部外者ですよ。おまけにジプシーか、ロマだ。そんな奴、捜査に同行させて大丈夫なんですか」

ハンスを無視してヨハンは助手席のドアを開いた。

「神父はこちらへ。若いのは、後部座席だ」

助手席に乗り込んだ神父は医者のような黒革の小さな鞄を膝に載せた。

「鞄なんて大袈裟な。旅行じゃあるまいし」

そう笑ってヨハンが言えばマスカード神父は真剣な顔で応えた。

「中身は聖書や十字架や聖別された水といった品――悪魔祓い《エクソーシスムス》の道具です。これから行く場所には必要と思いまして」

その言葉にヨハンの笑みが萎れた。

「さ、お前もだ。早く」

そう神父に促された青年は車に乗り込み、ぎごちなくハンスの隣に座っていく。

ハンスが露骨に顔をしかめたのをヨハンは見逃さなかった。青年の肌の色や様子、そして身なりに差別的な嫌悪を抱いたらしい。学生と小競り合いしていた連中の獰悪な顔に、ハンスの端正な顔が重なった。

（こいつって奴は……）

ヨハンが舌打ちをしかけた時、連発花火に似た鈍い音が上空から落とされた。

「雷《ドンナー》……」

青年が呟いた。怯えに震えた声はまるで老人のように嗄れている。

神父が振り返って青年に呼びかけた。

「心配ない。大丈夫だから怖がらないで」

それから二人の刑事に言った。

「この青年は〝無原罪なる純粋無垢な子〟……つまり、生まれながらにして心に天使が宿っているのです。……それが、今回の家畜虐殺の現場を目撃してから……一層心を閉ざすようになりまして……ほら、戦地で激しく心が傷ついた人が罹るシェル・ショックみたいな状態になってしまいましてね。私に促されないと日常の作業も行えない有様なのです」

「つまり精薄《ドゥムコプフ》が阿呆《ナー》になったという訳だ」

ハンスが軽蔑した薄ら笑いを拡げて呟いた。ヨハンはもう一度ルームミラー越しに若い相棒を睨んだが、その瞬間、雷光が閃いたので、彼の苛立ちにハンスは気づかなかった。

## 3

警邏車を飛行場方面に続く道に乗せて、十分ほどした頃から急に周囲が暗くなってきた。

フロントガラスから眺めた空が瞬く間に黒雲に覆われていく。その、黒く塗られる空から山鳴りのような雷の音が鈍く響いてきた。雷鳴は先程と比べると、より近くに聞こえる。

そのまま走り続ければ、時折、周囲が白銀の閃光に照らされた。稲光は眼に突き刺さるような眩しさだ。黒と紫の混じった残像がヨハンの視覚に刻まれた。

「九月中旬にこんな派手な雷かよ」

ハンスが学生みたいな調子で言った。

「なんだか、激しい雨が来そうですね」

助手席のマスカード神父も心配そうに言って車窓から空を見上げた。

「この車《アウト》ならスピードを出せば旧練兵場へは小一時間で着く」

ヨハンはマスカード神父とハンスの両方に呼びかけてから、助手席に振り向いた。

「それまでの間、神父、飛行場界隈の農場で何が起こったのか、その青年は何者なのか、詳しく話してくれませんか」

「はい」

マスカード神父はうなずいた。

真剣な面持ちのその顔が、また閃光に照らされる。車窓が降り出した雨に濡れて、外の景色が急速に暗くなり、車内は夕暮のような薄闇に沈んでいった。

「教区司祭の話では、テンペルホーフ空港を中心とする半径三キロの地区に点在する農家で家畜が次々に盗まれ、翌朝、その死体が近くの林に捨てられていたのが始まりだった、ということです」

とマスカード神父は話しはじめた。

「家畜の種類は?」

「最初は鶏、それから羊や山羊、やがて犬とか猫といったペットまで盗まれては、翌日、酷《むご》い殺され方をして林や川原に捨てられていた、と聞いております」

「殺され方はどんな様子でした? 一月の事件のように、

肉切り包丁でスッパリと切断されたような感じ?」

「いいえ。今度は、どの家畜やペットも足や首を物凄い力で引き抜かれたり、胴体を真ん中から引きちぎられたような有様だったそうです。山羊の胴体を乳のあたりで、無造作にひきちぎるなど、人間の出来ることではありません。地元の農夫は悪魔の仕業だと言っています」

「おお、コワ……」

揶揄した調子のハンスの声が後部座席から上がる。すかさずヨハンは鋭い一瞥をくれて若造を黙らせた。静かになったところでヨハンは尋ねた。

「そうした事件は、すべて最近——今年になってからのことかな?」

「はい。ほんのひと月前——八月末か九月の最初の週の金曜日からだったと司祭は言っています」

「司祭は随分と詳しく覚えているんだな」

ヨハンが眉をひそめれば、すかさずハンスが言った。

「きっと、その司祭が犯人でしょう。なんせカトリックだ」

ヨハンはハンスに聞こえるほど大きな舌打ちをした。「それ以上無駄口を叩くな」という警告である。ハンスが慌てて口を噤む。雑音がしなくなったところでマスカード神父は口を開いた。

「司祭の話では家畜の盗難と殺害は周期的なのだそうです。水曜か金曜に決まって起こる、と」

「水曜か、金曜? まるきり魔女集会《ヘクゼンフェスト》みたいだな」

ヨハンは独りごちて眉を寄せた。

「なんです、それは?」

ハンスに尋ねられて、ヨハンは応える。

「フンボルト大学で魔術関連の資料を調べた。異端審問記録によると悪魔と魔女の集会は水曜と金曜に催されるという。今のマスカード神父の話で、それを思い出したんだ」

ヨハンの言葉にマスカード神父は首を横に振ると、

「いや……みたいどころか、〈輝く闇〉の魔宴《ザバット》そのものです……動物を残酷な方法で殺害して悪魔に捧げるのはこれまでの〈輝く闇〉の手口です」

神父の半面が稲妻に照らされた。勢いを増す土砂降りの音が車内にまで聞こえてくる。

「魔宴《ザバット》……」

ハンスが呻くように洩らした。

その時、ハンスの横で窓の外を眺めていた青年が不意に声をあげた。おかしな節をつけて、調子っ外れに歌をうたいはじめる。

「安息日《ザバット》……黒犬と山羊の安息日…… 雨《レーゲン》……いっぱい《フォラー》

……いっぱい雨のふる《エス・レグネット・フィール》……雄鶏を悪魔に捧げる《ビーテ・デム・トイフェル・デン・ハーン》……」

「うるさい、薄馬鹿！」

ハンスが怒鳴りつけると、青年は口を閉じた。青年の怯えに震えた瞳が隣の刑事を見つめ、次いで、何か訴えたそうに助手席の神父へ視線を転じた。

「カスパールをそんなに怒鳴らないで下さい。お願いですから、もう少し優しく接してあげて。可哀そうな青年なのです」

「カスパール？　こいつ、カスパールってんですか、神父さん。へえっ、薄馬鹿にもちゃんと名前があるんだ」

馬鹿にしたようにハンスが言った。

「名前は農夫たちが付けたのです。地元の青年ではないから、何処かから迷ってきたのだろうと哀れに思い、自分の名前も出身も言えないのが伝説に出て来るカスパール・ハウザーに似ているのでカスパールと呼んでいます」

そこでヨハンが口を挟んだ。

「カスパールのことは後ほど聞かせてもらうとして。……ひと月前から、毎週金曜と水曜に山羊や鶏やペットの虐殺が起こり、どの家畜の死体も力任せに引きちぎられていた、と。ここまでは分かりました」

「そして脚が引きちぎられた家畜が見つかった場所には、必ず七芒星のサインがあったのです」

「これまでの事件では錬金術の水銀のサインが関わっていた。今度は七芒星か。ええと、報告には家畜の虐殺死体の近くの樹などに七芒星が彫られていた、とあったが」

「そうです。それから、魔宴《ザバット》を行ったと思しい場所の地面にも七芒星が……」

「その報告を受けてから、私も州警察やフンボルト大学で資料に当たり続けましたよ。錬金術の資料を読んでいたら、水銀の象徴は水星で太陽に最も近い惑星だから、儀式の始まりを表わすんじゃないか、と閃いた」

「では、樹や地上に刻まれた七芒星のサインは、どのように読み解かれましたか？」

「七といえば真っ先に浮かぶのは、神が天地創造に費やした日数だ。七日目に天地は完成した。そこから考えれば、七芒星というのは、〈輝く闇〉の秘密儀式の完成を表わすのではないかな？――そんな気がするのだが」

「儀式の完成ですか」

「いや、これは単なる私の思い付きに過ぎない。多分、魔術や錬金術の専門家が聞いたら噴飯ものだろうと思うけどね」

マスカード神父は、もう一度、ヨハンの言葉を繰り返した。

「七芒星は儀式の完成を表わす……」

その言葉が終わると同時に車内が、一瞬、閃光に照らされた。刹那の後、大地を揺るがすような轟音が地面を揺るがし、走行中のホルヒ四〇〇の全ての窓が割れんばかりに振動した。

「落ちた！　かなりでかい雷が近くに落ちたようですよ！」

ハンスが叫んだ。カスパールが恐ろしそうに両耳を塞いだ。マスカード神父は車窓から天に眼を遣った。稲妻が空を覆った黒雲を裂いた。車の外の土砂降りはいよいよ激しさを増し、滝のようだった。

ホルヒ四〇〇の疾駆する先は、すでに視界がほとんど利かなくなっている。激しい雨のせいで、車の進行方向は、縦に揺らめく薄い銀色のスクリーンに覆われていた。

スクリーンは地面に近くなるにつれて、薄い銀色から泥水の色へとグラデーションがかかって見える。それは地面に叩きつけられる土砂降りで撥ねた泥のせいだった。

「凄い雨ですが、ヴィントさん、大丈夫ですか？　疲れたでしょう。運転、代わりましょうか」

「大丈夫だ」

ヨハンは応えた。また稲妻が奔った。刹那の後に雷鳴で車体が大きく震える。車内に金属めいた臭いの雷気《らいき》が漂った。

烈しい雨音は滝音のようだ。休みなく稲光が閃き続ける。時折、稲妻が道の左右に落ちる。

「まるで白銀の槍が突き刺さるようだな」

ハンスが不安そうに言えば、それにうなずいてマスカード神父はヨハンに尋ねた。

「本当に凄まじい雨と雷になってきましたが。私も車の運転なら心得ております。代わったほうが、良くはありませんか？」

「心配ない。私の運転を信じて。走行中の自動車に雷は滅多に落ちません」

と、ヨハンは車内の三人に呼びかけてから、神父に促した。

「カスパールは何処で、どういう状況で見つかったのです？」

「カスパールは……」

そこでマスカード神父は言葉を切った。何かを考えるか思い出すような表情になる。

（司祭の話を正確に伝えようとしているんだな）

と、ヨハンは思った。

カスパールの横顔を見て、青年を落ち着かせようと——ゆっくりした調子で神父は説明しはじめる。

「……カスパールが見つかったのは先週の木曜日という

ことです。場所は、家畜虐殺の痕跡が何度も見られた館です。館は空港にほど近い場所にあり――」

「農家じゃないんですか?」

「違います。ポルトガル人の富豪が所有していた屋敷なのですが、何でも一九〇〇年に無残な殺人があったとかで、今は廃墟同然らしいです。現地の農夫は廃墟を『カーザ・ガシャーダ』と呼んでいるそうで」

「カーザ……なんですって?」

ヨハンが当惑して問い返せば、背後からハンスの声がした。

「カーザ・ガシャーダ、ポルトガル語で〝うずくまる家〟という意味ですよ」

「ありがとう。お前はポルトガル語が出来るのか?」

「片言ですけどね」

ハンスが得意そうに答えた。

「覚えておこう。まあ、ベルリン州警じゃ滅多に使い途《みち》がなさそうだが」

軽く片手を挙げて礼を言うと、ヨハンはまた神父に促した。

「その……カーザ・ガシャーダに……カスパールはいたんですか?」

神父はうなずいた。

「廃屋にいたそうです。見つけたのは農夫で、農場から盗まれた山羊を追ってうずくまる家《カーザ・ガシャーダ》の近くまで来たら、館の前で血溜まりを見つけ、館の中から呻き声が聞こえた、という話です。農夫はしばらく躊躇《ためら》っていましたが、あまりにも苦しそうな声なので、意を決して、何人かで扉を破って踏み込んだら――」

神父の説明を遮って、ハンスが鼻を鳴らした。

「こいつが倒れてたというんですか、神父さん。クサいな。こいつが何か企んで打った狂言じゃ――」

ハンスの言葉に雷鳴が重なった。空中に白銀の光の球が現われ、垂直に落下した。次の刹那、道路の左に立つ樹が音を立てて二つに裂けた。

「神父、館はまだですか」

ヨハンに言われて神父は前方に眼を凝らした。土砂降りのカーテンの向こうを凝視して、ぽつりと答える。

「もう一キロもありません。このまま進んで左のほうに、壊れかけた赤煉瓦の塀と正門が見えてきます。その正門を潜った先がカーザ・ガシャーダです」

雷鳴と稲妻、そして車軸を流すような激しい雨のなかを警邏車は突き進んだ。

進むにつれて稲妻が閃き、道路の左、右、前方に次々と雷が落ちていった。

「まるで空と雨と雷が口裏を合わせて私たちの邪魔をしているようだ」

ヨハンが口を歪めて呟けば、また、前方で巨樹が雷の直撃を食らい、音を立てて裂けていった。

白銀の斧で縦に割られたようなありさまだった。

「ヴィントさん。俺たち、生きて化け物屋敷に辿り着けますかね」

ハンスがヨハンの背に呼びかけた。

その声は底のほうが震えていた。

## 4

流れ続ける水、時折の閃光、そして泥水の色をしたヴェールの向こうに赤い色が滲みあがる。

(血……!?)

と、一瞬、ヨハンは眉根を寄せた。

それは血ではない。赤い煉瓦塀の色である。ヨハンは車を減速させた。

「赤煉瓦だったのか。脅かしやがる。一瞬、血の色に見えたぜ」

ハンスが後ろで呟き、溜息混じりの煙草の煙を吐いた。稲妻が閃いて車内を照らし上げる。四人の堅い表情は全員、同じ意見だと語っていた。

ヨハンは警邏車を正門まで徐行させた。

正門の巨大な鉄扉はかつては六頭立ての馬車を迎え入れたようだ。

だが、今、扉は煉瓦塀と同じ色に赤錆びて大きく傾いている。観音開きの扉の一方は外れて解放されていたが、腰まで雑草の伸びた前庭に様子では、この三十年、(見てくれだけは)空き巣も近づいてはいない様子だった。

ヨハンは車を開いたほうに寄せて進めた。ゆっくりと館まで前進させて、正面玄関ぎりぎりの位置に横付けした。

「よし。それでは館の中へ行こう」

ヨハンは皆に呼びかけた。

「やれやれ、ただ現場検証に来ただけなのに、えらいことになっちまいましたね」

ハンスはヨハンに苦笑混じりに応えてから、カスパールに振り返るとぞんざいな口調で命じた。

「ほらっ、早く降りろ、この薄馬鹿」

「誰も近づかないので、鍵は掛かっていません」

と、説明しながら最初にマスカード神父が車を降りた。土砂降りのシャワーを駆け抜けて正面玄関のドアを開く。

こちらに振り返り、「早く来い」と合図すると館に入っていった。

　それを見たヨハンは背後に振り返る。

「私たちも行くぞ」

「ぞっとしない仕事ですね」

　文句を言うハンスを無視して、ヨハンは後部のドアを開いた。「来い」と青年の手を取った。青年は全身を緊張で硬直させている。顔を見れば怯え切って眼を泳がせていた。

「大丈夫だ。私と神父さんがいる」

　そう言ってヨハンはカスパールの手を握った。冷たい。まるで石像みたいだ。

（よほど酷いものを見たようだな）

　とヨハンは思った。

　堅く冷たい手を握り、優しく引いて外へと誘導してやると、まだ車内にいるハンスに声をかけた。

「お前はずっとそこにいる積もりか。俺たちと一緒に化け物屋敷に入るのか？」

## 5

　四人はさして濡れることなくカーザ・ガシャータに入ることが出来た。

　館の中は薄暗い。

　本来は分厚いカーテンで全ての窓が覆われていたのだが、殺人事件以後、住む人もなく手入れもされなかったため、三十年もの年月でカーテンは裂け、一部は外れて、外の光が洩れ入る状態となっていた。

　お陰で車まで懐中電灯を取りに戻る手間はなくなったが、その代わり、ずっと夕暮時のような薄明に包まれ、かえって凄愴な雰囲気を引き立たせている。

　ドアを開いた時には、黴《かび》臭さのほかは何にも気にならなかったが、戸口を越えて二、三歩進むと、不意にヨハンの鼻先を異臭がかすめた。

　黒魔術の儀式が行われた場所に特有な、腐肉や血の臭いは勿論、感じられる。

　だが、それを圧して強烈に嗅覚を襲ったのは、嘔吐を催すほどのドブ臭さだった。

　ヨハンはハンカチで鼻と口を押さえた。マスカード神父もそれに倣って鼻を守り、さらにカスパールに「手で鼻と口を抑えなさい」と呼びかけた。三人の背後からハンスの引きつった声が響く。

「ひでえな」

そう言ってハンスはさらに言い足した。

「ユダヤ人街か、ゲットーみたいだ」

さらに何か言いたそうなハンスを、ヨハンは一瞥で黙らせると、神父に問うた。

「館の中は下水道の何十倍もドブ臭いが、この悪臭は黒魔術と関係あるのかな?」

「魔術のエレメント理論によると世界は地・水・火・風と第五元の〝五大〟によって構成され、五芒星はそれを象徴していると定義されています。そして、魔術とは、これら五大のいずれかを意志と神——もしくは悪魔の力で過剰に変容させ、現実を異化させて行われる。だから魔術が行われた〈場〉では五大のいずれかを過度にした特徴が顕示される、と言われています」

「つまり、これは?」

「エレメント理論に従うならば、ドブ臭さは腐った泥——つまり五大のうちの〈地〉の特徴です」

「……ここで〈地〉の黒魔術が行われた、ということか」

ヨハンが洩らすと、すかさず神父は訂正した。

「行われている様子ですね。この臭いの生々しさ、強烈さから鑑みて、つい昨日か一昨日まで〈地〉魔術の儀式が行われたのに違いありません」

それを聞いたヨハンは肩越しに振り返り、

「ハンス、いつでも撃てるようにしておけよ」

「拳銃なら、とっくに手にしてますよ。州警御用達のちっぽけなザウアーだから射程は短いし威力はないけど、ないよりはマシでしょう」

「何か出たら、そいつで撃て」

と命じてからヨハンは皮肉な調子で言い足した。

「——ただし俺と神父とカスパールは別だ」

ハンスは生真面目な口調で答えた。

「……了解であります」

玄関ホールから奥に進むにつれて、ドブの臭気よりも腐肉の悪臭と、血臭が強くなってきた。

壁や天井から垂れ下がった蜘蛛の巣を掻き分けてヨハンは行く手に眼を凝らした。

薄暗い空間の底のほうに黒いものが見えた。黒いものは一つ。丸太か。床に転がっているらしい。

薄闇に慣れた眼で観察し続ければ、やがて、それが黒ではなく茶色で、丸太ではなく人間らしいことが分かってきた。

ヨハンはハンスに振り返り、それを指さした。(あれを見ろ）と無言で呼びかける。ハンスはうなずき、自動拳銃を構えた。銃口を前方の物体に据えた。すかさずヨハンはかぶりを振る。（相手を確かめるまで撃つな）と命じた。

　それから足音を忍ばせて、ヨハンは茶色の物体に近づいた。茶色のものは動く様子がない。近づくにつれて人の形が判別できるようになってきた。同時に血臭と腐臭も強くなってくる。

　床の死体の近くに何かが落ちていた。ヨハンは瞬間的にそれが帽子と判別した。チロルハットだ。黒く見えるから、おそらく赤いのだろう。

　さらに近づく。外で稲妻が閃いた。カーテンの破れ目から入った光が床の上のものを照らし出した。――老人だ。茶色の粗末な上着をまとい、俯《うつぶ》せに倒れている。

その顔を見た神父が小さく叫んだ。

「クルシュケ！」

「知り合いか？」

「すぐ近くに住む農夫です。この村に来た時、何度か会いました。この館の様子がおかしいとか、村で怪しいことが起こっていると教区司祭に連絡したのは、この人です」

　そう言って、倒れたクルシュケに寄ろうとしたマスカード神父をヨハンは鋭く制止した。

「触るな」

　次いで、静かに言い足した。

「亡くなっている」

　驚いた神父にハンスが言った。

「右の肩をよく見ろ。死体の腕の肩から先がないだろう。物凄い力で引き抜かれたんだ。死因は出血じゃないようだな。多分、恐怖か苦痛によるショック死だろう。近くに腕がないから、引き抜いた奴は腕を隠したか……食ったようだ」

「怪物がクルシュケを殺したということですか？」

　マスカード神父にヨハンは応えた。

「……怪物か、悪魔か、地妖《コボルト》か。……何物かは知らないが、兎に角、クルシュケはここへ来て、そいつに右腕を引き抜かれて殺された。そして……」

　神父がヨハンの言葉を受けて続ける。

「……そいつはここにまだいる……」

　ヨハンは死体に歩み寄った。

「床に血溜まりが広がり、そこから転々と周囲に血の跡が残っているな。引き抜いた腕を持って歩き回った痕だ」

　薄闇の中でヒューッという笛のような音が響いた。

　ヨハンと神父は同じほうに眼を遣った。

甲高い音は笛ではない。

ハンスが息を呑んだ音だった。

「ハンス、俺の横に来い。神父はカスパールを頼みます。なにか様子が変わったら大声で知らせて下さい」

神父がカスパールに寄り添うのを確かめてから、ヨハンはクルシュケの死体を示した。

「腕を引きちぎったら動脈も千切れるから、もっと大量の血が噴き出す。ホール一面、床は血塗《ちまみ》れになっているはずだ。……ところが、この血溜まりを良く見ろ。死体の下に広がっているだけ。せいぜいが外の水溜り程度だ」

「腕を引きちぎるなんて物凄い真似ができるのは絶対に悪魔でしょう。さもなきゃ地獄の化け物だ。――ヴィントさん、ここはヤバいですよ。早く車に戻って、ベルリン市内に帰りましょう」

「まだだ。どうして血がたったこれだけなのか調べなければ、この場を立ち去る訳にはいかない。……それにカスパールのこともある」

と言いながら、ヨハンは死体の傍らにしゃがみこんだ。死体の肩の状態を検分しようと、内ポケットから金属の棒《シュタープ》を取り出す。鉛筆ほどの太さの棒《シュタープ》である。ヨハンが引くと棒《シュタープ》は十センチほどに伸びた。

その先で腕が引き抜かれた周囲の傷を検《しら》べようと棒《シュタープ》を近づけた。

あと少しで尖端が傷に触れようとした時――

――死体の左肩が大きく動いた。

ヨハンの心臓が喉元までせり上がった。

同時に横から覗くハンスが悲鳴をあげた。甲高くて大きい、まるで幼児が叫んだような悲鳴である。その悲鳴にカスパールの悲鳴が唱和した。こちらは極限に達した緊張が破れた悲鳴だった。

「大丈夫です。恐れないで。神はいつも貴方と共に在りますよ」

マスカード神父はカスパールをそう宥《なだ》めたが、ヨハンにはハンスに言ってるように聞こえた。

ヨハンは死体の左肩を少しだけ持ち上げた。反射的にハンスがたじろいだ。

「な、何をする気ですか」

「こいつが死体を動かしたんだ」

そう言いながらヨハンは死体の左肩下から小さな黒いものを引き抜き、持ち上げた。

「もう小娘みたいな声を出すなよ」

ハンスに命じると、手にした黒いものをハンスと神父とカスパールに見せてやった。カスパールが泣きそうな表情を拡げたかと思うと、悲鳴を上げた。叫びながら玄関まで逃げ出そうとする。それを見たハンスが呟いた。

「自分も同じことしたい気分だな」

哀れな青年を宥め、その背をさすって、マスカード神父は優しく説明した。

「怖くはありませんよ。刑事さんが持ち上げたのは犬。ただの犬です」

「……わんわん《ヴァウヴァウ》……こわい《ウンハイムリッヒ》……」

「怖くない、怖くない。ただの犬です《ヌア・アイン・フント》」

神父の言葉を受けてヨハンが説明を補足する。

「より正確に言えば、こいつはラブラドール・レトリーバー。しかもオスの子犬だ」

神父と刑事の言葉を聞いてもカスパールはリラックスしない。両肩と首に力を込め、泣きそうな顔で、ヨハンの抱き上げた子犬を睨んでいる。

「可愛らしい黒犬ですね。毛並みが輝いてベルベットのようだ」

マスカード神父が明るい調子で言った。ヨハンはクンクンと鼻を鳴らす黒い子犬をハンスに突き出すと、

「どうした？　お前は犬が嫌いか？」

「嫌いじゃないですけど……。どうして廃墟に犬の子がいるんです？　おまけに死体の下敷きになって」

ハンスは顔を歪める。すぐに神父が応えた。

「クルシュケの犬じゃありませんか？　彼は羊の番犬を何匹も飼ってましたから」

「どうやら、子犬が迷ったのを追ってきたようだな。そして、こいつが館の中に入ってしまったので、クルシュケは恐ろしいのを我慢して、館に踏み込んだ……」

とヨハンが推測した。

「農家にとって番犬は大事、しかも純血種のラブラドール・レトリーバーならば財産ですからね。どんなにここを恐れていても、奇怪な噂のある場所でも入っていくでしょう」

「私もそう思う」

ヨハンと神父はうなずき合った。と間髪入れずにハンスが言い足した。

「そして化け物に殺された……」

一息置いて、さらにハンスは喚いた。

「……それどころか、まだここ——カーザ・ガシャーダの何処かに悪魔だか化け物だかは潜んでいるんだ。あんたら、良く呑気に子犬なんか抱いてられるな。化け物がいる。おまけに外は嵐だから電話で助けも呼べない。俺たちは、いま、悪魔と一緒に、化け物屋敷に閉じ込められているんだぞ！　分かってるのか、あんたら!?」

その時、眩《まばゆ》い光が周囲を照らし、刹那の後、空を裂

くような雷鳴が廃屋を揺るがした。

（まるで天がありたけの悪意を込めて、俺たちを嘲笑《あざわら》ってるようなタイミングだ）

と、ヨハンは思った。

「オーケー」

そう誰にいうともなく呟くと、ヨハンは子犬を神父に預けた。そして、背広からオランダ煙草を出し、口にくわえて言った。

「焦っても何にもならん。ここは一服して落ち着こう」

## 6

死臭と血臭が、廃屋特有の埃や黴の臭気と〈地〉の魔術によるものらしいドブの臭いと混じり合って、濃密な悪臭になりつつあった。

「よくこんな場所で煙草が吸えますね、……まるで毒ガスみたいな臭いだ」

ハンスがそう言って床に唾を吐いた。

「お前、毒ガスを嗅いだことがあるのか？」

ヨハンは静かに訊ねてちびた煙草の火を床で揉み消した。ハンスは何も答えない。ヨハンは続けた。

「俺は、ある。こないだの戦争で塹壕に潜っていたら、味方がガス弾を暴発させた。大慌てでガスマスクを付けたが、何人かが泡を吹いて死んだよ」

「何が言いたいんです？」

「毒ガスは無味無臭だ。普通に息をしていたら、突然、戦友たちが呼吸困難になり、痙攣と嘔吐しながら死んでいく。……酒場で気軽に、毒ガスなんて口にしないことだな。三十過ぎの男なら、普通は怒り出す。お前に毒ガスの何が分かる、ってな」

「刑事の心得ですか？」

「いや。社会人としてのマナーだ。知らない人間に自分がＮＳＤＡＰ《ナチス》だと胸を張って言わないほうが尋問は早く終わる。同僚としてのアドバイスだよ」

「そいつは、どうも、ご親切に。今度、レーム閣下に会ったら伝えておきますよ」

「……そうしてくれ」

子犬を抱いたマスカード神父がカスパールに歩み寄って、隣に坐ろうとすると、カスパールは弾かれたように立ち上がった。

「どうした？」

マスカード神父が訊けば、カスパールは首を横に振る。

そして、神父を避けるかのように、階段のある奥のほう

へ駆けていき、階段の裏に隠れるようにすると、

「……わんわん《ヴァウヴァウ》……」

と洩らし、泣きそうな顔で激しくかぶりを振った。

「どうしたんだい、犬は好きじゃないのか？」

マスカード神父は困惑した調子で言うと、子犬をカスパールに渡すのをやめて優しく抱きかかえた。子犬は鼻を鳴らして甘えるように、神父の胸に顔を埋めていった。

「わたしはすっかり懐かれてしまったようですね」

外で稲光が閃き、雨は一層激しさを増し始めた。カーテンをめくって外を眺めると、ハンスはヨハンに言った。

「ああ」と曖昧に答えてヨハンは死体に歩み寄った。横に屈みこむと、神父に振り返る。

「子犬を抱いたままで良いですから、教えてもらえませんか」

「法医学的なことは門外漢ですが……」

「いや。あなたの得意な分野の話です。つまり黒魔術やオカルティズムについて」

「……」

マスカード神父は沈黙した。

黒魔術を「得意分野」などと、カトリックの神父に言ったのは失言だったかな、とヨハンは後悔した。詫びようと口を開きかける。

その時、また雷鳴が鳴り響いた。

今度は大きい。砲弾で直撃されたような轟音に広壮な館全体が揺れ、天井から埃と漆喰らしきものが降ってきた。

「クルシュケを殺し、カスパールの心に深い傷を残し、この辺一帯の家畜の首や足を引きちぎって回る化け物について……その、魔術的な手がかりを……あなた、すでに何か、感じ取ったのではありませんか？」

「わたしは魔術師でも錬金術師でもない一介の神父です。オカルト探求はあくまでも知的好奇心を満足させるために過ぎません。どうか、それをご理解ください」

「殺人課へのご協力をお願いした時から、良く理解しています。その立場で、あなたが感じた事や、ご意見は？……さっき、この館で〈地〉の黒魔術が行われたようだと言ってましたね。そのあたりをもう少し詳しく——」

ヨハンに促されて、神父は言った。

「これは〈地〉の黒魔術であると、既に申し上げましたが、私はそれに加えて〈血の儀式《ブルートリトゥアル》〉が深く関わると感じます」

「それは？」

「血を用いた儀式——残忍な方法で殺した動物の血を用いる黒魔術です。惨たらしい方法で殺害した動物の血は

無上の生贄であり、それを原料《マテリアル》に人工精霊《エレメンタル》や使い魔や妖物を黒魔術師は創造することが出来る。つまり神の御業のさかしまの行為ですね」

「それで……化け物を創ったのか……」

マスカード神父は静かにうなずいた。

ヨハンとハンスは顔を見合わせた。ヨハンは背中を冷たいものが走り、全身の肌が粟立つのを体感した。マスカード神父が空咳をした。喘息の気があるらしい。何度かハンカチの中で空咳をすると、大きく溜息を洩らした。

一階ホールにいる四人ともこの薄暗がりでも顔から血の気が失せているのが分かった。

静寂。

土砂降りの音がラジオのノイズのように遠く聞こえる。

腕時計の秒針の時を刻む音がやけに大きく聞こえて、ヨハンは左手首をめくった。眼を落とす。何も変わることはない。彼の腕時計はワイシャツのカフスの下で普通に動いている。

マスカード神父の溜息がはっきりと聞こえて、ヨハンはそちらに眼を転じた。マスカードは平静な顔をしているが、その実、相当に緊張しているようだ。

しかし、神父の抱いた子犬は彼の張り詰めた神経をよそに、鼻を鳴らすこともなく、薄暗がりを黒檀のような目で見つめていた。

ヨハンはふと眉根を寄せた。

微かな音が離れた床から起こった。

ハッとして音のしたほうに視線を飛ばし、耳を澄ませても、何も聞こえない。

（確かに聞こえたが……）

音は深夜にだけ聞こえる、あの静かな呼吸のような音に似ていた。

ヨハンの手が自然に胸に流れた。刑事の本能でショルダーホルスターからハウザー社の自動拳銃をいつでも抜ける態勢をとっていた。

（今のは聞き間違えか。静寂と暗がりで、脳が聞き違えたのか）

ヨハンにつられてマスカード神父も、カスパールも、……子犬さえもが同じほうに眼を向けていた。

向こうの床だ。クルシュケの死体から二メートルほど離れた位置——カーテンで鎖された西の窓の下方の床であった。

床には七芒星が描かれている。

静寂が緊張を呼ぶのか、ヨハンの胸の底から言いようのない思いが頭をもたげてきた。

そんな静寂に耐えられなくなったようにハンスが焦《じ》れ

た口調で喚いた。

「畜生、クルシュケを殺した悪魔は何処に隠れていやがるんだ!?」

「やたらに銃口を人に向けるな、危ない。……拳銃を手にした時は拳銃に集中することだ」

そう言葉を投げて、ヨハンは立ち上がった。カスパールに歩み寄る。

おどおどした表情で身を固くした青年の前にしゃがむと、微笑みかけて、静かに話しかけた。

「化け物に傷つけられた時、ここらへんにいたんだね?」

カスパールは大きくうなずいた。

「化け物はどんなふうに現われたのかな?」

「……どんなふう?……」

「化け物はいきなり出たりはしなかっただろう? ほら、何かそれまでと違ったことが起こったんじゃないのかな? ほら、例えば急に寒くなったとか、厭な臭いがしたとか、影が見えたとか、声が……」

ヨハンがそこまで言った時、カスパールは叫んだ。

「声《シュティメ》!」

「なんだっ……」

青年はさらに叫ぶ。

「歌声《ゲザンクシュティメ》!!」

「誰の歌声だ?」

ヨハンがそう問うより早く、カスパールは聞いたこともない歌を奇妙な節まわしで唄い始めた。

墓場の下で唄うのは
地妖《コボルト》、死人、黒い犬
穢《けが》れた地面に　星《シュテーン》　えがき
三人そろって　悪魔を呼んだ

カスパールは口をつぐんだ。

静寂が甦った。

空気中の埃がこすれ合う音も聞こえるほどの、真空のような静寂だった。

否。

——静寂の向こうから何かが聞こえていた。

何か……人の声のような何か……歌うような……教会の詠唱のような……節をつけた人の声が。

ヨハンは微かな音を追って視線を走らせた。

(何処だ? 微かに聞こえるこの声は……何処から聞こえる?)

カスパールを見る。薄暗がりでカスパールの額に貼られたガーゼが純白に見えた。カスパールではない。ハンスを見る。しきりに拳銃をいじっている若造の声でもなかった。マスカード神父を見た。ハンカチで隠した神父の口は時折、苦しげな空咳を発していて、とても咳以外の声を洩らせそうにない。

（神父でもなければ、誰の声だ？）

ヨハンは一階ホールを階段から窓々、カーテン、天井へと流していった。

何処にも音を出しているものはない。

――そして、床。ヨハンの眼は自然に、農夫の死体と、その近くの床に描かれた七芒星に向けられていた。

チョークで描かれた白い七芒星が盛り上がっていた。

否！

七芒星が盛り上がっているのではなかった。

図形の描かれた床が盛り上がっていたのだ。

ヨハンの眼にそれは口笛を吹こうと尖らせた唇の形に見えた。

盛り上がった床の先は、横に割れて、表面を蠢《うごめ》かせ、その底のほうから微かな声を発する。

歌声を。

墓場の下で唄うのは
地妖《コボルト》、死人、黒い犬
穢《けが》れた地面に　星《シュテーン》　えがき
三人そろって　悪魔を呼んだ

突然、マスカード神父が叫んだ。

「詠唱《チャント》……黒魔術の詠唱《ゲザンク》だ！」

その言葉の終わりのほうに鈴を鳴らす音が重なった。

野太い声の哄笑が館に響き渡った。女の金切り声が壁の中から、天井から、床の下から次々に響きだし、一瞬後にその声は館中を駆け回り始めた。

「鈴音《ベル》、哄笑《ラーフター》、悲鳴《シュリーキング》……この〈場〉の気《インデケーション》が邪悪なものへと変えられている」

神父が英語混じりに叫んだ。

「なんだって？　この坊主《メンヒ》は何を言ってるんだ!?」

ハンスが神父を拳銃で差して喚いた。

「銃口を人に向けるな！　マスカード神父は化け物の現われる前兆と教えてくれたんだ」

怒鳴り返すとヨハンはマスカード神父に振り返った。

「神父、我々はどう対処すれば……」

問いかけたヨハンの、続く言葉が薄暗がりに呑まれた。

神父の胸のあたりに、真紅に輝く二つの火球があったのだ。

ヨハンは息を呑んだ。

眼を凝らして神父の胸を見つめる。

二つの光の球は獣の脂めいた質感を帯び、真紅というよりは赤褐色――鮮血の色に輝いている。

それが神父の抱いた黒い子犬の眼と察するのと、ヨハンが叫ぶのとは同時だった。

「神父！　犬だ！　あなたの抱く子犬が悪魔――家畜を虐殺してクルシュケの腕を引きちぎった化け物なんだ！」

ヨハンの叫びにハンスが神父を見た。神父も胸に抱いた子犬に眼を落とした。

子犬の双眸は血の色に輝いている。可愛らしいその身は胴体から――頭から――四本の足から――眼に見えて膨張し、変容し始めていた。

「糞ったれの畜生め《フィック・ディッヒ》！」

ハンスは手にした自動拳銃を構えた。その銃口はマスカード神父の胸に据えられている。

マスカード神父にヨハンは叫んだ。

「その悪魔を捨てるんだ」

「そうしたいのですが、こいつが離れないのです。この胴体がぴったり私にくっついたままで、この腕も身も動かせないのです！」

ひきつった声で神父は応えた。

そのマスカード神父に、ハンスは左手を添えて自動拳銃の狙いを定めた。

「だったら坊さんもろとも地獄へ押し戻してやるぜ。小口径の弾丸《たま》でも、弾倉一本分ぶちこめば絶対殺せる」

言いながらハンスは唇を舐めた。その瞳には人を殺す歓びで輝いている。ギラギラと脂ぎった質感を帯びた野獣の光。血の色に輝やく悪魔の眼。残忍な殺しで地獄から妖魔やその眷属を召喚する取り憑かれたものの眼である。

「黒犬と同じ眼だ……」

とヨハンは呟いた。

（こいつも悪魔に魅入られたか、憑依されたかして、操られているのか）

そう考えてヨハンは瞳を血の色に光らせ始めた若造に呼びかけた。

「ハンス。撃つな！」

命じながらヨハンは懐の拳銃を抜いていた。銃口をハンスの眉間に据えた。引き金《アウスレーザー》に掛けた指に力を入れようと――

――した瞬間、黒犬は神父の胸を蹴って空中に飛んだ。一刹那でハンスの位置に移り、前足で押し倒していた。

すでに黒犬は目測で二メートル半ほどの大きさになり、さらに膨張していた。

黒犬に抑え込まれてハンスは悲鳴をあげた。喉が破れて血を吐きそうなほどの大声で、さっき響いた霊的な金切声よりも甲高く、長く尾を引く悲鳴をあげ続けた。

必死に右手を動かし、黒犬の胴体めがけて自動拳銃の弾倉のありたけを連射する。黒犬の背中がけば立ち、赤い光箭《こうせん》が何本も飛び出した。それは貫通した弾丸だった。

黒犬は四肢でハンスの両肩と両脚をがっしりと押さえたままで静止している。その有様は若造を恐怖のどん底まで叩き落し、ハンスの苦痛や絶望を味わっているようだった。

そして、黒犬は不意にヨハンに振り返った。

血の色をした双眸が光を揺らめかした。

(笑っている……)

と感じてヨハンは戦慄した。

(こいつは俺に笑いかけている。お前の同僚を食い殺すところをゆっくり見ろ、と俺をせせら笑っている!?)

そして黒犬はハンスの端正な顔面にかぶりついた。顔の皮と筋肉が力任せに噛みちぎられる。顎を上げた黒犬の口からハンスの顔面の筋が伸びていった。

ヨハンはナチスの若造が一瞬で絶命したことを祈った。

顔の次に黒犬はハンスの左腕を噛み、軽々と肩から引き抜いた。

(こうやって化け物はクルシュケの腕や山羊の胴を引きちぎったのか)

おぞましい悪魔の殺人現場に立ち会っているのにも関わらず、ヨハンは脳の何処かで冷静に判断していた。

ずるずるという汚らしい音が耳に迫る。

それが、黒犬がハンスの内臓を啜る音だと、ヨハンは冷静な思考で受け止めた。

(死ぬと分かった時、人間はこのうえもなく冷静に、客観的になるのだろうか)

右手の拳銃を撃つのも忘れてヨハンは他人事のように考えていた。

黒犬がハンスを食うのを止めた。ゆっくりと頭をこちらに回していく。血に染まった上顎と下顎。血の色に輝く双《ふた》つの眼。ドブよりも汚らわしい悪臭――〈地〉の黒魔術の臭いがヨハンの鼻に押し寄せる。

(こいつは俺を嬲《なぶ》っている)

とヨハンは直感した。

地獄の妖物は人間を恐怖させ、震え上がらせることを愉しんでいるのだ。

(まるで人間が料理を口にする前に、香りや色どりを愉しむように……)

ゆっくりと黒犬はハンスの死体から前足を下した。唸り声を発した。血まみれの口をめくって鋭く尖った牙を剥いた。ドブの悪臭が一層強くなってくる。

「駄目もとだ《ノッツオロス》」

ヨハンは黒犬の双眸の真ん中に狙いを定めた。

「食われる前に、鉛弾を食わせてやる」

そう黒犬に吐き捨てて自動拳銃を連射しようとした時であった。

「退去せよ《イグザイエル》！」

朗々たるラテン語が響いた。

さらにラテン語は、

「悪魔よ、滅ぶべし《ディアボロス・エスト・モリ》！」

と続けられた。

びくりと黒犬の背が震えた。ゆっくり頭を巡らせて、声のしたほうを睨みつける。

そこにはマスカード神父とカスパールが立っていた。

神父は十字架に口づけすると、何事か祈りの言葉を呟き、それからカスパールの額に手をやった。

「血と泥より創造されし我が下僕《しもべ》よ、今こそ五大の軛《くびき》を解《ほど》き、汝の力を顕わせ」

そう命ずると神父は謎の言語で呪句《プレイヤー》を唱えた。

ヨハンにはそれが何語で何を祈る言葉も理解できなかったが、呪句のなかにヘブライ語の「神」を意味する「エロヒム」の一語が含まれるのだけは聞き取れた。

実のところマスカード神父はヘブライ語でこう唱えていたのである。

שמו הקדוש של אלוהים חקוק כאן

神の聖名《な》はここに刻まれたり

口を閉じると同時に神父はカスパールの額のガーゼを引き剝がした。

その下から現われたのはヘブライ文字の形をした四個の傷だった。

傷は現われると同時に眩《まばゆ》く輝く。

神の聖名のみが持ち得る眩さであった。

ヨハンはその輝きに耐えられず、思わず拳銃を握った手で眼を隠した。眼を覆った闇の向こうからマスカード神父の命じる声が聞こえた。

「往け、ゴーレム。神の聖名において悪しき者を討て」

そこでヨハンの意識は麻酔ガスを吸わされたように遠くなった。朦朧とした意識に音と声が届けられる。それは力を込めて駆ける足音。野獣の唸り声。腐った肉の塊を床に叩きつけるような音。さらに野獣と巨人のぶつかり合う音。——音がヨハンの朦朧とした意識に幻を結んだ。

　夢とも幻覚ともつかない映像はいびつなレンズを通して見たように歪んでいた。

　幻覚のような映像の中で、カスパールは土の色をした巨人だった。額には神の聖名を表わす四つのヘブライ文字を輝かせて、巨大な黒犬の姿をした悪魔に組みかかる。

　黒犬は巨人の左肩を噛み、逞しい左腕をその根元から引き抜いた。だが、巨人はひるむことなく、黒犬の口に右の拳を叩き込んだ。

　巨人の口が少し開き、そこからヘブライの聖句が洩れた。黒犬の全身がビクリと痙攣した。巨人は血と泥にまみれた右腕を黒犬の口から引き抜いた。

　その手には血染めの羊皮紙が握られている。

　幻夢のなかでヨハンは羊皮紙に記されたヘブライ文字を読んでいた。幻夢の特性でヨハンにはそこに記された文字と呪われた聖名を読み取ることが出来た。

　羊皮紙に記されたヘブライ文字は、

אצוס

　その名を音で表せば、

ATZOUS

　いつか黒森でヨハンが口にした謎の名前であった。

## 7

　気がつけばヨハンは、マスカード神父の運転する警邏車の後部座席で眠っていた。シートから身を起こすと頭の芯に鈍痛が起こった。「まるで暴漢に殴られたようだ」

　思わず洩らした言葉はひどい嗄れ声だった。

　運転席の神父が軽く振り返った。

「眼が覚めましたか」

　ヨハンは若い相棒がいないのに、やっと気がついて左右を見渡した。

「ハンスとかいうナチスの刑事は死にましたよ。――村の医師から死亡診断書と、村長から宣誓供述書を書いてもらいました。書類は助手席にあります」

「まさか、黒犬に食われたと……」

「そんな書類を出したら、書いた者も書かせた者も病院に送られて死ぬまで出られません。……当局好みの書類にしてもらいました」

「当局好み？」

「ハンスは一連の家畜虐殺が騒動を起こして世情を不安に陥れようとする反体制分子の仕業と見破り、これと戦ったが、爆殺された。遺骸はあまりに破損が激しいので現地の墓地に葬った、と。……どうです？　当局好みだと思いますが」

「確かに……それは……悪魔の仕業というより通りは良いな。ナチスの若造の死に様には勿体ないくらいだが…」

　言い淀んでから、ヨハンは尋ねた。

「カスパールはユダヤの魔法で拵えた人工のもの……ゴーレムとかいうものだったのですか？」

「ゴーレムが実在するのですか？　それは知りませんでした」

「とぼけなさんな。確かにあいつは泥から生まれた人間だった」

「人間なんて全て土から生まれたものではありませんか」

　はぐらかすように言って笑った神父にヨハンは食い下がった。

「ゴーレムを作ったのは、あなたでしょう。おそらくは黒犬の姿をした悪魔を倒すために創造したんだ」

「そう仰るなら、そういうことにしても宜しいですよ。なにしろ私は……」

　と言って神父は肩越しに振り返ると、こう続けた。

「カトリックの神父の癖に、黒魔術とオカルトの達人だそうですからね」

　その言葉にヨハンは失笑した。

　車窓の外を眺めれば、すでに激しい落雷も大地を押し流しそうな豪雨も止んでいる。窓の外は涼しげな夕刻、空には九月の星空が広がっていた。

「平和だな」

　と言ってからヨハンは神父の背に呼びかけた。

「どうです、一件落着のお祝いに美味い料理とワインでも楽しみませんか。世話になったお礼に、私がおごりますよ」

「願ってもない喜びで。……ワインを飲みながら十四日の国民総選挙でどこが勝つか、予想でも立てますか？」

「そいつはいい」

　ヨハンは声をあげて笑ってから、そっと続けた。

「軍服フェチのクソ政党だけはお断りだな」


**冒頭のルターの詩「堅き城は我等の神なり」は、日夏耿之介他鑑選『名詩名譚』（東京創元社　創元選書　一九五一）より引用した。（作者）**

怪奇幻想映画レビュー

# 現代の幻想怪奇譚『ファイブ・デビルズ』の「魔術」を見よ

斜線堂有紀

今回から始まるこの連載では、暇さえあれば映画館に足を運び、ありとあらゆる配信サイトに加入している斜線堂有紀が『幻想と怪奇』の読者に相応しい映画を紹介する。

早速だが、あまり話題になっていないものの現代を舞台とした幻想怪奇譚としてもっと広く評価されるべき映画『ファイブ・デビルズ』を紹介したい。この映画は、小さな町を舞台としたダークファンタジー映画として今後十年、二十年と語り継がれるべき傑作だ。今すぐに、この町を訪れる人々を増やしたい。そして、この映画の恐ろしさを骨の髄まで刻んでほしいのだ。

恐ろしさを刻む――とは言ったものの、前提として、この映画には人を直接的に脅かすジャンプスケア的なシーンは無い。むしろ終始静かなトーンで進んでいく映画だ。ジャンルも一応ファンタジーに区分されている。だが、昨年観た映画の中で間違いなく一、二を争うほどの恐ろしい映画だった。そのおぞましさこそが、この映画の美しさの核にあると感じたからこそ、これは傑作なのである。

あらすじは以下の通りだ。フランスにある山間の町、ファイブ・デビルズ。ここでは十年ほど前に町営体育館が丸ごと燃え落ちるほどの火災が発生したことがあった。多くの被害者を出した火事は、この小さな町に影を落としている。

時が経ち、主人公である九歳の少女・ヴィッキーは未だに事件の傷跡の癒えないこの町で暮らしていた。火事に対して思うところのある母親・ジョアンヌや、火事を生き残ったものの顔に大火傷を負ってしまったナディーヌ。そして、放火犯として町を追われてしまった女・ジュリアなど、火事に対して含むところのある人物は多くいるのに、果たして何があったのかはまるで明らかになっていない。

そんな時、ヴィッキーは自身の持

つ特別な嗅覚によって「香り」を調合し、それによって過去へとタイムリープすることが出来るようになる。ヴィッキーは自分の母親に何があったのか、そして火事の真相とは何だったのかを探るべく、過去へとダイブしていく。

　過去へのタイムリープという要素を抜き取ってみれば、この作品は古典的なＳＦのようでもある。何しろ、香りでのタイムループといえばかの有名な『時をかける少女』（筒井康隆）がある。だが、ヴィッキーの用いる「香り」は、どこまでも魔術的なガジェットなのだ。

　そもそも、ヴィッキーは同級生からいじめられており、周囲から完全に孤立している。彼女は孤独を紛らわせるかのように香りの収集に執着し、その薄気味悪さからまた更に迫害されるのだ。彼女にとって、嗅覚は自分を守る為の唯一の砦であると言えるだろう。同級生からは迫害され、両親は不仲で、おまけに母親は何かを隠している――。少女の心には耐えられないほどの苦難が訪れた時、それを打破する力としてヴィッキーのタイムリープ能力は発現する。

　タイムリープによって過去に飛んで以降、彼女の魔術的な嗅覚は更に発達していく。それに伴い、ヴィッキーの行動も儀式めいたものになっていくのだ。ヴィッキーは自分の尿と木の実、カラスの死骸を煮込んで「香り」を作り、自分を害する者達を昏倒させることすら出来るようになっていく。

　一体どうしてこんなに魔術的な演出を用いてヴィッキーを過去へと渡したのか？　変わってはいるものの、映画冒頭のヴィッキーは至って普通の少女である。だが、ヴィッキーはタイムリープを繰り返していくにつれ、少しずつ超常の存在として覚醒していくのだ。

　勿論、これは何の意味も無い虚仮《こけ》威《おど》しではない。何故なら、ファイブ・デビルズは異端を排斥する、魔女狩りの土地だからである。だからこそ、ヴィッキーは魔術を扱わなければならなかったのだ。そうした「重ね合わせ」を執拗にやっていくのも、この映画の魅力である。

　さて、魔女としてヴィッキーが不穏に育っていくと共に、ファイブ・デビルズで起こった忌まわしき火事についての真相も明らかになる。半分以上観た観客には、その真相は薄々察しがつくだろう。だが『ファイブ・デビルズ』はそれだけでは終わらない。予想もつかないやり方で、容赦無く愛情を対立させ、思いがけない真相に導いていくのだ。

　……正直、この映画の幻想怪奇的要素、最も恐ろしい部分は放火事件にまつわる真相である。だからこそ、ここに書くことは出来ない。だが、観てくれれば私の言っていることが分かるだろう。

少し話が変わるが、この映画は結構珍しい題材を扱っている。それは、愛の順位付けだ。物語における愛とは――あるいは、私達がこの世に生きて撫でさする愛情とは、どれも等しく尊いものだとされていることが多い。私も概ね、どの愛も大切なものだと思っている。

だが『ファイブ・デビルズ』においてそんな考えは赦されない。この映画は愛の順位付けを要求してくる。

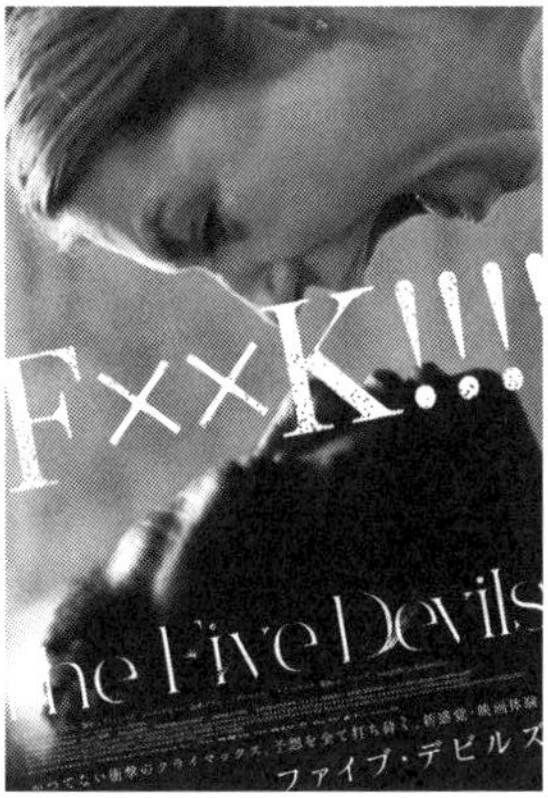


日本公開時ポスター

夫に対する愛情、子供への愛情、かつて好きだったあなたへの愛情、安定した日々に対する愛情、自分の所属するコミュニティに対する愛情、一体どれがどうでもよくて、どれが一番大切なものなのか。ファイブ・デビルズの住人はそれを明確に定めなくてはならない。

選んだ後には責任が生まれる。一番に「それ」を選んだなら、その他全てが失われても仕方が無い。選ばれなかった者に縋り付かれ、憎まれ、全てを狂わされる覚悟を決めなければならない。そうしたシビアな価値観が、『ファイブ・デビルズ』にはある。観ていて最も辛い部分が、この愛情の対立と順位付けといっていいかもしれない。自分に与えられる愛情が「あまり」だなんて思いたくない。

しかも、それを最も切実に味わうのはヴィッキーなのである。彼女は全てを見つめ、ただ尋ねる。「生まれる前から私を愛してた?」と。この問いを契機に、魔女・ヴィッキーは全ての因果を狂わせていくのである。思えば、これは一貫して愛による復讐譚なのだ。

そうして迎えた結末が、物語の静かな恐怖を頂点に引き上げる。この映画を観終えた観客をどんな気持ちで劇場から帰らせたいというのか――。そう思わせてしまうような、挑戦的な結末だと思う。

この映画の日本公開時には、映画の雰囲気をよく伝える為に特別なアートポスターが作成された。ビビッドな色合いと共に印象的なシーンが切り出され「今夜永遠がはじまる」や、×で隠されたFワードなどの衝撃的なキャッチが添えられている。どれも引きが強く、この映画を観る前から、心をざわつかせる力がある。見ているだけで、この映画のただならなさを感じさせるものだ。

特に、火事によって人生を大きく狂わされたナディーヌのポスターは、まるで異形の化け物が襲いかかってくるかのような、禍々しい場面になっている。映画を観れば、このシーンがどんなものなのかは分かり、むしろこのシーンの切り出し方が攻めたものであると知れるのが――その上で、決してこのポスターが的外れなものではないとも理解する。横に添えられた「私の人生を返して」は、思い出す度恐ろしい。

映画を観終えた後に思い出したのは、このアートポスターのことだった。ここで切り出されたシーン、そして言葉は、対立して炎のようにうねる暴力的な愛と憎しみを表すものだったことに。思わしげな「ファイブ・デビルズ」という町の名付けは、ストレートにこの物語に出てくる五人の悪魔を表しているのだろう。こう考えると、『ファイブ・デビルズ』は現代の呪術譚でもある。

ここまで読んだ方には、この映画がとてもおぞましいものに感じられるかもしれない。だが、流れる画面はどこを切り取っても幻想的で、美しい。そこに住む住人達の思惑などまるで反映していないようなフランスの大自然は、違和感を覚えるほどに清廉だ。物語においては嗅覚が重要な要素であるのだが、画面はとにかく色にこだわっている「視覚」の映画である。プールの青、それと対比させるような湖の青、カラスの死骸の黒さ、燃える炎の朱《あか》さ。半ば過剰なまでに色彩豊かな世界の中で、人間の感情も火花のように散っていく。画面の鮮やかさに気を取られていると、目の前で何が起こっているのか分からなくなってしまうほどだ。そのアンバランスさも『ファイブ・デビルズ』の視聴体験に一役買っている。

驚くべきことに、この映画は九十六分というコンパクトな上映時間に収まっている。観終えてそれを知った時、印象よりも短いとも、印象よりも長いとも、同時に感じた。私は映画を観ていたのではなく、あの町と火事の中に飛んだだけなのかもしれない。

この映画を観たあなたも、同じ感想を抱いてくれるはずだ。

ファイブ・デビルズ（Les cinq diables 二〇二一年 フランス）
監督：レア・ミシウス 脚本：レア・ミシウス、ポール・ギローム 主演：アデル・エグザルコプロス（ジョアンヌ）、サリー・ドラメ（ヴィッキー）、スワラ・エマティ（ジュリア）他 配給：ロングライド

怪奇幻想短編の愉しみ

# 「怪物」は実体を伴わず

## リチャード・マシスン「二万フィートの悪夢」

木犀あこ

「小説を読むとき、あなたは頭の中で映像を思い浮かべていますか？」もういつごろのことであったかも思い出せないが、ＳＮＳでこんな話題を見かけて首をひねったことがある。

小説を読むときに、映像を思い浮かべるだって？　それはつまり、リアルタイムで実写化（あるいは、アニメーション化かもしれない）されていく映像を眺めるようにして、物語を読んでいくということなのか。実際、音や色を伴った映像を思い浮かべながら文章を繙《ひもと》いていく人は一定数存在しているらしい。人物が会話しているシーンなどでは、ちゃんとその人物の声や顔が脳内で再生されているのだとか。

そんな人たちの体験談を聞いて、私はことのほか感心したものだ。自分には――まったくもって想像ができない世界だ。文字情報をタイムラグなく映像に置き換えて、それを眺めるようにして物語を追っていくなんて。それじゃあ小説を「読んで」るんじゃなくて「見て」るんだな、器用で頭の回転が速い人もいるのだなあ、と。どうも、私にはそういった知覚のメカニズムというか、回路のようなものが存在していないらしいのだ。

そもそも、私は物事を映像としてとらえるのがとことん苦手な人間だ。人様のお顔を覚えられずに非礼を詫びたことが何度もあるし、カードに書かれた絵を記憶するゲームでは、「ピーマンがマッチで火を点けられてスタジアムを一周している」などといった物語をいちいち作り上げないと情報を頭に入れることができない。

文章を生業とする人には（失礼を承知で言うが）そういった方が多いように感じる。文字をつかさどる頭の中の領域がでっかちで、視覚を処理する部分が隅に追いやられているがゆえの不具合のようなものだろう。小説を読んで、オンタイムで映像を再生していく体験など、自分にはできそうもないな——と考えていたの、だが。

　つい最近、文字を追うごとにその場面の映像が頭の中に浮かんでくるような読書体験をしたのだ。脚本家であるJ・M・ストラジンスキーが自らノベライズを手掛けた『新トワイライトゾーン』の収録作品をいくつか読んだ時に、それは起こった。

　ノイズの混ざる白黒の画面に、きっちりとネクタイを締めたロッド・サーリングの姿。薄暗い部屋のベッドには、陰鬱な表情の主人公が腰かけている。

　原作となったドラマ版を見たことはなく、出演している俳優陣が誰かすらも把握していなかったのに、まるでTV画面でドラマを見るかのような感覚で物語を追うことができたのだ——そして、はっと気づいたのである。自分が思い浮かべているのは一九五九年版の『トワイライトゾーン』のイメージであって、ストラジンスキーらが手掛けたリメイク版の映像ではないな、と。

　何のことはない。自分の脳内で繰り広げられていたのは記憶から来る映像のつなぎ合わせであって、純粋な文字情報から想起されたオリジナルのイメージではなかったのだ。おそらく、小説を映像として見る人々が思い浮かべているような映像は、私の頭の中で繰り広げられたつなぎ合わせのそれとは似て非なるものに違いない。そういった人たちはきっと、文字から得られた情報をもとに一からヴィジュアルと音声を構築しているに違いないのだ。挿絵のない小説でも登場人物の外見を作り上げ、架空の街の建物をもデザインして。

　では……我々は、いわば頭の中のディスプレイがない環境で物語を読んでいる我々は、文字をいったい「何」に変換しているというのだろうか？

　うまく説明はできない。ただこう言うしかないだろう——「文字は文字だし、そのまま読んでいる」と。

　物語を読んだ時に発生する感覚、クオリアのようなものを、私たちはおそらくそのまま受け取っている。その感覚は実体を伴ったものではない。脳内の映像を投影する機械ができたとしても、スクリーンに映せるものではない。ただ、味も、匂いも、景色も、音も、感情も、そのまま、なのだ。この感覚自体、文字にしようとすればするほど意味を失ってしまうというジレンマを抱えているので、なかなか説明が難しいところなのだが。

　そしてまた、そういった没入感——視覚の刺激を離れて、ただ記号と意味の世界に入っていく感覚——を強く感じるタイプの小説というものが存在していて、おそらくどの作品に強い一体感を感じるかは、人によって違っている。私の場合は、それが「二万フィートの悪夢」だった。

精神のバランスを欠いた男が飛行機に乗り、翼の上で動き回る奇妙な怪物を目撃する。怪物は男以外に姿を見せようとせず、客室乗務員は男の話をまともにとらえようとしない。やがて怪物はエンジンを破壊しようとするそぶりを見せ始める。孤立した男は拳銃を手に取り、そして——。

言わずと知れたリチャード・マシスンの大傑作、映像化作品も多く、物語の構成もドラマチックでヴィジュアルもイメージしやすい……のに、この小説だけは、どの訳で読もうと何度読もうといっさいの視覚効果が邪魔をしてこないのだ。一九六三年版の映像を鑑賞した後でもである。例の「がっかりヴィジュアル」な怪物の姿を知った後でもなお、ということだ。

翼の上の怪物は感覚的な恐怖の化身として、実体を伴うことなく頭の中に浸透してくる。あの毛むくじゃらのヴィジュアルに邪魔されたりはしない。

物語の中で男が見た怪物と、男が味わった感情のすべては、いわば音楽なのだ。少し気取った言い方をすれば、小説という楽譜から奏でられた音のない音楽、意味を伴う感覚そのものであったのだ。

機内の閉塞感。胸を潰す男の悲しみ。客室乗務員の戸惑いと、タバコの煙で白く濁った視界。全てが実体を伴っていない。あの小説を読むとき、そこに現れるのは男の心をなぞるかのような嵐——生々しい感情のうねりと、むき出しの悪意に触れたときの恐怖だけ。

当然、没入感はその共感の分だけ深くなる。一行目から私は主人公の男と同調し、生の苦しみに泣き、苛立ち、周囲の無理解に頭を掻きむしって苛立つ。そうしてその状況を打開しようと、憎たらしい怪物に向けて拳銃をぶっ放す。爽快感を主人公と共に味わい、見事なまでのカタルシスに感謝しさえする。しかし男の目撃したあの怪物の姿を、「全ての事情を理解している」はずの読者でさえ、見てやることはできないのだ。あの小説は男の語りによって紡ぎ出されたもの、そもそもがヴィジュアルのイメージを伴わない物語であるのだから。

読者とすら怪物の姿を共有できないあの男は、とことんまで孤立している。マシスンが描く主人公は孤独な人物が多い。「地球最後の男」として生きる『アイ・アム・レジェンド』のネヴィルしかり、小さくなるほど深く自分の孤独に入り込んでいく、『縮みゆく男』のスコット・ケアリーしかり。マシスンの作品は映像化向きのキャッチーなログラインとプロットを持ちながら、本文はとことん内省的なのだ。主人公はとにかく語る、語る、語る。ひたすら葛藤し、苦しみ、立ち上がって、彼らは自分というものを乗り越えてみせる。純然たる自らとの対話に、ヴィジュアルイメージの入り込む余地はない。マシスンの作品を読むとき、私たちは常に会話しているのだ。内に向かって語り続ける主人公と、その主人公にぴたりと重ね合わさった自分自身と、忙しく言葉を交わし続けているのだ。「怪物がいる」「では、どうすればいい？」「お前は、何もせずにここで突っ立っているのか？」

「二万フィートの悪夢」は、一連の出来事が男の妄想、幻覚の類であったとも取れるように書かれている。もっとも信頼できる視点であるはずの自分、すなわち一人称が揺らぎ、現実と非現実があいまいになり、歪んでいく恐怖――そう、怪物は確かにいたんだ、男の心の中にね、と言ってしまうのは簡単だが、私はそう解釈していない。男が見た翼の上の怪物は、正真正銘、文字通りの意味で存在していたのである。

だが男はその怪物を、周囲の人間や私たち読者と真の意味で共有することはできない。怪物が、「実体」を持っていないからだ。完全なる情報のまま、だが確かにあるものとして、存在し続けているからだ。男の物語を読む私たちは、怪物を意味として、意味のまま受け入れる。奮起して立ち上がった男が起こした行動、その先に待っていたものを――私は、克己の物語としてとらえている。

目に見えて、触れられる怪物を殺すことは簡単なのかもしれない。「血が出るなら殺せるはず」だからだ。

「二万フィートの悪夢」の主人公は、血を流すことのない怪物に打ち勝った。最後まで実態を伴うことのなかった怪物を、見事に排除してみせたのだ。

よくやったじゃないか。『縮みゆく男』のスコットも、誰に誉められることもない勇気こそ真の勇気だと言っている。

すがすがしい心で眠りについた主人公に、安らぎあれと祈ろう。


**リチャード・マシスン「二万フィートの悪夢」尾之上浩司訳　早川書房『運命のボタン』所収**

**（文中言及書）**

**J・M・ストラジンスキー『新トワイライトゾーン』尾之上浩司訳　扶桑社**

**リチャード・マシスン『アイ・アム・レジェンド』尾之上浩司訳　早川書房**

**同『縮みゆく男』本間有訳　扶桑社**

《Le forum du Roman Fantastique》

# 「カーミラ」再考——連作ミステリ小説としての *In a Glass Darkly*

日向空海

レ・ファニュ「カーミラ」並びに「ドラゴン・ヴォランの部屋」の内容に言及しています。（編集室）

## 鏡をもて見るごとくおぼろに

英国ヴィクトリア朝のアイルランド人流行作家ジョゼフ・シェリダン・レ・ファニュがその生涯を終えたのは一八七三年二月七日のことである。享年五十八。怪奇小説の創造に精魂を傾けたこの作家の晩年は相当に怪奇的で、古い屋敷が彼の頭の上に崩れかかってくるという悪夢に夜ごとに悩まされ、心臓麻痺で亡くなった折りには主治医が駆けつけるなり、

「とうとう、あの古い屋敷が崩れ落ちたんだな」

と口走ったとも伝えられる。

従って、この令和五（二〇二三）年はレ・ファニュの没後百五十年ということになる。

名のみ高くして実像を知られず——といったいいまわしが日本にはあるけれども、レ・ファニュもまたその一人に数えられるだろう。

かつて平井呈一は「ゴチック・ロマンスの最後の正当な継承者」だと彼を評した。「ゴシックと現代怪談の分岐点」と書いたのは井上雅彦である。生涯の著作は長編十五編（十六編とも）、中短編八十編以上、その大部分は怪奇小説によって占められているというが、それらの中から日本の読者に紹介された点数は決して多くない。長編では『墓地に建つ館』『アンクル・サイラス』『ワイルダーの手』の三大傑作こそ完訳されているものの、どれも単行本が出たきりで、一般読者の目に留まる機会はそうそうない。中短編となると原書ごとのまとまった形での翻訳出版はいまだなく、生前最後に出版された著書であり、最も著名な「カーミ

ラ」（原題"Carmilla"）を収めた中短編集 *In a Glass Darkly* ですら、収録作の訳出はばらばらに行われて、千葉康樹訳による平成の傑作選『ドラゴン・ヴォランの部屋』（創元推理文庫、二〇一七年）で表題作が翻訳されるまで、日本語で全編を通読するということはかなわなかったのである。

周知の通り、中編小説「カーミラ」は吸血鬼小説の古典として著名な一作で、日本においても野町二《すすむ》による本邦初訳『死妖姫』（新月社、一九四八年）から近年の長井那智子訳『女吸血鬼カーミラ』（亜紀書房、二〇一五年）にいたるまで、独立した一編の小説として翻訳出版される機会が多い。最新のものは柴田元幸訳「カーミラ」で、『ＭＯＮＫＥＹ vol・22 特集 悪霊の恋人』（スイッチ・パブリッシング、二〇二〇年）に収録されている。一般には平井呈一訳による邦題「吸血鬼カーミラ」が最も通りがよいだろう。ところが、この「カーミラ」を収録した *In a Glass Darkly* 全体の翻訳出版は、前述のように日本ではいまだ行なわれていないのだ。

この作品集のタイトルを、平井呈一は『曇りガラスの中』、千葉康樹は『鏡の中におぼろに』、仁賀克雄は『暗い鏡の中に』とそれぞれ訳してみせたが、アンソロジスト東雅夫の見解に従うなら、これは『新約聖書』からの引用とする野町二の『鏡をもて見るごとくおぼろに』が正しいらしい。すなわち、「コリント人への第一の手紙」の中にある次の一節、

「いま我らは鏡をもて見るごとく見るところおぼろなり。されど、かの時には顔を合わせて相見ん。いま我が知るところ全からず、されど、かの時には我が知られたるごとく全く知るべし」

――からタイトルを採ったというのである。

収録順に全五編を並べると「緑茶」「仇魔」「判事ハーボットル氏」「ドラゴン・ヴォランの部屋」、そして、巻末に置かれているのが「カーミラ」という構成だ。

これらの収録作は、まず『怪奇小説傑作集1』（創元推理文庫、一九六九年）に平井呈一訳の「緑茶」が、『吸血鬼カーミラ』（創元推理文庫、一九七〇年）では表題作の他に『仇魔』と『判事ハーボットル氏』がやはり平井呈一訳で、そして、前述の『ドラゴン・ヴォランの部屋』に千葉康樹訳の表題作が収録されている。

基本的に五編はそれぞれが独立した物語なのだが、これらはドイツ人医師マルチン・ヘッセリウス博士が生前に蒐集した「症例」の報告という体裁を採っており、各編の冒頭に

は遺稿集の編纂者＝元助手による短い解説とヘッセリウス博士の所説の引用が置かれている。緩い繋がりを持たせたシリーズ物と捉えることもできるだろう。

本稿では巻末を与えられた「カーミラ」に注目し、これを*In a Glass Darkly*という連作小説の結びの一編として位置づけることで、「いま我が知るところ全からず、されど、かの時には我が知られたるごとく全く知るべし」――独立した一編の物語として論じるのとは異なる観点から改めて読み解いてみたい。

## ドラゴン・ヴォランの部屋

一個の大きな連作として*In a Glass Darkly*という中短編集を見る場合、全五編の収録作の中でもひときわ異彩を放つのは第四編「ドラゴン・ヴォランの部屋」である。

平井呈一は自身では日本語訳を手がけていないが、この中編小説のプロットを次のように要約している。

「贋ダイヤモンドをめぐる一種の陰謀スリラーで、幽霊も悪魔も出てきませんが、若い主人公が美貌の毒婦に、古代から伝わる眠り薬を盛られて陰謀に巻きこまれていく過程が、達者なストーリー・テラーの話術で、息もつかせぬサスペンスの連続のうちに語られ、もう一つのレ・ファニュを見るのに格好な作品であります」

千葉康樹もまた「レ・ファニュは怪奇と超自然だけの作家ではなく、同時代にはむしろ流行のセンセーション・ノベルの一派とも目されていたのだった」と述べて、「ドラゴン・ヴォランの部屋」が著者の作家歴の中ではセンセーション・ノベルの作風を色濃く継承するものだという点を強調した。センセーション・ノベルは一八六〇年代に流行して、犯罪と計略の要素をふんだんに盛り込んで次代の「探偵小説」の母胎になり、ドロシー・セイヤーズによる探偵小説論では、レ・ファニュは探偵小説前史の重要作家としてウィルキー・コリンズらに並べて名前が挙げられている、そして「もう少し長生きしたら、より本格的な探偵小説を書いたかもしれない」――というのである。

怪談揃いの作品集の中で、一八一五年、ナポレオン戦争の終結から間もないフランスを舞台に展開する陰謀劇「ドラゴン・ヴォランの部屋」一編は明らかに浮いている。

なるほどヘッセリウス博士の遺稿という体裁を採ることで連作の一編にいちおう加えられているものの、例によって冒頭にかかげられた解題においてさえ、博士の所説からの引用は以下の一文に留まっている。

「これらは八百年前の賢者たちには自家薬籠中の知識であったわけだが、博士によるとこのうちの二種類は、盗人たちの共同体で継承されているということで、官憲の捜査を通じて度々明らかになるように現在でも実用に供されることがある」

　あからさまにいえば「ドラゴン・ヴォランの部屋」収録の経緯は、作中の編纂者の意図ですら「中世の秘薬」なるものが現実に使用された事例の紹介――「一再ならず、実に的を射た形で言及されているもの」――という一点に尽きるのだ。

　このように他の収録作とは毛色が異なる「ドラゴン・ヴォランの部屋」だが、本来の順序に従って「カーミラ」へ読み進めると奇妙な符合が存在することに気がつく。

　片やセンセーション・ノベル、片や怪奇小説という作風の違いはあるにせよ、二つの中編小説の間に相似《あいに》た展開が散見できるのである。

　最も顕著な、誰の目で見てもあからさまなのは次の場面だろう。

「大惨事というほどではないようだが、四頭のうちの先頭の二頭が地面に倒れてしまっていた。長靴を履いた馭者が地面に降り、この種の事故には慣れた様子の二人の召使いも手を貸している。すると、災難に遭った馬車の窓から、可憐なボネットを載せた小さな頭がのぞき出た。そのほんの佇まい、さらには少しだけ露わになった肩のあたりの風情――その姿に私の眼は釘付けになった！」

　主人公のイギリス人青年ベケットが事故で横転した旅行馬車に行き合い、馬車に乗っていた貴婦人に魅了されるというのが本作の導入部だが、この一連の展開が、イギリス人令嬢ローラの目の前で旅行馬車が横転してしまい、馬車の中から助け出された美貌の令嬢がローラたちの居城に引き取られることになる「カーミラ」の導入部に酷似していることは明白だろう。ついでながら、「ドラゴン・ヴォランの部屋」で馬車の乗客だったのはサン＝タリル伯爵夫人だが、「カーミラ」でも馬車から現れたカーミラの母親はやはり伯爵夫人を称していた。

　もう一つ、「ドラゴン・ヴォランの部屋」の中盤に印象深い場面がある。

「ご婦人が仮面を被っていることで、私の気持ちは一層掻き立てられた。他の女性はときどき仮面を外したりしているのに、この人はそうではない。

　きっと美貌に違いない、そう私は確信した。この場所は仮面舞踏会であり、声を出したり、具体的に仄めかしたりしない限り、敵と味方の区別も困難な小宇宙にいるのだという事実を言い訳にして、私は彼女に話しかけた」

　ヴェルサイユで仮面舞踏会を訪れたベケットは、仮面をつけていて素姓の知れない、その場で知り合ったばかりの貴婦人に翻弄され、彼女の指示に従うように約束させられてしまう。ここでの展開は、やはり「カーミラ」の終盤でスピエルドルフ将軍が回想した仮面舞踏会の顛末を思い起こさせる。仮面で顔を隠した伯爵夫人にスピエルドルフ将軍はいいくるめられて、この時はミラーカを名乗った彼女の娘を預かることを約束させられてしまうのだ。

　実のところ、*In a Glass Darkly* の収録の順序は発表順ではない。「ドラゴン・ヴォランの部屋」は『ロンドン・ソサエティ』誌に一八七二年二月から連載されたのが初出だが、一方の「カーミラ」は『ダーク・ブルー』誌に一八七一年九月から翌年二月にかけて連載されていた。執筆の時期が重なっていたから、たまたま似通った展開になってしまったといった単純な理由ではないのである。収録順とはあべこべに「ドラゴン・ヴォランの部屋」の細部の描写は、先に完結していた「カーミラ」を意識して執筆されたものだと考えられる。両作品の展開の相似は多分に意図的なものなのだ。

　そうした観点から「ドラゴン・ヴォランの部屋」「カーミラ」の二編を読み合わせた時——「かの時には顔を合わせて相見ん」——我々読者は極めてショッキングな事実に直面することになる。

　後者ではカーミラの正体が恐ろしい怪物だったという超自然の解決で説明された形の怪現象のいくつかが、前者では人為的なトリックによるものとして処理されているのだ。

　一例を挙げるなら、内側から鍵がかかった密室状態の寝室をカーミラ＝ミラーカがたびたび出入りしていたという謎。「ドラゴン・ヴォランの部屋」でもやはり密室からの消失事件が作中で描かれたが、こちらは部屋の中に隠し通路が存在したことであっさり謎が解き明かされてしまう。「ドラゴン・ヴォランの部屋」では隠し通路によって密室を出入りできたのだから、「カーミラ」の密室の謎も同じだったと考えてならない理由はない。げんに物語の語り手であるローラも「むかし、うちの老女中がよく申していた、今ではどこにあるのか所在もわからないお城の秘密の通路でも、カーミラは見つけたのでございましょうか?」と記しているのだから。

　だが、何よりも衝撃的な描写は「ドラゴン・ヴォランの部屋」の結末近くで、主人公ベケットが「中世の秘薬」の作用で仮死状態に陥ってしまい、意識だけは覚醒したまま、悪人一味の計略で生きたまま埋葬されかかるというものだろう。

　作中では官憲の摘発が入ったために未遂に終わったものの、この展開が「カーミラ」に描かれた吸血鬼の処刑の場景に多くの点で似通っていることは疑いを容れない。

「その翌日、カルンスタイン家の礼拝堂で、型どおりの処置が行われたのでございます。マーカラ伯爵夫人の墓がひらかれて、将軍とわたくしの父とは、それぞれ自分の手もとへ来た美しい反逆の客を、いましも公開された顔のなかにまざまざと認めたのでございます。そこに葬られてから百五十年もたつというのに、その顔には生命の温かみがなまなまとした色をみせておりました。目はぱっちりと開かれ、棺のなかからは死臭のにおいひとついたしません。お医者さまが二人臨場しておいでになり、お一人は官命でお見えになった方、お一人は告発者の側から出席したお方で、このお二人が、死体にはかすかだが感知できる呼吸もあり、それに応じて心臓の作用もあることを証明なさいました。手足は完全にしなやかで、肉にも弾力があり、鉛で張ってある棺のなかには七インチも血がたまっており、死体はそのなかに浸って横たわっております」

　生きているとも死んでいるともつかない状態で墓の中に埋葬される登場人物。同じ連作の中で前後して収録されたこの二編の展開の相似は、いったい偶然だったのだろうか？

　ここで筆者はさらなる疑問を投げかけずにはいられないのである——はたしてカーミラは本当に吸血鬼だったのだろうか？

## 吸血鬼カーミラ

　現代ミステリ小説では連作短編集という形式において、個々の物語だけでも独立して楽しめるけれども、全体を通して読み終えることで物語の意味を読み替える、ばらばらのエピソードの中に隠されていた大きな真相が浮かび上がるという仕かけは決して珍しいものではない。

　ドイツ人の放浪の医師の報告という体裁で編まれた約百五十年前の連作はまさにそうした試みだった……という筆者の想像は飛躍が過ぎるだろうか？

　しかし、幻想と怪奇に執心する一人のアイルランド人作家の頭脳に突如働いた霊感が、たまたま一世紀以上を隔てた後世になって定着するミステリ小説の趣向と似たようなものになった、というたぐいの文学史上のオーパーツ的な現象も絶対に起こり得ないとはいえないだろう。何しろ作家は怪奇小説とセンセーション・ノベルの両刀使いだったのだから。

　もう少し現実的な想像をするなら、当初は古城に客人として入り込んだ女盗賊が暗躍するセンセーション・ノベルという構想で書き始めたものが、途中から作者の気が変わったか、あるいは出版社からの要請があって、美貌の令嬢の正体は約百五十年前に死んだはずの吸血鬼だったという結末に変更されたのかもしれないし、あべこべに「カーミラ」を書き終えてから、彼女の正体が吸血鬼でなくても物語は成り立つということに作者自身が思いいたったとも考えられる。いったんは怪奇小説として完結させた「カーミラ」の物語をセンセーション・ノベルに読み替えさせることが、いかにも場違いな「ドラゴン・ヴォランの部屋」という陰謀スリラー小説と、ひいては *In a Glass Darkly*――『鏡をもて見るごとくおぼろに』と題した中短編集に課せられた役割だったのではあるまいか。

　もちろん、レ・ファニュ自身がそんなことを書き残しているはずもなく、こうした解釈はしょせん筆者の幻想でしかないのは重々承知だが、吸血鬼ではなかったという前提で振り返るなら、「カーミラ」の描写には腑に落ちるものが少なくないのである。

　まず、カーミラは午前中に寝室から出てこないというだけで、太陽の光の下でも自由に行動することができた。一説に太陽光が吸血鬼の弱点になるのは一九二二年公開のドイツ映画『吸血鬼ノスフェラトゥ』以降とされるけれども、日没後になって墓から這い出し、自分の墓へ戻るための目印に屍衣を引っかけたというカルンスタイン地方に過去に出現した吸血鬼の習性とカーミラの日常生活はまるで違っていて、ヴォルデンベルグ男爵が説くような「同類をどんどんふやしていく」という関係があったとは認めがたい。それに吸血鬼の犠牲になったはずのスピエルドルフ将軍の養女ベルタや、流行り病で頓死が続いた村の女たちの死体に対して、昔話のように首を断ち切られたり、焼かれたりといった残酷な処置が施されたことはどこにも言及がないのである。ローラも、自分の症状は村人たちの流行り病と同じものではないと記していた。

　また、カーミラの処刑の報告も疑えないことはない。何といっても、ローラ自身はカーミラの処刑の場に居合わせていなかったのだ。彼女はカーミラの死体が焼かれ、その灰が川に流された後になって、父親やヴォルデンベルグ男爵から吸血鬼退治の一部始終を教えられ、公式の調査報告書の写しを見せられたのである。たとえ彼らの証言に何らかの作為が存在したとしても、彼女に見分けるということは困難だっただろう。

　午後にならないとカーミラが起きてこなかったことは、夜の間は隠し通路を使って、明け方まで城の内外を探索していたのなら不自然なところはない。夜明け前に城外を歩いている若い女の影を目撃した使用人の話題がローラたちの雑談の中で語られているし、スピエルドルフ将軍は自分自身が「夜明けの白々のなかを」ふらふら歩くミラーカの姿を見かけたと証言している。

　吸血鬼が鏡に映らないという設定はもしかするとレ・ファニュの存命中にはまだ存在しなかったかもしれないけれども、いずれにせよ、化粧台の前にたたずんだカーミラの姿がローラに目撃されているのだから、鏡に映らないという設定はカーミラの場合にはあてはまらないようである。

　グラッツの職人によって修復された「一六九八年」の年紀があるマーカラ・カルンスタイン伯爵夫人の肖像画にカーミラが生き写しだったのは何故か。これもカーミラ自身が、自分もカルンスタイン家の血筋なのだと打ち明けている。いわくのある先祖の肖像画にその血を引く子孫の容姿が瓜二つだということは——それこそ、「カーミラ」を原作とするロジェ・ヴァディム監督映画『血とバラ』（一九六〇年）がそうだったように——こうした物語ではむしろお約束の設定といっていい。

　ローラとカーミラが、幼少の頃にすでに出会っていたという事実がこの解釈を強力に裏づける。ローラは六歳にならない時分と記し、カーミラは十二年前の出来事だったといって、記憶に食い違いはあるものの、夢の中ではなく、現実に彼女たちは対面していたのである。もしもカーミラがカルンスタイン家の古城に隠れ住む吸血鬼だったとしたら、どうして十二年以上の間、彼女はローラの前に再び現れることなく、周辺の土地では吸血鬼の恐怖に脅かされるということがなかったのだろう？

　幼いローラの寝室にカーミラが忍び込んだ翌日、「黒い僧服を着たりっぱな老人」がローラの許を訪れて、彼女のために祈りを捧げている。この老人が何者だったかは作中に記されていないが、幼いローラとカーミラが関わりを持った当日の夜から翌日にかけ、城に客が滞在していたということは疑いない。

　では、ローラとベルタが夢の中で怪物に襲われたという証言はどう解釈したらいいか？

　ここで思い出したいのは「緑茶」が「茶に浮かされる」ことによって幽霊幻覚を発症するという怪談であり、また「判事ハーボットル氏」では「内的幻影」が周辺の人々にも伝播するという幽霊現象の伝染性が採り上げられていることだ。同じ書籍の中でこうした解釈が行われたくらいだから、ローラとベルタの場合も、吸血鬼のような怪物に襲われたのではなく、薬物を投与されて幻覚を見ていたものと判断しても差し障りはない。それにカーミラが薬や毒に詳しかったことは彼女の言葉の端々からもうかがえる――「邪霊なんてものは、リボンの切れはしだの薬屋の匂いでも、こわがるものなのよ。この病気は空中をうろうろしていて、まず神経に作用して、それから脳を冒すんだけど、病気に冒されないうちに毒気除けをしておけば、病気を追っ払えるのよ」。

　この他、人前では食事を摂らず、朝夕の礼拝に参加することもなく、村人たちの讃美歌を聞くと途端に気分が悪くなり、どこか人間の死を甘美なものとして捉えるような言動を繰り返したなど、確かにカーミラには不審な言動が数多く見られたけれども、これらも吸血鬼のような怪異の存在を殊更に持ち出さなくては説明がつかない事柄だったようには思えない。もっと現実的な解釈はいくらでも可能だろう。

　だいたい、「カーミラ」の原題はシンプルに"Carmilla"というもので、これは吸血鬼の物語であるとは明示されていない。日本語訳のタイトルに読者は引きずられて、カーミラ＝吸血鬼という構図が先入観になっていたのではないか。「カーミラ」本編では物語の結末近くまでカーミラの正体は伏せられているし、作中のヘッセリウス博士の論文からも「この問題は、つきつめていくと、人間の二重存在、およびその仲介物という、深遠な問題をも含んでいる」という一文が引かれたのみで、この「症例」が吸血鬼によるものだったとは論断されていないのである。

　カーミラや彼女の母親たちが何者だったのか、十九歳の夏から秋にかけて、ローラの身のまわりでいったい何が起こったか。何しろ「カーミラ」の本編中で語られることのなかった物語なのだから、細部まで読み解くにはどうしても判断の材料を欠く。

　ここで注目したいのはローラの父親とスピエルドルフ将軍は共に退役軍人だったという事実である。

　ローラの父親の素姓は、何故かしら平井呈一訳や野町二訳では曖昧にぼやかされているけれども、原書を確かめると次のように明言されているのだ。

　"My father was in the Austrian service, and retired upon a pension and his patrimony;"（父はオーストリアで軍役に就いており、退役後に恩給と財産を手に入れた）

スピエルドルフ将軍と伯爵夫人が関わりを持った仮面舞踏会は、「例のシャルル大公」――フランス革命戦争、ナポレオン戦争でオーストリア帝国軍を率いたカール・フォン・エスターライヒ大公を来賓に迎えて催されたものだった。「ドラゴン・ヴォランの部屋」と同じく、「カーミラ」もまたナポレオン戦争の終結から間もない時期が物語の舞台。ローラの父親もスピエルドルフ将軍も、オーストリア帝国の軍人として二十年以上の対フランス戦線に従軍していたと見て間違いない。

　あるいは「カーミラ」の事件の遠因も、この戦火の中にあったのではないだろうか。どんな陰惨な出来事が起こっても不思議ではないのが、フランス革命以降のヨーロッパ情勢というものなのだ。もっとも、これは筆者の幻想だから証明のしようもない。ただ、「仇魔」の主人公バートン氏の苦悩の原因がやはり海軍時代の醜聞だったことは指摘しておきたい。

　最後になったが、*In a Glass Darkly* の作者、ジョゼフ・シェリダン・レ・ファニュの出自について少々言及しておきたい。

　レ・ファニュの一族はその姓からも明らかなようにフランスに出自を持ち、故国での迫害を逃れてアイルランドへ移住したユグノー（フランス系カルヴァン派信徒）の後裔だったとされる。

　フランスにおいては十七世紀後半に「太陽王」ルイ十四世の親政が始まるとプロテスタント弾圧が進み、一六八五年にはユグノーの信仰を認めたナントの勅令の廃止が宣言されて、ユグノーの多くは国外へ逃亡した。フランス国内に留まって抵抗を続けたユグノーの一派カミザールの反乱も一七〇五年に鎮圧されている。レ・ファニュ一族の祖先がフランスを脱出したのこの間の出来事だったようである。

　ユグノーは南フランスに多く、とりわけ海上交通の要衝で自立心も旺盛な東のラングドック地方、同じく西のギュイエンヌ地方では大きな勢力を保っていた。最後まで抵抗したカミザールが拠点を置いたのも、ラングドック地方北端のセヴェンヌ山脈の山中だ。

　カミザールの指導者ジャン・カヴァリエはイングランドへ渡った後に回想記を著して、

「セヴェンヌの民衆はルターやカルヴァンよりもっと昔の、名高いアルビジョワやヴァルド派の子孫である」

　と誇らしげに書きつづったという。アルビジョワといえば、これはかつてラングドック地方で広汎な民衆の支持を集めた異端カタリ派を示しており、福音主義と徹底した清貧をかかげて宗教改革の先駆けと見做される異端ヴァルド派ともども、中世カトリック教会からは敵視されたキリスト教異端の巨大勢力に他ならない。ユグノーはその信仰生活において、カルヴァン派以前の異端カタリ派や異端ヴァルド派の記憶を多分に継承していたのだ。

そして、亡命ユグノーの後裔である作家レ・ファニュは「カーミラ」の作中において、他でもないタイトルロールのヒロインにこれ以上はないというくらいに直截に叫ばせているのである。

「わたくしとあなたとは宗教がちがうんじゃないの。わたくし、あなたのお宗旨は嫌いよ。お葬式も嫌いだわ」

**主要参考文献**


*In a Glass Darkly* Sheridan le Fanu, Wordsworth Editions

『吸血鬼カーミラ』レ・ファニュ著／平井呈一訳　創元推理文庫

『怪奇小説傑作集1』平井呈一訳　創元推理文庫

『ドラゴン・ヴォランの部屋』レ・ファニュ著／千葉康樹訳　創元推理文庫

『ゴシック文学神髄』東雅夫編　ちくま文庫

『フランスわが旅』辻邦生編　中央公論社

# 黄金蝶を追って

**相川英輔**　竹書房　九〇〇円（税別）

〈評〉**牧原勝志**

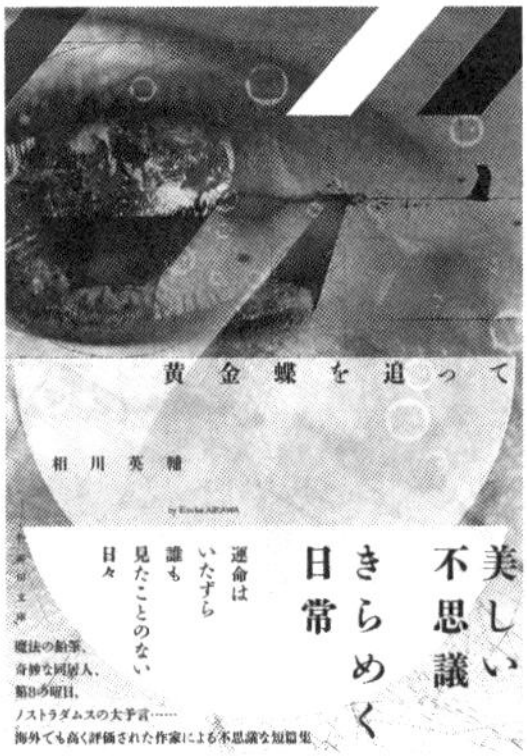

装丁：坂野公一（welle design）

本書を読み終えたとき思い浮かんだのは、「異色作家」という言葉だった。早川書房の《異色作家短編集》のおかげで概念として捉えられるようになった、ジャンルにおさまらない、誰にも似ていない作風の作家たち。そう、本書の著者もまた、誰にも似ていない。かつてのダールやブラッドベリやマシスンらのような、そんな異色の面々を集めて二十一世紀版《異色作家短編集》を企画するときには、欠かせない作家の一人だろう。

本書は二五六ページの文庫に六編を収録した、こぢんまりとした短編集だ。だが、どんな作風の作家の、どんな味わいの小説が収録されているかは、簡単には語れない。もちろん難解ではない。主人公はあなたのすぐそばにいそうな人たちばかりだ。だが、奇妙きわまりない不可解なことが、かれらの身辺に起きる。たとえば「ハミングバード」では、入居して間もないマンションの一室で、前の住人の幻像が日常生活を送っている。「日曜日の翌日はいつも」では、日曜日と月曜日のあいだに、誰にも会うことのない一日が挟まる——文庫ジャケット裏表紙側の紹介文と同じ例示だが、この二編は本書の特徴を伝えるのに的確な作品だ。日常の中に理解しがたい異変があり、主人公は当惑し、煩悶もするのに、そのまま日常生活を送りもする。もし身辺に同じことが起きたら——と、読者は自問することだろう。そして、その奇妙な異変が予想もしなかった、だが望ましい決着を見せることに、安堵するだろう。このような小説の書き手は、やはり「異色作家」と呼ぶほかない。

収録作品のうち、「シュン＝カン」は明確にSFとして書かれているので、表題作「黄金蝶を追って」をファンタシーと呼んでも、作者は許してくれるだろう。「六十年代までは魔法が残っていた」という書き出しの一行が示すように、そして、描いたものが命を得て動きだす鉛筆モルケルテンが現れるように、魔法についての物語だ。だが、魔法は楽しくも便利でもなく、ときには重荷や枷《かせ》にもなる。それでも、迷う者を導く術《すべ》にもなり、夢破れた者を支えもする。本作はあとがきで「もしかするとこの作品もある種の魔法によって生み出されたのかもしれない」と言及されている。これは魔法が存在することの証拠なのではないか。「まさか」とお思いの向きにも、「たぶん、そうだろう」とうなずいた方にも、ぜひ御一読いただきたい。

かならずや答えは得られることだろう。

# 異能機関　上下

スティーヴン・キング　白石朗訳　文藝春秋　各二七〇〇円（税別）

〈評〉植草昌実

装丁：石崎健太郎 装画：藤田新策

一九九〇年代の初め頃、一部の文芸評論家が、なぜかスティーヴン・キングを叩く発言をする時期があった。おおむね「キングの書くものなど怖くない」というものだったが、「小説における恐怖とは何か」を突き詰めないまま終始する、批判未満のものだった。おそらくはキングの作品を理解できないまま書いていたのだろう。

中でも忘れられないのは、『デッド・ゾーン』や『ファイアスターター』を挙げて、こんなものは小松左京がすでに書いている、だからSFとして不満だ、などという乱暴なもので、当時すでに相当に有名な人が書いていただけに、落胆も一入《ひとしお》だった。

デビュー作の『キャリー』以来、キングは〈超能力〉をたびたび題材にしてきた。二〇一九年の作である本書も、超能力者の物語だ。そして、その描き方にはSFとしても、そうでないとしても、斬新なものがあるわけではない。

本書では、自分がもつ能力に自覚のない子供たちが、理不尽な環境の中でそれに目覚めていく過程が語られる。そして、その「環境」は、支配と暴力、管理と統制という、身近にありうる恐怖に満ちている。

超能力も、それを支配・制御する力の恐怖も、現実感を持って描いているのが、他に類を見ないキングの優れたところである。描写が細かいのではない。登場人物も、かれらが置かれている舞台も生き生きとして、現実感に溢れているのだ。事件の起きない、超能力の物語の予兆もない第一章「夜まわり番」だけを読んでも、読者はそう感じるはずだ。警察を退職した中年男ティム・ジエイミースンが、フロリダの空港からヒッチハイクの末に、サウスカロライナ州の小さな町デュプレイにたどり着く。もちろんキングの筆致であるから、何も起きなくても読者は先へ先へと読み進んでしまう。そして、何も起きないこの章の重要さに、あとで気づくことになる。

第二章「神童」で、主人公の天才児ルーク・エリスが登場。潜在的な超能力者である彼が〈研究所〉なる機関に誘拐され、物語が動きだす。この特殊な環境にさえ、人にも場所にもデュプレイ同様のリアリティがある。ルークはそこで自分と同じような能力を秘めた少年少女と出会い、抑圧され、抵抗し、活路を求める——もはや読者は物語を追っていくほかない。もちろん最終ページには、大きな満足が待っている。

三十年前にキングを叩いた人たちに、この『異能機関』を読み、語ってもらいたい。主な人たちが今はいないのが残念だ。

# モンスター・パニック！

マックス・ブルックス　浜野アキオ訳　文藝春秋　二六〇〇円（税別）

〈Reader's Review〉長尾竜之

装丁：川名潤

　ワシントン州の広大な森のなかの小さなコミュニティが、火山の噴火で道路を寸断され、最新のネット回線も携帯電話も不通となって一気に孤立。そこに噴火の影響で棲む場所を失った獣人ビッグフットの群れが猛烈な飢えを満たすべく襲いかかってくる……本書はストーリーだけ取りだすと、まるでアメリカのB級C級映画。書名からもそのような匂いがする。でも実は原題は『DEVOLUTION（退化）』。そのような匂いなど微塵もない。侮るなかれ、本書はB級C級のアイデアを、技巧をこらしてA級の物語に仕立てあげた一冊なのだ。

　作者は初長編『WORLD WAR Z』（二〇一〇年邦訳単行本刊）で人類対ゾンビの世界規模の戦いをフェイク・ドキュメンタリーの手法で描いて注目されたが、待望の第二作である本書でもその手法は冴える。読者は、破壊された無人のコミュニティで救助隊が発見した日記を読みながら、何が起きたのかを知っていく。日記のあいだに作者が挟みこむのは、救助隊のメンバーであるレンジャー隊員の証言、アメリカ地質調査所の火山の報告、類人猿に関する学術書やビッグフット伝説の解説書からの引用、登場人物らが過去に受けたメディア取材の記事などだ。この仕掛けで物語には奇妙なリアリティが漂い、独特な面白さが生まれている。

　コミュニティの住人たちの書き分けも実に上手い。最新のエコ技術を駆使した家が並ぶ別荘地くらいの規模のコミュニティ「グリーンループ」。そこで暮らす十一人が、火山の噴火がもたらした孤立状況に加え、ビッグフットの襲撃という前代未聞の事態を迎えたとき、どうなるか……露わになった心の奥と、それゆえの行動を、ひとりひとり丁寧に描写していく。手製の槍やナイフ、たいまつといったわずかな武器を頼りに、ついに住人たちは凶暴なビッグフットの群れとの壮絶な戦いに突入する。が、先史時代の霊長類ギガントピテクスの末裔といわれる、巨大かつ圧倒的な力を誇るビッグフット相手では、終始劣勢だ。いったんの反撃もむなしく、命を落とす者が続出する。登場人物を次々とうまく死なせて物語から消していく作者の手腕は鮮やかだ。なかでもある人物を死なせる展開は見事で、ここで物語のボルテージがさらに上がる。そして死闘の果てに待つ、誰も想像できない結末……力強いけれど、苦くもあり、哀しくもあるこの結末は、「退化」という原題をずしりと胸に響かせて、いつまでも忘れがたい。

# 仮面物語—或は鏡の王国の記

山尾悠子　国書刊行会　三六〇〇円（税別）
〈Reader's Review〉宮澤豊和

装丁:久留一郎デザイン室

「鏡市の上空を一週間以上も封じこめていた厚い雲は、完全に吹き散らされていた。一枚の、霜を吹いた金属板のように張りつめた寒気の彼方に、蒼白い惑星群が氷っているのが見える。」

物語の中盤で遭遇する一節には、凛とした美しさと非現実感との、見事な均衡が宿っている。しかし、本書は安易にカタルシスを約束するようなメルヘンではない。寧ろ、閉塞感に覆われた黄昏の仮面劇なのだ。

舞台となる鏡市は立憲君主制の都市国家。瓦斯《ガス》燈の立ち並ぶ街路を馬車が行き交い、中心部には聖堂を入れ子型に内包した〈二重館〉が聳《そび》える。ジャン・ロラン、ホフマン、そしてマイリンクから採られたエピグラフからも、近代ヨーロッパ趣味の魔都であることは明白だ。

その反面、登場人物がほぼ一様に漢字名なのは何故か。隠遁した君主の加賀見、その娘である聖夜、ゲットオに住む魔術師の果星、そして主人公たる善助、等々。今回の新版後記では「癖の強い人工的な名」を狙ったと弁じられているが、その違和感も本書の魅力である。

一方、プロットを駆動させるのは「たましいの顔」という主題。人々が内面に隠し持つ面ざしを〈影盗み〉なる彫刻師は具現化してしまう。その特異能力を有する善助と、かつて別の〈影盗み〉によって真実の顔との対峙を余儀なくされた（であろう）聖夜とを二つの極に据えることで、錯綜する物語も解きほぐされていく。

ここで押さえておきたいのは、目まぐるしく入れ替わる語りの視点である。その仕掛けによって読者は一種の浮遊感を体験するはずだ。天空への飛翔や外洋への脱出を夢見ることは出来ずとも、市中唯一とされる昇降機付きの塔内部を振り出しに、迷宮めいた〈二重館〉を彷徨し、市外を囲繞《いにょう》する森林地帯までを巡るパノラマ・ツアーに乗り出そう。

就中《なかんずく》、鏡市を襲う天変地異を見よ。小説冒頭の濃霧は豪雨に変じ、市街は水没する。続く曇天のなか、瓦斯燈の火屋《はや》だけが水面から頭を出して列をなす。終幕間際まで退く気配のない圧倒的な出水の前には、ゲットオ焼き打ちや聖堂内の大爆発による火焔も色褪せて映ろう。

本書は作者の意向により長らく封印され、その改作版である中編「ゴーレム」が正典とされてきた。爾来、後ろめたさを禁じ得なかった評者だが、今こそ山尾悠子畢生の長編ファンタジー復活を高らかに喧伝したい。

# 猫の木のある庭

**大濱普美子**　河出文庫　九九〇円（税別）
**〈Reader's Review〉勝山海百合**

装丁：大久保伸子　装画：武田史子

本書は二〇一三年に上梓された大濱普美子の初著書『たけこのぞう』（国書刊行会）を改題、「文庫版あとがき」と金井美恵子の解説を付けて文庫化したものだ。表題作となった「猫の木のある庭」は『三田文学』二〇〇九年冬季号が初出の大濱のデビュー作。本書には『三田文学』に掲載された六つの短編が収められている。

冒頭の「猫の木のある庭」は、四十代の女性「私」が高齢の夫婦からはなれを借りて住む話だ。店子を選ぶことで知られる大家夫婦と女性の面接はスムースにいき、二人は女性と飼い猫のタマを歓迎するが、庭には歴代の飼い猫を根本に埋葬した「猫の木」があった……。大家夫婦とのやり取り、年季の入った日本家屋、その部屋に差す日の傾きまでが眼前に現れるように描かれるが、主人公の内心の声は所々で用心深く仕舞いこまれる。読者は提示される情報から想像するしかないが、庭に埋葬された猫がいるように、誰もがいまは亡き誰かの末裔なことを意識せずにはいられない。

「盂蘭盆会《うらぼんえ》」は一軒の家に朝子という女性が帰って来るところから始まる。彼女は玄関に入ると階段を軽々と上って自室を目指すが息は切れない。タイトルから察しがつくようにこの女性は死んでいる。かつてこの家には共働きの姉夫婦、家政を取り仕切る妹、姉の娘の四人家族が住んでいた。姉の夫が亡くなり、姉が老いて寝たきりになると妹が介護をする。だいたいは妹の視点から日々の暮らしと来し方が淡々と書かれているが、妹の熾火《おきび》のような情念が不意にめらりと燃え上がって読者を動揺させる。本作は東雅夫編『平成怪奇小説傑作選3』（創元推理文庫）にも採られた。

解説で金井も指摘しているが、本書に登場する住居の多くが改築されている。さらに言えば、読みながら間取図が書けそうなほど廊下や部屋の位置が詳述されている。「浴室稀譚」の主人公の女性も、銭湯の二階の休憩所を改築した部屋（浴室にシャワーはあっても風呂はない）に住み、小説を書いている。銭湯で知り合った、愛嬌と度胸のある女性マチ子と同居するようになると、生活に張りが出て執筆も捗るようになるが……。

掉尾を飾るのは、画家だった母親の葬儀のために帰国した娘の心に過去の様々な出来事が去来する「たけこのぞう」。死をきっかけに向き合ってみると、母親の人生は芸術家であり女性であるための困難があったが、生の喜びにも満ちていたことがわかる。過去から届く光のような一編だ。

# 過去を売る男

ジョゼ・エドゥアルド・アグアルーザ　木下眞穂訳

白水社　二五〇〇円（税別）

〈Reader's Review〉ときのき

装丁：緒方修一　装画：Alex Cerveny

本書は、アンゴラの首都ルワンダで暮らす男と、その家に棲みついたヤモリの物語だ。語り手はこのヤモリで、前世は実在のとある世界的な作家であり、今は人間だった頃の記憶は失っている。時折夢の中で過去の生活の一部がよみがえったり、人の姿で他の登場人物と語らったりする。

男はルワンダで暮らす新興の成功者たちのために、彼らが喜ぶような魅力的な〝過去〟を作るのを仕事にしている。新しい依頼人が男のもとを訪ねて来るところから物語は始まる。いつも通り男が書類や写真付きの偽りの個人史を提供すると、依頼人はその出来をいたく気に入り、のみならず実在するはずのない〝過去〟の痕跡を探し始める。

全体は三十二の短い断片にわかれていて、ヤモリから見た男の暮らしや、どこか胡乱な依頼人の様子、さまざまな夢、前世の記憶、壁にへばりついて日を送る身の生活と意見が語られる。

ヤモリが何者かについては作中では明確に示されないが、夢の内容とエピグラフからおおよその見当はつくようになっている。物語は語り手たるヤモリの独白、謎の依頼人を巡るミステリー、男が惹かれてゆく女性との恋の行方、など複数のラインにより牽引されていき、結末まで読者の興味を逸らさない。背景にはこの上なくシビアなアンゴラの社会状況があるのだが、全篇はどこか夢のような雰囲気に包まれている。

愛すべきヤモリ氏の前世である偉大な作家は、無数の模倣者と、彼自身をモデルにしたフィクションを生んだ。それはこの物語の外にある夢だ。彼は中世イタリアの山奥にある修道院で、迷宮のような巨大な書庫を管理していたことがある。その時彼は、戒律に反するものとして〝笑い〟を忌み嫌う孤独な男だった。実在の彼がそのような人物であったかはわからないが、ヤモリ氏の夢の中にあらわれる彼もまた孤独な男として描かれる。

ヤモリ氏が男と友情を育むきっかけになるのは、彼がふとした拍子に〝笑い声をあげた〟からだ。今生のヤモリ氏の語りにはあからさまではないがユーモアと温かみがあり、友人たる男の身を案じ、かつて人であった頃の繋がりを曖昧な夢の中にさがす。ヤモリ氏の知られざる活躍により、事態はある解決を迎える。少し寂しく、だが希望の感じられる結末だ。

## 伝説の怪奇幻想アンソロジー、『幽霊綺譚』遂に邦訳！

一八一六年夏、スイスはレマン湖のほとりに建つディオダティ荘で、バイロン卿らが興じた怪奇談義――ポリドリが「吸血鬼」を、メアリ・シェリーが『フランケンシュタイン』を書くきっかけとなる一冊の本が朗読された。原書はドイツ語のフランス語版アンソロジー『ファンタスマゴリアーナ』と聞いてはいても、いったいどんなものなのか。怪奇幻想ファンが知りたくてたまらなかった、まさに幻の書がついに邦訳された。アーペル、ラウン、クラウレン『幽霊綺譚　ドイツ・ロマン派幻想短篇集』（識名章喜訳　国書刊行会　定価五八〇〇円＋税）だ。

本書は全五巻の原書『幽霊の書』から、仏訳版を反映する構成にしたもの。ディオダティ荘で読まれた本そのものではないが、収録作品を精選したうえに仏訳版・英訳版の序文も収録している。解説では「ディオダティ荘の怪奇談義」にも詳細に触れ、さらに各版の収録作品を対照している。装丁（岡本洋平）も美麗で、まさに怪奇幻想ファン必携の一冊。なお、余談だが、『幻想と怪奇』編集室も本書の企画を画策し、原書を探していたが、某誌掲載の版元の予告で、本書が企画進行中であると知り、断念した。なので、本書の刊行を祝する思いは一入である。

## なぜ人は恐怖を感じるのか？　精神科医が暴く『恐怖の正体』

著者・春日武彦氏からは『新編　怪奇幻想の文学３　恐怖』の解説寄稿をお願いしたさい、恐怖をテーマにした新たな著書を準備中とうかがい、編集室では刊行を心待ちにしていた。それが本書『恐怖の正体』（中央公論新社　九二〇円税別）である。

本書で取り上げられる恐怖は、たとえば死のような現実のものだけでなく、映画や小説などのフィクションも含まれる。そして、なぜ忌避されるべき恐怖が娯楽となるのかも探究される。その考察においてはノエル・キャロルの『ホラーの哲学』（フィルムアート社）が記憶に新しいが、本書はその点において、より直截かつ的確だ。

ぜひ『新編　怪奇幻想の文学３　恐怖』を、本書と御併読いただきたい。恐怖の正体がより鮮明に目の前に現れることだろう。なお、京極夏彦推薦文、児嶋都イラストの帯が実に心にくい。

## 《愛蔵版　英雄コナン全集》
## 第3巻『降魔篇』好評発売中！

　夭折の作家ロバート・E・ハワードが紡いだヒロイック・ファンタシーの原点〈英雄コナン〉の物語を、訳者・中村融氏が全面改訳、新たな新資料も加え、全4巻で送りする『愛蔵版 英雄コナン全集』。第3巻となる「降魔篇」が好評発売中です。30代後半を迎え、知力と体力の絶頂にあるコナンの冒険を描いた中篇4篇、ならびに未完成作品の草稿と創作メモを収録。

　そして今冬には、長編『竜の刻』ほかを収録した最終巻、第4巻「風雲篇」が発売予定。寺田克也氏の描くコナン像にも、引き続き乞うご期待を！

装画：寺田克也
装丁：welle design　坂井公一

## 《新編　怪奇幻想の文学》
## 第4巻『黒魔術』収録作品紹介

　九月に刊行した好評発売中、シリーズ最新刊の収録作品をここにご紹介。

　ナサニエル・ホーソーン「若いグッドマン・ブラウン」／ロバート・ルイス・スティーヴンスン「ねじけジャネット」／ヘレナ・P・ブラヴァツキー「魂を宿したヴァイオリン」／アルジャーノン・ブラックウッド「**五月祭前夜**」／ウォルター・デ・ラ・メア「オール・ハロウズ大聖堂」／H・R・ウェイクフィールド「〝彼のもの来りてのち去るべし〟」／E・F・ベンスン「**願いの井戸**」／クラーク・アシュトン・スミス「魔術師の復活」／マーガレット・アーウィン「真夜中の礼拝」／アーサー・マッケン「変身」／マージェリー・ローレンス「**蟹座と月の事件**」／オーガスト・ダーレス「ロスト・ヴァアレー行き夜行列車」／アイザック・バシエヴィス・シンガー「**魔女**」／解説＝植松靖夫（太字は初訳作）

## 現代中華SFアンソロジー第二集、
## 今冬発売決定！

　二〇二〇年にご好評いただいた、立原透耶編『時のきざはし　現代中華SF傑作選』に続く『宇宙の果ての本屋　現代中華SF傑作選』が今冬発売！　諸事情による発売の遅延を心よりお詫び申し上げます。（H）

装画・装丁：YOUCHAN

装画：鈴木康士　装丁：鈴木久美

# 寄稿者紹介（五十音順）

（括弧内の数字は掲載頁）

**圷《あくつ》香《か》織《おり》**（83）

翻訳家。主な訳書にスーザン・イーリア・マクニール『チャーチル閣下の秘書』『エリザベス王女の家庭教師』、ヤンシィー・チュウ『夜の獣、夢の少年』『彼岸の花嫁』、バロネス・オルツィ『紅はこべ』、ジュリー・ワスマー『シェフ探偵パールの事件簿』（以上、東京創元社）がある。

**朝《あさ》松《まつ》健《けん》**（194）

一九五六年生まれ。先ごろ二十四年書き続けた一休シリーズの最新刊『一休どくろ譚・異聞』（行舟文化）を上梓した。伝奇とホラーと室町にこだわる。現在は応仁の乱末期を背景にした伝奇小説を執筆中。伝奇冒険小説として描いた『血と炎の京　私本・応仁の乱』（文藝春秋）とは逆に怪奇味を前面に立てた歴史ミステリ仕立てで伝奇小説の可能性を探る。

**朝《あさ》宮《みや》運《うん》河《が》**（113）

ライター・書評家。ホラーや幻想文学に関する記事を各誌に執筆。『家が呼ぶ　物件ホラー傑作選』（筑摩書房）など、ホラーアンソロジーの編纂も手がける。

**伊《い》東《とう》晶《あき》子《こ》**（118）

翻訳者。主な訳書にクレア・A・ニヴォラ『世界のまんなかの島〜わたしのオラーニ〜』（きじとら出版）、『M・P・デア 怪奇短編集』（私家版）がある。翻訳同人誌「翻訳編吟」同人。

**井《い》上《のうえ》雅《まさ》彦《ひこ》**（93）

小説家。星新一ショートショートコンテスト受賞を経てデビュー。『夜会 吸血鬼作品集』（河出書房新社）など著書多数。企画監修をつとめる書き下ろしアンソロジー《異形コレクション》（光文社）は、最新刊となる第56巻を11月刊行予定。今回の作品「緑の聖地」はフィクションだが、舞台の霊園は実在のもので、管理団体の企画で定期的に趣のある夜の映画会が催される。今年の九月の演目は——行けなくて実に残念だったが——「倫敦の人狼」（一九三五）だった。

**岩《いわ》田《た》佳《か》代《よ》子《こ》**（41）

翻訳者。最新の訳書は『親といるとなぜか苦しい：「親という呪い」から自由になる方法』（東洋経済新報社）。最新の翻訳短編は『新編 怪奇幻想の文学4 黒魔術』（新紀元社）所収、オーガスト・ダーレス「ロスト・ヴァレー行き夜行列車」。やまねこ翻訳クラブ会員。

**植《うえ》草《くさ》昌《まさ》実《み》**（78／131／163）

翻訳者。主な訳書にランガン『フィッシャーマン　漁り人の伝説』、ランズデール『死人街道』。共訳書に紀田順一郎・荒俣宏監修《新編　怪奇幻想の文学》（以上、新紀元社）、井上雅彦編《予期せぬ結末》（扶桑社）などがある。

**渦《うず》巻《まき》栗《くり》**（8）

翻訳者。『新編 怪奇幻想の文学4　黒魔術』にアルジャーノン・ブラックウッド「五月祭前夜」、H・R・ウェイクフィールド「〝彼のもの来たりてのち去るべし〟」『新編 怪奇幻想の文学3　恐怖』にアルジャーノン・ブラックウッド「木に愛された男」が収録されている。（共に新紀元社）

**織《おり》守《がみ》きょうや**（103）

小説家。イギリス・ロンドン生まれ。主な著書に《記憶屋》シリーズ（KADOKAWA）、弁護士木村&高塚シリーズ（双葉社）、『花は毒』（文藝春秋）、『英国の幽霊城ミステリー』（エクスナレッジ）などがある。近刊は『彼女はそこにいる』（KADOKAWA）、『隣人を疑うなかれ』（幻冬舎）。

**粕《かす》谷《や》知《ち》世《せ》**（178）

作家。二〇〇一年日本ファンタジーノベル大賞受賞作『クロニカ　太陽と死者の記録』（新潮社）にてデビュー。そのほかの著書に『アマゾニア』『ひなのころ』（共に中央公論新社）『終わり続ける世界のなかで』（新潮社）『小さき者たち』（早川書房）がある。

現在、SF、幻想小説の短篇を執筆するほか、平安時代を舞台にした歴史小説を構想中。

### 斜線堂有紀《しゃせんどうゆうき》（225）

小説家。著書に『キネマ探偵カレイドミステリー』『神神化身 壱 春惜月の回想』（共にKADOKAWA）、『楽園とは探偵の不在なり』（早川書房）、『ゴールデンタイムの消費期限』（祥伝社）、『廃遊園地の殺人』（実業之日本社）、『君の地球が平らになりますように』（集英社）など多数。近著に『回樹』（早川書房）、『本の背骨が最後に残る』（光文社）がある。

### 夏来健次《なつきけんじ》（23）

翻訳者。主な訳書にジョージ・W・M・レノルズ『人狼ヴァグナー』（国書刊行会）、G・G・バイロン／J・W・ポリドリ他『吸血鬼ラスヴァン英米古典吸血鬼小説傑作集』（共編訳・平戸懐古）、チャールズ・ディケンズ他『英国クリスマス幽霊譚傑作集』（共に東京創元社）他。来たる二〇二四年、本書『幻想と怪奇14』のテーマに関連する企画、ウィルキー・コリンズ他『ロンドン幽霊譚傑作集（仮）』（東京創元社）刊行予定。ヴィクトリア朝英国作家による十三篇中、十二篇本邦初訳、本誌収録作家の別作品も。請う御期待。

### 西聖《にしさとし》（170）

新潟県生まれ。第一回幻想と怪奇ショートショート・コンテスト最優秀作「無色の幽霊」は『幻想と怪奇 ショートショート・カーニヴァル』に収録。最近はライブカメラ、水をおそれています。

### 野村芳夫《のむらよしお》（60）

英米文学翻訳家。主な訳書に、イアン・バンクス『蜂工場』、グレイ&モレーノ=ガルシア編『FUNGI――菌類小説選集』Ⅰ・Ⅱ（共にPヴァイン）、W・H・ホジスン『〈グレン・キャリグ号〉のボート』（アトリエサード／書苑新社）がある。大橋渡『奇襲』（Pヴァイン）を編纂・解説した。

### ひらいたかこ（表紙）

イラストレーター。ミステリの装画や挿絵を多く制作。子供向け絵本や児童書の装画&挿絵も多い。『アリス、アリス、アリス！』（東京創元社）などの画集も出版。個展や原画展示の活動も続けている。

### 日向空海《ひゅうがうつみ》（233）

雑文家。第一回『幻想と怪奇』ショートショート・コンテストでは一次選考の通過ならず。今号掲載の評論はピエール・バイヤール著『シャーロック・ホームズの誤謬 『バスカヴィル家の犬』再考』（東京創元社、二〇一一年）の趣向で書いたもの。もしかしてバイヤール先生の元ネタはハマー・フィルム・プロダクション製作の劇場映画版『バスカヴィル家の犬』（一九五九）だったのだろうか。

### 木犀《もくせい》あこ（229）

二〇一七年『奇奇奇譚編集部 ホラー作家はおばけが怖い』（KADOKAWA）で第二十四回日本ホラー小説大賞優秀賞を受賞。近著に『世界一くだらない謎を解く探偵のまったり事件簿』（マイナビ出版）など。二〇二一年に長女を出産してから、アンファンテリブルものを素直に楽しめなくなって困っている。

### YOUCHAN（装丁）

イラストレーター。装画を手掛けた本に『新編怪奇幻想の文学4 黒魔術』（新紀元社）、ジュノー・ブラック『狐には向かない職業』（早川書房）がある。絵を担当した『戯曲絵本 カラクリ匣』（文・林田こずえ／小鳥遊書房）も好評発売中。

各紹介文は、寄稿者各位によるものです。表記等は編集室で統一しております。（M）

# 『幻想と怪奇』応援店のご案内

**バックナンバーを揃えていただいている以下の書店で『幻想と怪奇』をお買い求めいただくと、特典ポストカード（タイトル入りver.と装画ver.）を配布中です（数量限定につき、ご購入の際に書店にお問い合わせください）。**

| | |
|---|---|
| 丸善&ジュンク堂書店　札幌店 | 北海道札幌市中央区南一条西一丁目8-2 |
| 増子書店 | 茨城県鉾田市鉾田2473-2 |
| 丸善　丸広百貨店飯能店 | 埼玉県飯能市栄町24-4　丸広百貨店飯能店6F |
| ブックファースト　新宿店 | 東京都新宿区西新宿1-7-3 コクーンタワーB1F |
| ジュンク堂書店池袋本店 | 東京都豊島区南池袋2-15-5 |
| 盛林堂書店 | 東京都杉並区西荻南2-23-12 |
| ジュンク堂書店　藤沢店 | 神奈川県藤沢市藤沢559 ビックカメラ7F |
| TSUTAYA　栃木城内店 | 栃木県栃木市城内町2-6-23 |
| TSUTAYA　レイクタウン | 埼玉県越谷市レイクタウン4-2-2 イオンレイクタウンkaze A-108 |
| 明屋書店イケヤ　高丘店 | 静岡県浜松市中区高丘東1-2-40 |
| ジュンク堂書店　名古屋栄店 | 愛知県名古屋市中区新栄町1-1 明治安田生命名古屋ビルB1 |
| 丸善名古屋本店 | 愛知県名古屋市中区栄三丁目8-14 |
| 小濱書店 | 三重県松阪市日野町2 ベルタウン1F |
| ジュンク堂書店　三宮店 | 兵庫県神戸市中央区雲井通6-1-15 サンシティビル7F |
| 文信堂書店　長岡店 | 新潟県長岡市城内町1-611-1 CoCoLo長岡内 |
| 金沢ビーンズ明文堂 | 石川県金沢市鞍月5-158 |
| 紀伊國屋書店　広島店 | 広島県広島市中区基町6-27　アクア広島センター街6F |

**こちらに関するお問い合わせ**　（株）新紀元社 営業部　TEL:03-3219-0921【平日】9:00-17:00

**幻想と怪奇10**
**イギリス怪奇紳士録**
**英国怪談の二十世紀**
ISBN 978-4-7753-2012-9

イギリスを代表する怪奇小説の書き手たちの中短編を集めました。古書あり骨董あり、謎めいた屋敷あり、そして趣味人も奇人もあり。幽霊や妖怪変化も、もちろん出現します。西洋怪談の粋をじっくりお楽しみください。

**幻想と怪奇12**
**イギリス女性作家怪談**
**メアリー・シェリーにはじまる**
ISBN 978-4-7753-2058-7

『フランケンシュタイン』のメアリー・シェリーら、10人の作家の中短編を集めました。幽霊、猟奇残虐事件、オカルト探偵、奇蹟……多彩な物語とともに、彼女たちの名を記憶にとどめていただけますよう。

**http://www.shinkigensha.co.jp/**

※バックナンバーは弊社サイト内で「幻想と怪奇」と検索してください

◆いわば別冊の企画『幻想と怪奇　ショートショート・カーニヴァル』を挟んで、『幻想と怪奇14』をお届けします。第一期のアンソロジー『幻想と怪奇傑作選』を始まりとすれば十六巻、四年を経たことになります。読者の皆様の長らくの御支援に、あらためて御礼申し上げます。

◆とはいえ、『幻想と怪奇』を続けていくためには、半世紀前のオリジナルを範としても、同じことをすればいい、というものではありません。既刊の流れに沿っていけばいいわけでも、もちろんありません。この第14巻から、私たちは小さな、しかし新たな試みをはじめます。『幻想と怪奇』をより自由で、より柔軟な想像力の場にするために。

◆それは第1巻『ヴィクトリアン・ワンダーランド　英國奇想博覧會』を編集していた頃に戻ることでもあります。本巻にも御寄稿いただいている朝宮運河氏に『好書好日』で取材していただいたさいに（二〇二〇年三月二一日）、自分でこう言っているのですから。

「テーマアンソロジーの統一感と、何が潜んでいるかわからない雑誌特有の面白さを両立させられたら」

◆本巻では、まるまる一冊をワンテーマ・アンソロジーにした従来とは異なり、ショートショート・コンテスト入選者の作をはじめ別のテーマの創作も収録し、さらに連載企画を設けました。これまで不定期に収録していた朝松健氏の小説《ベルリン警察怪異課》を、また偶数巻ごとだった斜線堂有紀氏の映画コラムを《怪奇幻想映画レビュー》と題し、毎巻に収録します。加えて、木犀あこ氏の《怪奇幻想短編の愉しみ》を開始します。お楽しみいただけますよう。

◆また、メインテーマも、これまでは怪奇幻想文学史を中心としてきましたが、より多彩なものを企画してまいります。今回の「ロンドン」は、都市＝空間をテーマにした初の試み。巻頭の地図を御覧になりながら、紙上旅行をお楽しみいただければ幸いに存じます。クラシカルな作品を揃えたのも、ツアーの趣向と御理解いただければ。ロンドン・パンクの時代（とはいえ、日本ではオリジナル『幻想と怪奇』の時代でもあるのですが）以降の作品も収録したかったのですが、円安はさらに加速し、版権契約のコストも上がる一方で、思うにまかせません。今は好機到来を待つのみです。

◆なお、『幻想と怪奇13』の本欄でもお伝えしたように、目下のところページ数等も、版権契約同様思うにまかせず、そのため収録作家も予告どおりにできませんでした。予告から楽しみにしておられた読者の皆様に、あらためてお詫び申し上げます。

（M）

**次回配本**　幻想と怪奇15

**霊魂の不滅**（仮）

マージョリー・ボウエン
ラドヤード・キプリング
アルジャーノン・ブラックウッド
ヘンリー・ジェイムズ　他（予定）

# 幻想と怪奇　14
## ロンドン怪奇小説傑作選

2023年11月10日　初版発行

---

企画・編集　牧原勝志（『幻想と怪奇』編集室）

発 行 人　福本皇祐
発 行 所　株式会社新紀元社
〒101-0054 東京都千代田区神田錦町1-7 錦町一丁目ビル2F
Tel.03-3219-0921　Fax.03-3219-0922
http://www.shinkigensha.co.jp/
郵便振替　00110-4-27618

協　　力　紀田順一郎　荒俣 宏

題　　字　原田 治
表 紙 絵　ひらい たかこ（Pen Studio）
デザイン　YOUCHAN（トゴルアートワークス）

組　　版　株式会社明昌堂／『幻想と怪奇』編集室

印刷・製本　中央精版印刷株式会社

---



ISBN978-4-7753-2117-1
Printed in Japan
定価はカバーに表示してあります。